韓国社会運動のダイナミズム

参加と連帯がつくる変革

三浦まり　金美珍　編

大月書店

はじめに

韓国の社会運動はダイナミックだ。大通りを埋め尽くしたキャンドル集会のイメージを想起する読者も多いだろう。半年にもわたるデモ集会により現職大統領を退陣に追い込んだ、そのエネルギーはどこからくるのだろう？　#MeToo運動も、世界でももっとも活発に展開された国のひとつは韓国だし、何かあればプラカードを掲げた人々が抗議の意思を表明するシーンを報道やドラマなどでもよく見かける。人々が声を上げ、そのことにより社会が変わっていくことが日常風景となっている。

韓国では、どうして人々がすぐに声を上げるのだろうか。その行動の結果として、社会にどのような変化が生じているのだろうか。そして、社会運動が政治を変えていくことに関して、現在ではどのような障壁や課題を抱えているのだろうか。日本では、韓国とは真逆と思えるほどに、人々の政治への関心は薄く、社会運動も広がりに欠け、自分たちの力で政治を変えられると思っている人はきわめて少ない。韓国の社会運動と政治のかかわりを理解することで、日本の社会や運動のありかたを問い直し、新しい着想を得ていきたい。そのためのヒントを提供することが本書の目的である。したがって本書は、韓国の社会運動を包括的・網羅的に把握することには主眼を置いていない。ジェンダー不平等や貧困・格差など日韓が共通に抱える課題について、韓国での取り組みの断面を見ることで、日本で何をすべきかのインスピレーションを喚起することをめざしている。

人々が熱く政治にかかわり、何かあれば直接的なアクションを厭《いと》わないのは、韓国の政治文化と言っていいだろう。この政治文化は歴史的に形成されてきたものだ。本書は近年の社会運動に焦点を当てるが、政治文化を理解するためには、その源流にさかのぼることが必要だ。そこで、序章、第1章、第4章では歴史的変遷をたどり、社会運動を形づくってきた政治的背景をみていく。

日韓の違いを理解する際に、少なくとも二つの与件が異なることに留意が必要だろう。第一に、韓国では1987年の民主化まで軍事独裁政権が続いたことだ。軍事政権による弾圧や暴虐に対して民衆が抵抗しつづけ、民主主義を勝ち取った歴史がある。「犠牲を覚悟した市民による抵抗運動の原動力」（序章・李泳采《イヨンチェ》論文）が民主化運動によって形成され、その後の韓国社会運動を特徴づけている。

第二に、民主化以降は保守と進歩の二大勢力が激しく拮抗する政治状況が出現した。政権交代が定期的にくりかえされ、そのたびに激変するのが韓国の政治だ。自民党支配が長期に続いてきた日本とは、この点で大きく異なる。保守側は日本による植民地時代から軍事政権時代の支配層を出自とし、強い反共イデオロギーを有し、財閥との密接な関係を持つ。他方で進歩側は、民主化運動を継承し、人権、福祉、分配等の政策を優先する。民主化の初期段階では政党が不安定だったこともあり、民主化運動の勢力が政策面でも人材面でも進歩政党の発展を支えてきた。

他方で、政治における二大勢力の激しい対立により、社会の多様な要求を反映できる受け皿が十分に形成されず、人権や個人の尊厳に関連する政策や制度構築は一進一退である。後退するたびに社会運動が勢いを盛り返すことで、非暴力・不服従の行動様式を根づかせることになったといえる。

むろん社会運動は進歩派だけではなく、保守派においても多様な保守団体や宗教団体などが勢力を広げているが、本書は人権や個人の尊厳を守る運動に着目しているため、必然的に進歩派に近い運動を取り上げている。そうした運動が、不当な権力行使や不正義を問いただし、粘り強く抵抗し、改革案を練り上げ、実際に要求を実現させていくダイナミックな過程をみていく。

もっとも、進歩系の社会運動と大括りにしてしまうと、その内部の違いが見えにくくなる。当然であるが、団体や個人によって主張や見方は異なっており、本書でもなるべく社会運動内の多様な意見を反映するよう人選をした（それでも、もちろん本書が取り上げるのは一部だけである）。

政権交代さえ成し遂げられない日本と、政権交代によって激しく変化する韓国では、市民社会の政治との向き合い方が異なる。不当な国家暴力と不正義に対して、市民が犠牲を厭わず抵抗しつづけることで歴史を切り拓いてきた韓国では、現在においても権力行使の正統性への批判的精神が強い。個別の運動論以上に、日本の市民社会が自省すべきなのはこの点に集約されるようにも思われる。

もっとも、韓国の社会運動も現在では新たな試練に立たされている。権力に対する鋭い監視と批判を主な任務とし、政府や企業から有形無形の支援を受けないことを誇りとしていた１９９０年代と異なり、２０００年代以降は市民社会と政府との関係が変化していく。進歩派政権であった金大中《キムデジュン》・盧武鉉《ノムヒョン》政権期（１９９８―２００８年）には、アジア通貨危機を転機として新自由主義改革が進み、経済格差が拡大したことから、社会運動も経済的争点への関心を強めるようになる。雇用法制や社会保障制度が脆弱であったために、市民団体や地域団体が雇用創出や地域コミュニティ形成の取り組みをおこなうようになるのである。さらに２０００年代になると、市民団体が地方自治体のガバナンスに参加し、政府と市民社会のパートナーシップである「協治」が制度化された。これを通じて市民団体の要求が政策に反映され、市民が参加できる回路が多角化されたという点で民主主義が進展した側面もあるものの、社会運動の自律性や独立性が失われたとの批判もある。

近年では不安定就労が拡大することで、経済格差はいっそう深刻となっている。脆弱な立場に立たされたエッセンシャル・ワーカーたちがコロナ禍において声を上げ、先進的な地方自治体が率先する形で保護政策が実現したり、ベーシックインカムの実践が地方自治体で試みられたりしているのも、労働組合を含めた多様な市民団体が自治体を動かし、自ら課題を解決しようとする「協治」の一環である。

韓国では地域間対立が鋭く、大統領選でも候補者の出身地域によって支持基盤が形成されるといわれてきた。その側面が消失したわけではないが、近年では世代格差も大きな影響力を持つ。日本以上の超高速で経済成長を成し遂げ、民主化という政治体制の転換を経た韓国では、世代によって経験したことが大きく異なり、価値観の差も大きい。

80年代の民主化運動を担った進歩派の中心勢力は、60年代に生まれ、学生時代に民主化を体験したことから「86世代」と呼ばれる。この世代の社会運動は進歩派政権に対して大きな影響力を持ち、とくに文在寅《ムンジェイン》政権（２０１７―２０２２年）の屋台骨となった。ところが、政権入りした人や政権に近しい人たちのセクハラ・性加害や権力濫用が明らかになり、かつての民主化勢力が既得権化したことへの失望感が、若者世代を中心に広がることとなった。経済格差やジェンダー正義、環境正義などに敏感な若者にとって、86世代との距離感が広がっている。

他方で、社会課題の多様化に応じ、若者世代や移住者・移民など、新しい主体が社会運動に参加するようになっている。抵抗と変化を求めつつ、個々人として散らばっている人々をどのように結集していくかという社会運動の永遠の課題がいっそう差し迫っている。この時代状況は日本とも共通するものであり、韓国の社会運動がこれからどのように活路を見出していくのかは、日本にとっても注目される点であろう。

本書は以上のような問題関心から、女性／性暴力（第1部）、移民／外国人労働者（第2部）、自治体への市民参加（第3部）、エッセンシャル・ワーカー（第4部）、ベーシックインカム論争（第5部）という五つの異なる切り口を通じて、韓国の社会運動をなるべく立体的に理解しようと試みる。

各部の冒頭には、全体的な背景や韓国特有の文脈を把握しやすいよう専門家による解説を置き、続いて韓国の活動家や有識者から、運動の焦点や活動スタイル、成果と課題などを報告していただいた。多角的な視点を通じて、多様性に富んだ韓国社会の一端を垣間見ることができればと考えている。

なお、本書の元となった連続シンポジウムは２０２０年から22年にかけて開催されたため、韓国側の報告は基本的に当時の状況に基づいている。ただし、その後の展開を補足するため、各部のコーディネーターが２０２３年に聞き取りをおこない一部加筆した。

権力を持たない人々が社会の改革や変化を成し遂げるためには、多くの人々の力を合わせ、政策決定者を動かすほどの社会的圧力をつくる必要がある。そのためには草の根を基盤とする組織力が必要になってくる。政府や企業からの自律性と独立性を維持し、社会的信頼を構築することも重要である。そのうえで、各種の社会運動が互いに力を合わせ、連帯していくことが不可欠である。各章からは、そうした韓国社会のダイナミズムが見えてくる。

２０２３年にはおよそ６９６万人の韓国人が日本を訪れ、２３２万人の日本人が韓国を訪れた。今後も日韓の民間交流は質量ともに向上していくだろう。本書をきっかけに、韓国の社会運動への関心が高まることを期待したい。

編　者

韓国社会運動のダイナミズム　目次

第3部 住民参加に基づく「協治」の試み

第4部 コロナ禍とエッセンシャル・ワーカーの権利

序章

韓国社会運動の歴史的変遷と再生への課題

李泳采（イ・ヨンチェ）

はじめに

朴槿恵《パククネ》大統領の弾劾を要求した「キャンドル市民革命」で誕生した文在寅《ムンジェイン》政権（２０１７―２０２２年）を支えた進歩勢力は、予想に反して政権再創出ができず、５年ぶりに保守陣営が政権を奪還した。しかし、２０００年代以降のキャンドル集会まで、度重なる民主化運動が巻き起こった韓国では、「広場の直接民主主義」はいまもなお社会の民主化を進める重要な原動力である。１９５３年７月の朝鮮戦争の休戦協定の締結以降、軍事政権30年と、文民政権30年以上を経験している韓国社会で、民主化運動および市民運動を中心に成長してきた韓国の社会運動は、現在どのような課題に直面しているだろうか。

本章では、まず、約70年間におよぶ韓国の社会運動の歴史的展開とその背景を分析していく。そして、このような歴史的変遷の中で形成されてきた韓国の社会運動の主な特徴とその成果、および直面している課題を把握していく。なお、ここで使用している韓国の「社会運動」という概念は、学生運動、民主化運動、そして市民運動を含み、社会を変えようとする意識的な抵抗運動の幅広い概念として用いる。

1　民主化以前の韓国社会運動の歴史と変遷（1960年代―1980年代）

朝鮮戦争の休戦協定成立以降、70年間の韓国社会は、1987年を転換点として、30年間の軍事独裁政治と、その後の30年間の文民統治に区分することができる。前者は冷戦期の南北対立のなかで、軍事独裁政権による国家暴力の時期であった。この時期、韓国の社会運動は「民衆運動」あるいは「民主化運動」の名のもとに、物理的・集団的大衆運動の形で国家暴力に対抗した。一方、後者は脱冷戦期であり、民主主義の実現の時期でもあった。軍人出身ではない大統領の時代が続く、いわゆる「文民統治」がおこなわれ、この時期には民衆運動よりも、多様な「市民運動」が幅広く展開された時期と規定することができる。

87年6月に起きた民主化運動は、韓国社会と韓国の社会運動の性格を根本的に変えた転換点であった。しかし、この87年の民主化運動は偶然に噴出した社会現象ではなく、朝鮮戦争以後くりかえし起こった韓国社会の民主化運動の結晶体であったともいえる。そのような意味からも、韓国社会運動を理解するために、主な民主化運動の歴史的背景とその特徴を把握する必要がある。

（1）1960年4月革命と韓国民主化運動の原型

日本で60年安保闘争の学生運動が国会を囲んで「安保反対」を叫んでいたころ、隣国の韓国では同年4月19日に、学生たちが李承晩《イスンマン》独裁政権を打倒する「4月革命」が起こった。日本では当時、この事件はほとんど注目されなかったが、4月革命は戦後韓国社会運動の歴史の中でも重要な転機となった。

朝鮮戦争の休戦協定から7年しか経っておらず、朝鮮民主主義人民共和国（以下、北朝鮮）との軍事的対立が続くなか、学生が自国の政権を打倒する、いわゆる「革命」を起こしたのである。この4月革命にはどういう背景があったのだろうか。三点に絞って説明したい。

第一に、李承晩政権の長期独裁政治に対する民衆の拒否である。朝鮮半島では1945年に日本の植民地支配が終わり、48年に南北の分断政府が樹立され、50年6月には朝鮮戦争が勃発した。48年8月に大韓民国初代大統領に当選した李承晩は、朝鮮戦争を理由に、選挙もせずに政権を維持した（この時代の憲法による政治体制を第一共和国とも呼ぶ）。

1954年には、初代大統領に限って3回目の連続就任を認める内容の憲法改正を一方的におこない、実質的に終身大統領制を導入した。それだけでなく、60年の3・15大統領選挙では、李承晩大統領の最側近である李起鵬《イギブン》を無理やり副大統領に当選させるために、あらゆる不正選挙がおこなわれた。米国式民主主義が導入されて10年あまり、韓国社会ではまだ民主主義の基本的な土台が形成されていない状態であった。4月革命は、このように最低限の形式的な民主主義すら守らない長期独裁政権に対する民衆の怒りと審判であったといえる。

第二に、対日協力者（親日派）清算に対する要求である。北朝鮮は48年9月の政権樹立前後、植民地時代に日本帝国（日帝）に協力していた対日協力者たちを粛清し、日本人の所有した土地も無償没収・無償分配するなど、革命的な社会変化が起きていた。しかし韓国では、植民地時代は終わったが、日本の植民地支配に協力していた対日協力者（親日派）および旧支配体制がそのまま残存していた。朝鮮戦争を経験しながら、彼らはむしろ李承晩独裁政権を支え、新しい支配勢力として復活していたのである。4月革命は、日帝の植民地支配体制を維持する李承晩体制への反対とともに、植民地遺産の清算を求める、いわゆる「過去清算運動」のはじまりでもあったといえる。

第三に、民族共存と平和統一を求める朝鮮半島和解プロセスのはじまりである。李承晩政権は朝鮮戦争の休戦協定に署名せず、むしろ59年に、平和統一を主張した野党・進歩党の曺奉岩《チョボンアム》党首を国家反逆罪とスパイ容疑で拘束し、死刑に処した。平和的な方法による民族共存と統一国家樹立の要求は、李承晩政権のもとでは抑圧されていた。「行こう北へ、来い南へ、会おう板門店で」というスローガンに象徴される、学生運動による統一問題への提起は、2000年代の民族共存と和解をめざす朝鮮半島平和プロセスの原点であったともいえる。

何よりも注目すべきは、4月革命世代は、戦前の日本式教育ではなく戦後の米国式の民主主義教育を受けた最初の世代であったことである。4月革命は、日本帝国主義教育を受けて、妥協的で封建的な生き方を余儀なくされた旧世代と、それを拒否した戦後民主主義世代のあいだの価値観の衝突であったともいえる。最低限の形式的な民主主義さえも守らなかった李承晩政権を、学生たちは北朝鮮の軍事的な脅威以上に、民衆の生存を脅かす存在として認識していたのである。新しい世代の出現、そして南北分断の対立と反共イデオロギーを乗り越えようとする民主化運動の形は、その後の韓国社会運動の重要な特徴となった。

朝鮮戦争という暴力的な国家動員と、極端で敵対的な反共イデオロギーの影響を受けた韓国社会で、60年の4月革命は、組織化されていない大衆が、持続的に抵抗運動を続けた結果、多様な社会運動の組織化と分岐を形成する土台をつくったといえる。なぜ韓国の学生たちは政治問題への関心が高く、いまもなお民主化運動を担う主体となっているのかと問われるならば、それは戦後韓国における民主化運動の始発点が60年の4月学生革命であったからだといえよう。

(2) 79年10月釜馬民主化運動と「反独裁民主化運動」の伝統の復活

4月革命から1年も経たない1961年5月16日、朴正熙《パクチョンヒ》を中心とした軍部勢力がクーデターを起こし、民主党の張勉《チャンミョン》政権（憲法改正により議員内閣制を導入したことで第二共和国と呼ぶ）を転覆させた。それ以降、韓国では30年間の軍事独裁政権が続いた。

朴正熙大統領は、61年に大統領に当選してから79年10月26日に暗殺されるまでの18年間、独裁政治をおこなった。朴正熙政権の18年間の統治は、いわゆる「維新憲法」を制定し、すべての権力を大統領一人に集中させた1972年を境に、第一期（61―71年、第三共和国）と第二期（72―79年、第四共和国）に、その統治の性格を区分することができる。

朴正熙政権は、軍事政権の強力なリーダーシップのもと、輸出指向の工業化戦略に基づく「経済近代化」政策を標榜した。いわゆる「開発独裁」による高度経済成長戦略には莫大な外資導入が必要であったが、それを支えたのがベトナム戦争への派兵と、日韓国交正常化による日本からの経済支援であった。前者は、約30万人にのぼる韓国軍のベトナム派兵により、韓国側は戦時特殊経済の膨大な利益を得た。また後者は、35年間の日本の植民地支配に対する賠償および補償問題を「経済協力方式」で解決した。その過程で、日本軍「慰安婦」問題、強制徴用賠償問題などの個人被害に対する請求権問題は実質的にほとんど取り上げられず、未解決のままになっている。

朴正熙政権の第一期には民主主義は抑圧されたが、GNP10％以上の目覚ましい経済成長を達成し、60年代初め、一人当たりGDPが88ドルだったのが、70年代初めには276ドルと3倍以上に成長した。「漢江《ハンガン》の奇跡」と呼ばれる高度経済成長であった。しかし、70年代に入って中東戦争の影響によるオイルショックと米中和解（ニクソン・ショック）という対外環境の影響で、韓国の対外輸出にも影響が出た。

さらに、71年の大統領選挙で、朴正熙大統領は野党の新人候補である金大中《キムデジュン》に苦戦の末、かろうじて再当選し政権を握ることに成功した。このような国内外の環境変化のなか、朴正熙政権は72年10月、急激な内外情勢の変化による危機に対処するという名目で、いわゆる「維新体制」を宣言した。その後、朴正熙政権は現行憲法を停止させ、国会を解散し、国民の直接選挙なしに大統領を間接的に推戴することを骨子とした「維新憲法」を宣布した。韓国民主主義の暗黒期と呼ばれる7年間の維新独裁のはじまりである。

70年代の韓国の社会運動は、以前よりもはるかに暴圧的な政治状況に直面した。朴正熙政権は、緊急措置や戒厳令などを通じて、維新体制に関連するあらゆる批判的行為と言論を事前に封殺することで、日常生活における政治的黙認を強要した。とくに、朴正熙政権に対する最大の抵抗勢力として成長した学生運動に対して、74年4月「民青学連」事件(1)を口実に180名を逮捕し、8名に死刑を執行した。また、野党への弾圧としては、金大中拉致事件が起きていた。韓国で生命の危機を感じた野党指導者・金大中は、日本を拠点に米国と行き来しながら維新独裁を批判する活動をしていたところ、73年8月8日、日本のホテルで韓国の中央情報部（KCIA）によって拉致された。この事件をきっかけに、日韓両国は外交断絶の危機に直面することになった。

しかし、鉄壁に見えた維新独裁体制は、高度経済成長政策の犠牲となっていた女性労働者の抵抗から、その崩壊がはじまった。79年10月、YH貿易という会社の女性労働者たちが、賃金未払い問題の解決を要求し、野党の事務所を占拠した。企業や政府が労働者の訴えを無視していることに対して、野党を通じて圧力をかけようとしたのである。これに対して朴正熙政権は警察を投入し、その過程で女性労働者・金敬淑《キムキョンスク》（21歳）が転落死する事件が発生した。民主党党首であった金泳三《キムヨンサム》がこれに強く抗議し、海外メディアのインタビューを受けると、朴正熙政権は金泳三の国会議員職を剝奪した。

この事件をきっかけに、金泳三の政治的支持基盤である釜山《プサン》と馬山《マサン》を中心に大衆的な民主化運動が発生した（「釜馬民主抗争」と呼ばれる）。朴正熙の軍部勢力との流血衝突が予想されるなか、同年10月26日、大統領の側近で中央情報部部長である金載奎《キムジェギュ》による朴正熙大統領暗殺事件が発生した。18年間の朴正熙の独裁体制は、こうして虚しく幕を閉じたのである。

79年の釜馬民主化運動の原動力とは何であっただろうか？　対外的には、米カーター政権の人権外交と、米中和解にともなう駐韓米軍撤退論による国家間の緊張関係が影響していた。反面、対内的には、開発独裁に内在していた労働搾取と高度経済成長の矛盾、野党指導者に対する弾圧、そして釜山と馬山地域の労働者および民衆の生活苦などが複合的に作用して起こったといえるだろう。

60年4月革命と同様に、釜馬民主化運動の中心勢力は学生であったが、朴正熙政権の開発独裁に危機感を抱いていた民衆の積極的な参加があり、大衆的な民主化運動にまで拡大したといえる。釜馬民主化運動は、18年間の朴正熙軍事独裁体制の正統性に亀裂を入れ、急激にその体制を崩壊させた。この運動は、60年代からはじまった韓国社会運動の特徴である「反独裁民主化運動」の延長線上にあり、60年4

（1）朴正熙政権は、72年に改憲された、いわゆる「維新憲法」に国家緊急権を盛り込んだ。それは大統領の独自の判断のもと国会の同意なしに憲法上の国民の基本権を停止させる権限であった。韓国政府は、74年4月3日に宣言した「緊急措置4号」により「全国民主青年学生総連盟（民青学連）」を摘発し、学生など180人が中央情報部によって拘束され、非常軍法会議において起訴されたと発表した。しかし、その実態は朴正熙政権が反独裁民主化運動勢力を弾圧するために、拷問と強圧捜査を通じて作り上げた捏造事件であった。民青学連事件の関係者たちは、２００４年に民主化運動関連者名誉回復および補償審議委員会で「民主化運動貢献者」と認められた。

月革命の伝統を復活させた、韓国民主化運動のもうひとつの節目となった。

(3) 80年5月光州民主化運動と「社会変革」をめざす社会運動の質的変化

反共主義、民族主義、国家主義、開発主義などのイデオロギーが混在した朴正熙軍事独裁体制が崩壊し、80年「ソウルの春」が訪れた。しかし、強固な権威主義国家権力の突然の崩壊は、かならずしも民主主義への移行を保証するものではなかった。このことを背景として、80年代の韓国社会運動は、80年5月の光州民主化運動と、87年6月の民主化運動を経験しながら、60年代や70年代とは質的に異なる社会変革を追求するようになった。

朴正熙暗殺直後の79年12月12日、朴正熙の権力を継承しようとする全斗煥《チョンドファン》および盧泰愚《ノテウ》をメンバーとする陸軍士官学校11期生を中心とする新軍部は、大統領暗殺事件の関係者として、戒厳令司令官であった鄭昇和《チョンスンファ》将軍を逮捕する、いわゆる「12・12軍事クーデター」を起こし政権を掌握した。新軍部は、軍部政治の延長に反対する金大中など野党指導者を監禁拘束し、学生の反対集会やデモを禁止するために、80年5月17日には戒厳令を全国に拡大した。

これに対して、南部の全羅南道光州《チョルラナムドクァンジュ》では、金大中の釈放、全斗煥退陣、新軍部反対を叫び、学生の抵抗運動が続いた。新軍部は80年5月18日、北朝鮮との軍事境界線を守っていた特殊部隊を光州一帯に派遣し、抵抗する学生と抗議する市民たちを武力で無慈悲に鎮圧した（80年5・18光州民主化運動、日本では「光州事件」とも呼ばれる）。光州民主化運動記念財団によると、5月18日から27日までのあいだに１６５名の死亡者と、負傷者などを合わせて６０６名の犠牲者が正式に発表されているが、行方不明などを含めると犠牲者数はもっと増えるとみられる。光州事件以降、新軍部は任期7年で間接選挙による大統領選挙を骨子とする憲法改正をおこない、同年8月に全斗煥が第11代大統領に当選した（81年―87年、第五共和国）。

80年5月18日から27日まで凄絶に展開された光州民主化運動は、韓国の民主化運動と社会運動の性格を質的に変容させた。第一に、光州民主化運動は、軍隊に対する韓国人の認識を変えた。民主化を求める自国民を虐殺する軍隊は、もはや国民の軍隊ではなく独裁勢力のための暴力集団に過ぎなかった。光州民主化運動以降、軍人が政治にこれ以上参加してはいけないという意識が生まれ、民主化以降、韓国社会で軍隊が政治に介入することは制度的に禁止されている。

第二に、光州民主化運動は米国に対する韓国国民の認識を根本的に変えた。米国は日本の植民地支配から朝鮮半島を独立させ、北朝鮮軍の侵略から韓国を救ってくれた「恩人の国」であった。しかし光州事件以降、米国は韓国の軍部独裁を支持し、分断を維持する勢力として認識されるようになった。朝鮮戦争以降、韓国軍の平時と戦時の軍作戦権は米軍が管轄していた。要するに、軍事境界線にいる特殊部隊が、米軍の許可や黙認なしに光州に移動して民間人を虐殺することはできないという認識である。光州民主化運動以降、大学生たちはソウルと釜山にあるアメリカ文化院を占拠し、「光州虐殺の真相究明、米軍撤退」を叫ぶなど反米運動を展開した（釜山アメリカ文化院放火事件〔82年〕とソウルアメリカ文化院占領事件〔85年〕）。韓国社会における親米の世界観に、初めて亀裂が生じたのである。

第三に、光州民主化運動は80年代の民主化運動の戦略とパラダイムを転換させた。光州民主化運動が革命として成功できず、軍隊によって鎮圧された原因は、社会変革の戦略が不在であったためであるという評価のなかで、マルクスおよびレーニン主義思想、北朝鮮の主体《チュチェ》思想、前衛論などさまざまな社会変革運動の理論が導入・出版され、韓国社会運動の「戦略的急進化」をもたらした。また、新軍部の極端な国家暴力に真正面から対抗する民衆の暴力使用は正当化され、地域と階級を超えた民衆の連帯と、全国的な政治組織の結成の必要性も認識された。

80年の5・18光州民主化運動は、韓国の民主化運動を「革命的民衆運動」へとラディカルな方向に転換させただけでなく、87年民主化運動以降も続いている、犠牲を覚悟した市民による抵抗運動の源動力を形成したといえるだろう。何よりも、光州民主化運動は、青年学生と民衆に、国家暴力の犠牲者に対する「真相究明と責任者処罰」という時代精神を認識させ、韓国社会運動の重要な伝統を形成したといえる。新軍部は光州事件を、北朝鮮の武装勢力が侵入して煽動した反乱・暴動として歪曲した。しかし光州市民たちは、新軍部の退陣と民主主義の回復を主張し、徹底した都市封鎖によって孤立化させられた状態でも、連帯と相互扶助による、いわゆるコミューン（自由共同体）を実現し、民衆がひとつになる平等な世界をめざそうとしたといえる。

5月27日、銃を持って戒厳軍に立ち向かい、最後まで道庁に残って抵抗した「市民軍」らは、圧倒的な軍の武力にすぐ鎮圧された。しかし、彼らは夜中、「私たちの存在を忘れないでください」と放送を通じて光州市民に向けて叫んだ。彼らの犠牲と叫びに呼応し、80年代の学生たちは、生き残った者の悲しみと贖罪意識を背負って、「光州虐殺の真相究明と責任者処罰」を求める民主化運動の闘士として成長していったのである。

(4) 87年6月民主抗争と民主主義の定着、多様な社会運動主体の台頭

1987年は全斗煥大統領の7年間の任期が終わる年であり、大統領選挙をめぐる対立が新年から予想されていた。同年1月、ソウル大学生の朴鍾哲《パクジョンチョル》が警察による水拷問で死亡する事件が発生した。また

4月13日に、全斗煥政権は現行憲法の間接選挙方式による大統領選挙を実施するという方針（4・13護憲措置）を発表した。これは、次期大統領選挙も国民の直接投票なしにおこない、事実上軍部が政権を延長するということを意味していた。

大学生死亡事件と4・13護憲措置に対して、野党と学生運動は強く抵抗した。同年6月1日には延世《ヨンセ》大学の学生である李《イ》韓烈《ハンニョル》が、警察が発砲した催涙弾に当たって意識不明になる事件が発生した。一連の事件は、87年6月の1か月間にわたり、全国で軍部政権の退陣と民主化を求める民主抗争に発展する重要な要因となった。その結果6月29日、いわゆる民主化措置が宣言された（6・29民主化宣言）。その内容は、軍部政権が、市民の要求である大統領選挙の国民投票実施、野党政治家や政治犯の釈放などの要求を受け入れた、事実上の降伏宣言であった。7月9日、ソウル市庁広場で開かれた李韓烈の葬儀には10万人以上の市民が集結し、「6月民主抗争」と呼ばれる民主化運動の象徴的なできごととなった。

同年10月には憲法改正がおこなわれ、15年ぶりに大統領選挙のための国民の直接選挙がおこなわれた。しかし、野党候補である金大中と金泳三が候補者の一本化に失敗し、結局、軍人出身の盧泰愚が30・3%の低い得票率で第13代大統領に当選した。この国民投票と、5年任期の大統領制への憲法改正による政治体制を第六共和国（88年―92年）と呼ぶ。6月民主抗争は未完の革命に終わったが、それでも民主化という巨大な歴史の流れに逆らうことはできなかった。

ここで、6月民主抗争が韓国社会および社会運動にもたらした変化について述べてみたい。

第一に、6月民主抗争は、韓国社会に手続き的民主主義の定着と市民社会の台頭をもたらした。この抗争は、市民の抵抗を通じて独裁政権の再延長の意図を阻止し、大統領直選制への改憲を実現したという意味がある。その後、政治、社会、文化の各方面において、民主主義の理念と制度が根づく決定的な契機となった。このような手続き的民主主義が定着していくなかで、社会運動の主体も学生だけでなく、「ネクタイ部隊」と呼ばれる都市中間層からなる市民社会が台頭するきっかけとなった。

第二に、6月民主抗争によって、韓国社会では民主的な労働組合運動が成長し、社会運動の新しい主体となった。6月民主抗争は、労働者、学生、市民、貧民、農民などが社会全般にわたって、全地域的に展開した民主化運動であった。とくに、抗争直後の7月から9月にかけて、全国で3458件の労働争議（一日平均40件）が発生し、1060以上の民主的な労働組合（御用組合でなく組合員が自ら労組委員長を直接選出した組合）が誕生した。87年7〜9月の労働争議は、基本的には労働者の人権と権利意識の成長から生まれ、職場における民主化を獲得するための運動であった。この時期の労働運動の成長は、その後、韓国社会における労働運動の政治勢力化を進めていく土台となった。

第三に、6月民主抗争によって、多様な社会運動が成長した。民主抗争の後、労働運動、農民運動、貧民運動などの大衆組織が形成された。また、民主化の進展とともに市民社会も多元化され、さまざまな争点の市民運動（環境運動、女性運動、マイノリティ人権運動、平和運動、地域運動、政治改革運動、マスコミ改革運動など）が活性化した。さらに、長いあいだ韓国社会のタブーであった米軍犯罪と米軍基地周辺の環境汚染問題を告発する社会運動も登場した。

このように87年の6月民主抗争は、韓国の民主化移行過程における決定的な局面として認識される。60年代からはじまった「反独裁・民主主義」というスローガンが、87年6月には「独裁打倒」と「大統領直選制実現」としてあらわれ、無慈悲な国家暴力に対する79年の釜馬民主化運動、80年5月の光州民主化運動のような集団的な抵抗運動の延長線上で、全国的な民主抗争として実を結んだのである。

一方、6月民主抗争を頂点として、権威主義政治に対抗する社会運動は一段落した。韓国社会が直面する社会的課題は、民主化以降、むしろさらに複雑化・多層化する傾向を見せている。だが、このような変化も、6月民主抗争の結果として定着した手続き的民主主義の制度化が進むなかで、市民社会の成長と分岐が生み出した、新しい韓国社会の自律的原動力が生み出した結果だともいえるだろう。

2 民主化以後の韓国社会運動の歴史と変遷（1990年代―2020年代）

1992年に誕生した金泳三政権から、30年ぶりに軍人出身ではない文民大統領の時代がはじまった。その後、金大中、盧武鉉《ノムヒョン》、李明博《イミョンバク》、朴槿恵、文在寅、そして現在の尹錫悦《ユンソンニョル》政権まで30年以上「文民政権」が続いている。

87年6月の民主抗争以後30年あまりの民主政権期は、おおむね進歩（民主）政権と保守政権に区分することができる。金大中、盧武鉉、文在寅に代表される進歩（民主）政権と、李明博、朴槿恵、尹錫悦に代表される保守政権が、それぞれ3回ずつ権力を握るほど、両陣営は均等な勢力を維持している。進歩政権は独裁政権に対抗した民主化運動を継承する勢力で、政治および社会の民主的改革、分配と福祉、人権、南北和解と共存政策などを優先する。それに対して保守政権は軍事政権、反共および財閥などの既得権を代表する勢力であり、大企業中心の経済成長、既得権維持と減税、北朝鮮への経済制裁および孤立化政策を優先する。

このように、民主化以後の韓国社会は、進歩と保守という両陣営間の勢力対立がますます鮮明になっており、社会全体を対立と分裂、分断に追い込む主要な要因となっている。これを背景として、文民政権が30年以上続くなか、韓国の社会運動はどのような変遷を経験してきたのだろうか。以下、民主化以後の韓国社会運動の変化と特徴について見てみたい。

（1）90年代の民衆運動と市民運動の分化、「市民なき市民運動」の限界

92年に金泳三政権が登場して以降、民主化運動は従来の反独裁・民主主義という政治的抵抗から脱却し、生活の質的改善という社会課題を中心に再編されはじめた。社会運動は、民主化以前の運動を、とくに階級問題を中心に継承しようとする「民衆運動」と、非階級的な性格の穏健的な「市民運動」に分化するようになった。限定的ではあるが手続き的民主主義が制度化され、既存の急進的な集団的政治運動方式に対する支持が低下し、経済および生活問題に対する政策的関心が増大した結果であった。

また、89年のベルリンの壁崩壊と社会主義国家の体制変化は、社会主義イデオロギーの現実性に対する疑問を提起し、軍事政権時代の革新的な社会運動の理論的基盤を根本的に揺るがした。このような国内外の環境変化のなかで、非階級的な「市民運動」が新しい社会運動として急速に成長したのである。89年に創立された「経済正義実践市民連合（経実連）」は「経済正義」をもっとも重要な価値として掲げ、「土地公概念」[(2)]や「金融実名制」[(3)]などの問題を公論化し、国民の支持と改革の正当性を確保した。そのほかにも「環境運動連合」「参与連帯」「韓国女性団体連合」などが環境、政治改革、女性、人権、福祉などの分野で結成され、不合理なイシューに抗議し、訴えや告発など司法判断を活用する運動を通じて公論化する、新しい社会運動のあり方を見せるようになった。

このように、87年以降、市民社会はさまざまな分野で成熟していった。90年代初期には、国家と市民社会を媒介すべき政党政治が、政策より地域感情を中心に展開する未熟な段階にあったために、各種市

民団体が、政党に代わる政策的役割を担うことで市民の支持を得たのである。

しかし、90年前後から成長してきた「市民運動」は、90年代後半に入り、政治改革運動に集中することで「一般市民のいない市民運動」という批判に直面し、労働運動などの民衆運動とともに後退期を迎えることになる。金泳三政権末期の97年に発生したアジア通貨危機は、87年以降の社会運動を主導してきた「民主労総」を中心とする労働運動の危機をもたらした。アジア通貨危機以降、大企業と公企業における大規模な構造調整により非正規雇用と失業率が増加し、雇用不安が急速に深刻化した。民主労総への加入率は増加したが、国家的危機という大義名分のもと、労働組合のストライキなど集団的な社会運動は市民の支持を得られず社会的影響力を失っていった。

またアジア通貨危機は、87年以降に成長してきた中間層を中心とする市民社会の基盤も崩壊させた。新自由主義政策が市民の生活世界を侵食し、相互競争が激化して、極端な個人主義が急速に浸透した。その影響で、公共善のために大衆的な社会運動に参加する実践や運動組織に対する支持も急激に減少した。「参与連帯」「環境運動連合」など、社会運動を主導した市民団体は規模を拡大し、大衆的な評価を受けていた。しかし、格差問題の悪化に見られる韓国社会の根本的な矛盾に対して、汚職監視や告発などの非階級的な市民運動のアプローチは、その限界が明らかになったのである。

(2) 土地の個人的所有権は認めつつ、土地を公共財として捉え、公共の福利のため政府がその利用や処分を制限することができるとする概念。89年に土地公概念関連3法が導入され、宅地開発により発生する利益を政府に返納させるなどを通じて投機を防止し、土地の効率的利用を促進した。

(3) 金融取引における不正防止のため、借名口座を禁止し実名でのみ取引を可能とする制度。93年に金泳三政権が大統領緊急命令により実施した。

このような状況は、2000年代に、「市民運動」と労働運動が革新政党の設立および労働者の政治勢力化という新しい運動へ転換し、制度改革と政治参加を積極的に模索するきっかけとなった。

(2) 2000年代の政治参加と生活政治の主体として登場したキャンドル市民たち

こうした制度改革と政治参加の活動は、まず、2000年の「総選挙市民連帯」による「落薦・落選運動」としてあらわれた。2000年1月、500あまりの団体が参加して発足した総選挙市民連帯は、腐敗政治家を退出させるために、立候補予定者の腐敗行為、選挙法違反行為、反民主・反人権の傾向などを総合的に判断し、合計86人の落選対象者を発表した。同年4月の総選挙では落選リストのうち57人を落選させることができた。また2006年5月の地方選挙では、経実連、「開かれた社会市民連合」など10の市民団体が中心となって「5・31スマートマニフェスト政策選挙推進本部」を発足させた。この団体は、各政党の選挙公約を比較し一般市民に情報を提供したり、各党の候補者に選挙での新しい公約を提案したりする活動をおこなった。

さらに、この時期の「市民運動」は、批判にとどまらず、革新政党や改革候補を支持することを通じて政治改革に直接参加するとともに、「希望製作所」(2006年)、「良い政策フォーラム」(2006年)のような「市民社会のシンクタンク」を設立し、体系的で学術的なオルタナティブ政策とビジョンを提示しようとした。

一方、この時期、組織化されていない市民の自発的な参加傾向が注目された。2002年に訓練中の米軍の装甲車にはねられ死亡した中学生2人の追悼キャンドル集会、2004年の盧武鉉大統領弾劾反対キャンドル集会、2008年の米国産牛肉輸入反対のキャンドル集会などには、どの団体にも所属していない一般市民らが自発的に参加していた。2000年代のキャンドル集会は、韓国の社会運動の推進力が、市民団体や社会運動団体ではなく、組織化されていない一般市民に移ったことを意味していた。2000年代半ばにはじまったキャンドル集会は、それ以前の社会運動の集会やデモ文化とは根本的に区別される、新しい形の「非暴力不服従」市民抵抗運動であった。キャンドル集会では、オンラインを中心に活動するさまざまなテーマのコミュニティと小規模ネットワークがキャンドル実行委員会を組織し、運営する形態であった。このような現象は、大衆組織や市民運動団体を中心に考えてきた既存の社会運動勢力に、新しい運動のあり方を模索させる刺激となった。

一方、李明博政権時代の2008年、BSEの危険性がある米国産牛肉の輸入に反対する大規模なキャンドル集会がおこなわれてから、韓国の社会運動には「生活政治」という概念が登場した。市民たちは、食の安全とともに住宅や教育などの生活アジェンダを前面に打ち出し、直接民主主義のアクターとして登場するようになったのである。このような市民の参加は、韓国の社会運動が大衆的な市民運動団体でなく、多様な未組織の自発的な市民グループによる「草の根の自治運動」と、政治的民主化だけでなく「社会経済的民主化」の要求に、その中心を移すきっかけになったといえる。

生活政治の登場および社会経済的民主化に対する市民社会の理解と改革要求は、代議制民主主義制度の矛盾を克服しようとする直接民主主義の一環でもある。代議制民主主義において、政治権力は政治エリートたちに合法的に「委任」されるが、民主的選挙を通じて選出された大統領だとしても、政治的権限がかならずしも国民の期待やコントロールの範囲で行使されるということではない。2016年の朴槿恵大統領の弾劾を求めるキャンドル市民革命は、三権分立が正常に機能していない韓国社会において、大統領の権力の誤用および乱用に、直接的な制約を加える国民主権運動の象徴的な事件であったといえる。

民主化以後の韓国では、新たに登場した「市民運動」が持続的な政治参加と制度改革の要求を掲げたにもかかわらず、政党政治と代議制民主主義は市民の権利と要求を根本的に反映してこなかった。このような状況のなかで、自分の意思を国家に直接伝えるために、市民たちがふたたび「広場」に押し寄せるようになったのである。87年の民主化以降、生活政治の改善、経済社会的領域における持続的な民主化の模索、代議制民主主義の制度的限界に対する改善などを要求する韓国市民社会は、「反独裁・民主主義」を要求してきた「広場」において、いまや直接民主主義の実現のための政治的主体として新たに登場しているといえる。

(3) 新しい転換期に直面する韓国社会運動の現状

軍事権威主義時代の反独裁民主化運動から、政治参加や制度改革の要求を突きつける「市民運動」へと成長してきた韓国の社会運動には、いくつかの特徴がみられる。第一に、現在に至る韓国の社会運動は、不当な国家暴力と不正義に対する、長期間にわたる抵抗と犠牲を通じて形成されたものである。第二に、反独裁民主化運動の先頭には学生がいたが、民主化以降はほとんどの参加者は非組織的な一般大衆であった。第三に、大衆的な民主抗争としての社会運動は、特定の組織や著名人の主導ではなく、常に新しい世代が主導してきた。

最後に、韓国の社会運動は、かならずしも体制転覆をめざす「革命運動」ではなかったということを述べておきたい。韓国の社会運動は、長期独裁および権威主義政権に対して、大韓民国憲法第1条第1項「大韓民国は民主共和国である」、第2項「大韓民国の主権は国民にあり、すべての権力は国民に由来する」という民主共和国の「主権在民」の権利をそのまま守ろうとした国民主権運動であった。朝鮮戦争の経験と分断国家の現実が、韓国の社会運動のイデオロギー的志向を「民主共和国」の実現に限定していることも、くりかえされる民主抗争が革命運動に発展しない根本的な原因であるともいえる。

朝鮮戦争以降、思想的廃墟の中で反独裁民主化運動と市民運動を通じて飛躍的に成長してきた韓国の社会運動も、90年代以降、誰もが認めるように深刻な危機の局面に直面している。その理由は、第一に、イデオロギー的志向性あるいはビジョンの危機である。90年前後、世界的な社会主義政権の崩壊とともに、韓国国内でも民主化が進み、軍事政権時代のような中央集権的・国家主義的な権力に対抗するという争点が徐々に消えていった。その代わりに、自律的で多様な市民社会が形成されており、単一のイデオロギーの志向やビジョンの提示が容易ではないという点で、社会運動のアイデンティティの危機でもあるといえる。

第二に、87年以降、政治における民主化が定着した後、経済（財閥改革、非正規雇用問題など）および社会（言論改革、国家保安法改正、人権問題など）分野における民主化の課題が十分に実現されないまま、97年の経済危機と新自由主義の影響で、中間層が急激に解体したことである。90年代半ば以降、社会運動の萎縮と影響力の減少は、現在に至るまで韓国の社会運動が新たな大衆的基盤と運動のプラットフォーム構築を困難にする主な要因となっている。

第三に、90年代初頭に手続き的民主化を達成したことで、韓国の市民団体は国家・企業と新しい関係を構築し、行政の業務の一部を受託したり、企業のプロジェクトに参加したりするパートナーとなった。ところがその結果、市民団体の批判的機能と社会運動としての役割は低下してしまった。たとえば、2011年に進歩系のソウル市長が当選してから、市民団体がソウル市とともに福祉施設や託児所の運営、伝統市場の再開発をおこなうなど、行政との「協治」空間を確保したことは、明らかな成果である。しかし、ソウル市をはじめ自治体の政権交代などのリーダーシップの変化によって、公的資金が制限され、政策が変更されるたびに一瞬でその協治プロジェクトが消えてしまう可能性が高い。行政との協治空間において、社会運動のイニシアチブはそれほど脆弱である。２０２１年のソウル市長の交代により、10年近く推進されてきた草の根主導の社会革新事業、すなわちマウル（村）共同体、青年、都市再生、エネルギー転換関連事業への予算カットが起こり、今後の事業の持続可能性が不透明になっているのもその一例である（詳しくは本書第3部を参照）。

第四に、社会運動の批判的で政策提言的な機能の喪失は、知識人の社会運動からの離脱とも関係している。過去、批判的知識人は社会運動の頼もしい後援者であり、知識共同体として、社会問題に対する批判的な解釈と運動の方向性を提供する役割を担ってきた。しかし２０００年代から、学者や専門家が社会運動から一定の距離を置き、政府や企業に対して政策的なアドバイザーとして参加するなどの協力を緊密化している。社会運動団体の政策提案能力や批判機能の低下は、政府や市民社会に対する影響力も低下させているといえる（詳しくは本書第9章を参照）。

最後に、社会運動団体は、進路に悩む若者やMZ世代（１９８１年～２０１０年代に生まれた、インターネットやSNSをよく活用できる世代）にとって、職業としての選択肢になっていない。NGO・NPOや社会的企業などを含む社会運動領域は、いまだに具体的な報酬体系を欠き、経済的収益が不安定な分野という一般的な認識がある。さらに、社会運動に参加した経験についても、政府や企業に就職する際に十分にその価値が認められないのが現状である。要するに、不安定、不透明、そして不承認という三つの要素が、青年世代やMZ世代が社会運動分野の職業を気軽に選択できない壁となっている。このような現象は、社会運動分野の高齢化を進め、世代間の断絶の問題をつくりだしているともいえる。

おわりに

転換期に立っている韓国の社会運動は、新しい変化を模索している。しかし、いくら時代が変わっても、社会運動の究極の目標は、社会の構造的な問題解決と意識の変化、そしてこのような変化を導く市民性を備えた能動的な市民が持続的に形成されるエコシステム（生態系）を構築していくことである。韓国の社会運動が、その持続的なエコシステムを構築するためにはどのような努力が必要だろうか？

第一に、各市民団体が社会的価値、共同体の共存意識、そして民主的市民性を備えた市民を育成する教育システムを再構築する必要がある。「学びながら活動する」社会運動の本来の姿が必要である。

第二に、市民・社会運動がこれまで確立してきた公的機関との協治の空間や、制度化の道を再考する必要がある。政府や行政機関との協働の前提条件は、草の根民主主義の経験と、批判的な社会運動としての役割である。地域における市民・社会団体の安定的で持続的な経験と、政策を先導することができる草の根民主主義のネットワーク形成は、行政との協働の前提となるべきであろう。

第三に、多様な社会運動の「エコシステムとしての包括的な連合」への転換が必要であろう。持続可能なエコシステムの維持は、たとえば環境運動だけの課題ではない。それは労働運動の課題でもあり、地域運動の課題でもあり、市民運動の課題でもある。民主化運動と市民運動を通じて成長してきた韓国の社会運動は、韓国国籍者だけが社会運動の主体ではなく、移住（外国人）労働者との連帯による多文化共存社会の志向（詳しくは本書第2部）、フェミニズム運動との結合を通じた社会の新しいパラダイムと価値観の構築（詳しくは本書第1部）など、多様な社会運動との結合による、持続可能な社会を構築

するための システムの変化を根本的に考えなければならない。要するに、社会運動全般を横断する「エコシステムとしての包括的な連合」をめざす新しい社会運動戦略が必要であろう。

尹錫悦保守政権が登場して以降、韓国では「検察共和国」という新しいタイプの独裁の影がふたたびちらついている。しかし社会運動陣営が懸念しているのは、検察共和国への恐怖よりも、この「新型独裁国家」を終わらせた後、どのようなオルタナティブ社会をつくることができるのかという「代案不在」の恐怖のほうが強いだろう。「広場に集まった直接民主主義」の情熱と成果が、「代議制による間接民主主義」へ移行していくと、いつもその壁と限界に直面して挫折してきた。それに抵抗して、ふたたび市民たちが街頭に出なければならない。韓国の社会運動は、この悪循環の連鎖をどう断ち切り、実質的な民主主義および多様性のある社会をめざすことができるだろうか。

時代的な要求の反映と、新しい変化への適応のためにも、韓国の社会運動は、これまで一度も歩んだことのない「包括的なエコシステム」という新しいネットワーク型の社会運動の道を模索しなければならないだろう。韓国社会運動の底辺には、「負けることを知りながらも、明日のために今日の犠牲と抵抗」を選択してきた民主化運動の長い伝統がまだ脈々と流れている。キャンドル市民革命によってつくりだされた進歩政権が、わずか5年で保守政権に変わってしまったが、この現状を「負けたが、これが敗北ではない」と思っているのが現状だろう。

第1部

#MeToo運動に結晶化した女性たちのたたかい

大きな盛り上がりを見せた韓国の＃MeToo運動は、性暴力加害者の責任を問うただけではなく、マスメディアによる二次加害の防止、性暴力に関する法制度の強化、学校や企業など日常生活における性差別と性暴力についての認識変化といった成果をもたらした。他方、フェミニズムの大衆化に対して、若年男性からのバックラッシュが引き起こされてもいる。

なぜ韓国の＃MeToo運動は大きく盛り上がり、広範な成果を獲得できたのだろうか？ その背景には、反性暴力運動の長い歴史がある。性暴力被害者を支援し、加害者に責任を求める女性たちの長いあいだの取り組みの蓄積があって、初めて爆発的な＃MeToo運動の盛り上がりがあったのだ。

さらに、多様な女性団体がテーマに応じて迅速に連携する文化が醸成されていることも大きい。そうした機動力が生み出されるのも、それぞれの団体が組織基盤を強化し、またフェミニズムの視点をバージョンアップさせていることが土台にある。運動実践の側から、韓国女性運動の到達点と課題についてみていこう。

1章 「別々に、また、ともに」たたかってきた韓国の女性運動

金美珍（キム・ミジン）

はじめに

韓国での「#MeToo」運動は、2018年1月、検察内の性暴力を世の中に知らせた現職検事（徐《ソ》志賢《ジヒョン》）の告発からはじまった。その後、#MeToo運動は演劇界、映画界、文学界、スポーツ界における大御所たち一人に集中した権力構造の弊害を暴露し、また、政治家や広域自治体の首長による（社会的・経済的・政治的な）地位や権力を利用した性暴力を告発するなど、韓国社会全体に広がった。性暴力の被害者が公の場で「語りつづける」という実践を展開する過程の中で、#MeToo運動は韓国のあらゆる分野に潜んでいる男性中心的な慣習と制度を破り、性差別的な権力関係と性暴力を許してしまう社会構造の改革を求める巨大な流れとなった。#MeToo運動の影響を受けて、韓国ではデートDV、ストーカー犯罪、デジタル性暴力に関する法改正、および堕胎罪に対する違憲判決など、既存制度の欠点を補い、ジェンダー平等を実現するための制度整備がいっそう強化された。

韓国の#MeToo運動が注目されるのは、多くの被害者が刑事司法の手続きを踏む代わりに、社会に

対し「これが性暴力だ！」と、自分の被害経験を語る方法を選択したことにある。こうした選択ができたのは、彼女たちの語りを信頼し、苦痛に共感して、ともに解決していく意志と支持（「With You」）を表した人々がいたからである。話を聞いてくれる人々が現れたことで、被害者たちは沈黙を破り、自分の被害を語りはじめた。被害者の声が多く集まることで、性暴力は「私だけの問題ではなく、私の過ちでもなく」、社会全体の構造的な問題として認識されるようになった。こうした問題意識に基づき、被害者と支援者は「他の被害を防ぐために社会を変革しなければならない」という共通の課題を導き出した。さらに、被害者への支持を表明した多様な人々が連帯して、被害者に対する二次加害に対しても対応している。こうした一連の過程は、一般市民が被害者の話に耳を傾けて共感し支持することを導き出し、韓国社会の大きな変化をもたらした（キム・ヒョンミ 2018）。

韓国の #MeToo 運動の特徴のひとつは、一般市民、とりわけ若い女性たちのあいだでフェミニズムが大衆化され、こうした中から新たな運動主体が登場し、既存の「女性運動」を超えて結集し行動したことである。だが、一般市民が短期間で爆発的に怒りを表明し、直接的な行動ができた背景には、性暴力を追放するために約40年間たたかってきた、これまでの反性暴力運動の歴史がある。

韓国では１９８３年、「韓国女性ホットライン」の開設とともに反性暴力運動がはじまり、91年には性暴力専門の相談センターとして「韓国性暴力相談所」が誕生した（本書第3章の金恵晶《キムヘジョン》氏が所属）。また、87年に「韓国女性団体連合」という女性団体間の常設ネットワークの運動体が設立（本書第2章の金壽曦《キムスヒ》氏が所属）されてからは、「別々に、また、ともに」という戦略のもと、反性暴力運動のための連帯活動も可能となった。本章に続く第2章と第3章で、それぞれの団体に所属する女性活動家の視点から #MeToo 運動について論じてもらったのは、こうした現場の取り組みを日本の読者に伝えたかったからである。

こうした活動家の報告を補うため、以下では、韓国における女性運動の歴史を簡単に概観する。とりわけ、２０１８年の #MeToo 運動につながった反性暴力運動の取り組みに注目し、その特徴と意義について述べる。最後に、#MeToo 運動から２０２２年の大統領選挙に至るまでの、フェミニズム全般をめぐる韓国の情勢と20代女性の結集について見ていきたい。

1　韓国女性運動の略史

韓国における女性運動のはじまりは、欧米思想に基づく「新教育」を受けた女性たちが男女ともに平等な教育機会を求め、梨花《イファ》学堂、賛襄会《チャンヤンフェ》や女友会などを設立した１８８０年代にさかのぼれる。その後、植民地時期の１９２７年には槿友会《グンウフェ》という全国的な女性運動団体が創立され、家父長制の廃止と植民地資本主義による社会問題の克服を目標に活動していた（槿友会は１９３０年解散。イ・ヒョン 2019）。

独立後、米軍政期と朝鮮戦争を経て、１９５０年代の韓国では反共主義という厳しい政治・社会的情勢のもと、階級問題を取り上げる女性運動は政府の弾圧によってほとんど消滅した。当時、活動ができたのは保守派の政治団体と友好関係を持つ上流階層中心の女性団体だけだった。当時の女性運動には「女性解放」の意識は弱く、主に戦争避難民・避難女性や孤児を対象とする救護および保護活動に専念していた。代表的な女性団体として、専門職の女性を組織した団体（女性問題研究院、大韓薬剤師会、家庭法律事務所など）の連合体である韓国女性団体協議会（59年結成）が挙げられる（権慈玉 2009）。

朝鮮戦争後の南北対立による厳しい政治・社会的情勢は、60年代から70年代の軍部独裁政権により、いっそう強まった。この時期活動した団体の中には、独裁政権の反共・安保政策を基盤とし、女性の「性」を国家が統制する家族計画事業を無批判に受容するなど、「愛国・救国」の名のもとで軍事独裁政権に協力的な団体もあった（権慈玉 2009）。

その一方、キリスト教を中心とする宗教界では、さまざまな階層の女性を対象に女性教育運動がおこなわれた。その代表的な組織として、社会教育機関であるクリスチャン・アカデミーが挙げられる。クリスチャン・アカデミーは、低所得層の女性が抱えている問題を取り上げ、女性の権利意識を向上する教育を実施していた（パク・インへ 2011）。ここで教育を受けた女性たちは「家族法改正運動」と「美人コンテスト廃止運動」を展開し、その後の民主化運動と女性労働運動の基盤となった。また、労働運動においては、ＹＨ貿易（序章を参照）のような軽工業工場で働く女性労働者が労働組合を結成し、賃上げと労働条件改善を求めながら独裁政権に対抗し、民主化運動にも大きく寄与した。

韓国で「女性解放」、いわゆるフェミニズムといえる運動がはじまったのは80年代からといえる。当時の女性運動には大きく二つの流れが存在していた。ひとつは、民主化運動の下位運動として自らを位置づけ、「階級闘争」を優先課題として追求する流れであり、もうひとつは「性」による抑圧を焦点化する流れである。後者には、フェミニズムの理論に基づき活動していたものも存在した。たとえば女性平友会（83年）、韓国女性ホットライン（83年）、もうひとつの文化（84年）、キリスト教女民会（86年）などがある（カン・ナムシク 2003）。この二つの流れは、女性運動の統合的な目標確立を模索しつつ、結集と解散をくりかえしていた。そのなかで、政治的要求を実現するには女性運動団体間の連携が必要であることを自覚し、各団体が独自の問題に取り組みながらも、団体間の恒常的な連携活動をおこなうために、87年2月18日「韓国女性団体連合」という連合体を結成した。当時、連合の結成には女性労働、性暴力、貧困問題など多様なイシューを扱う24団体が参加した。

韓国女性団体連合は結成当時から、男女平等、女性福祉、民主・統一社会の実現、女性運動団体間の協力と組織的交流を図ることを目的に掲げる一方、民主化運動と密接な関係を維持していた。しかし、90年代の半ばからは民主化運動団体から離れ、女性運動としての主体的な立場を明確に示しつつ「市民運動」へと方向を転換した。

2　反性暴力運動

#MeToo運動につながる反性暴力運動の重要な戦略として、被害者たちによる「語りつづける」ことと、一般市民との連帯が挙げられる。前述の通り、韓国での反性暴力運動は80年代からはじまり、当時の民主化運動と一定の部分でかかわっていた。80年代は、朴正熙《パクチョンヒ》の軍事独裁が終わり「ソウルの春」と呼ばれる民主主義への期待が高まっていた。だが新軍部の登場によってふたたび独裁がはじまり、政治領域では政治家による不正事件と警察などによる性拷問、拷問致死など公権力の横暴が多発していた。また、国民の日常生活でも、警察による市民への監視や民主化を求める集会の鎮圧など、さまざまな暴力が日常化していた。こうした状況を背景に、女性に対する性暴力が急増し、とりわけ公権力による性暴力事件が次々と発生していた（閔ギョンジャ 2004）。

83年に「韓国女性ホットライン」（以下、女性ホットライン）が開設されたのは、このような社会情勢を受けてのことであった。女性ホットラインは、妻へのＤＶや強姦など、女性に対する暴力を社会的に解決すべき問題として取り組みはじめた最初の女性運動団体である。当時「性暴力」という言葉も一般的でなかったが、女性ホットラインは日常生活の中で女性に加えられる各種の暴力を「性暴力」と概念化したうえで、自らを「反性暴力運動団体」と規定し、女性に対するさまざまな暴力に抵抗した。女性ホットラインは電話相談を通じて、女性たちが私的・公的領域で経験する各種の差別と暴力を表面化させ、当時徹底的に不可視化されていた性暴力を、緊急の社会問題として提起したのである。女性ホットラインの活動によって韓国では、性暴力が「性関係」ではなく「犯罪」として認識されるようになった。80年代当時、女性ホットラインは反性暴力運動を扱う唯一の団体であったが、女性運動と民主化運動を並行しながら活動していたため、反性暴力運動団体としての専門性を維持するには限界があったと評価されている（閔ギョンジャ 2004）。

91年4月には性暴力専門の相談センターをめざして「韓国性暴力相談所」が誕生した。梨花女子大学女性学科の教員と卒業生が主導した同相談所は、女性学と女性運動が結合して活動する模範的なモデルとなった。韓国性暴力相談所は、相談事業とともに性暴力事件の裁判を支援するほか、学生と働く女性を対象に性教育や性暴力予防に関する講義を実施したり、未成年への性暴力予防セミナーを開催したり、性暴力特別法制定推進委員会に参加するなどの活動を展開した。93年12月には、24時間体制の性暴力被害者危機センターを韓国で初めて設置している。さらに94年9月には性暴力被害女性のためのシェルター「開かれた場」を開設し、97年7月には性暴力問題研究所を設立した。韓国性暴力相談所は、フェミニスト・カウンセリングと女性学に基づいて、性暴力を女性全般の問題として定着させ、反性暴力運動の専門性を高めることに貢献した（閔ギョンジャ 2004）。同相談所は、現在までの30年あまりにわたり、

8万件以上の相談に応じ、性暴力に関連する膨大なデータを蓄積している。こうしたデータに基づき、個別事件に対応しながら、積極的に政策提言をするなど、韓国ではその専門性が認められ信頼されている（2023年8月29日、金惠晶所長へのインタビュー）。

90年代、女性ホットラインと韓国性暴力相談所は、当時設立されはじめていた地方の性暴力相談所とともに、性暴力が個人的な問題ではなく、男女の不平等を前提として維持・再生産されている家父長制の問題であることを明らかにする活動を続けた。

(1) 反性暴力運動の戦略①——フェミニスト・カウンセリングと被害者の「語りつづける」実践

韓国の反性暴力運動は、性暴力を個人的な問題ではなく、女性全体が直面する政治的・文化的・社会構造的な問題であることを明らかにしてきた。これを可能にした重要な取り組みとして、被害者が安心して自分の被害経験を語れるようにする相談活動、つまりフェミニスト・カウンセリングの実践が挙げられる。フェミニスト・カウンセリングは、相談に来た被害者の状況が個人の問題ではなく、社会構造と深く関連していることを前提とし、相談する人と相談を受ける人のあいだでも平等な関係を構築することをめざす。そして、苦痛の「克服」ではなく、被害者が自分を苦しめる男性の言語から抜け出し、経験を「再解釈」できるよう助けることを相談の目的にしている。

性暴力被害のサバイバーの治癒は、自分の経験している怒りと苦痛について「語る」ことからはじまる。韓国では2017年現在、全国に官民あわせ180の相談所と29の保護施設（シェルター）があり、被害者に対して心理的・法的・医療的・社会的な支援を提供している。その中で17％を占める韓国女性団体連合の会員団体（韓国性暴力相談所を含め9団体、傘下の支部相談所と保護施設を含め計35か所）では、フェミニスト・カウンセリングを取り入れた相談活動をおこなっている（イ・ミギョン 2017）。

さらに、2003年から韓国では社会全体に向けオープンに「語りつづける」新たな実践がおこなわれている。その代表的な例が、韓国性暴力相談所主催の「サバイバーの語り大会」である。「聞けよ、この世の中！　私は語る」というスローガンのもと、この大会で性暴力被害者は性暴力問題について捉えなおし、自分の記憶と経験を再解釈することを通じてエンパワーメントを経験する。こうした実践活動は、韓国社会に対し、いままでとは完全に異なる方式で被害者の語りを聞くことを求めるものであった。被害者に非難と疑いの目を向ける代わりに共感と支持を寄せるという、新たな「聴く文化」を生み出す「サバイバーの語り大会」は、韓国全域の性暴力相談所や性暴力予防センターに広がり、多様な方式で開催されつづけている。

長年にわたる実践の蓄積は、2016年5月の江南《カンナム》駅女性殺害事件（ソウル江南駅付近のトイレで23歳の女性が見知らぬ男に惨殺された事件）の際の対応にもつながっていった。事件発生後、路上でおこなわれた「女性に対するヘイトに反対する自由な発言舞台」と、韓国女性民友会が主催した「女性への暴力を止めるためのフィリバスター」は、性暴力被害者らが路上で堂々と何時間も語りつづけるという新たな運動へと発展した（イ・ミギョン 2017）。語りつづけるという行為が、被害者自身がエンパワーされる機会だけでなく、韓国社会が性暴力被害に対し、ともに怒り、また被害者の勇気を応援し、互いに連帯していくための強い基盤を提供した。

（2）反性暴力運動の戦略②――性暴力被害者のための支援と女性連帯

韓国では、性暴力事件が起きると、個人の女性活動家をはじめ、さまざまな領域の女性運動団体が集まって共同対策委員会を結成し、他の女性団体や地域の市民団体、弁護士などと連携し、事件の解決に臨んでいく。ひとつの事件を解決していく過程で、弁護士たちは女性問題の特殊性を悟り、既存のアプローチとは異なる解決方法を模索してきた。広範な連帯に基づく反性暴力運動の方法は、弁護士だけでなく、警察官、医療関係者、公務員、社会福祉士らに女性問題を提起し、社会全般にフェミニズムの観点を提供する重要なきっかけとなってきた（閔ギョンジャ 2004）。

こうした連帯活動がうまく機能し、かつ長いあいだ持続できたのは、女性活動家たちの献身的な努力があったからといえる。低賃金など劣悪な活動環境にもかかわらず、フェミニスト・カウンセリングを通じて女性運動家は被害女性と連帯感を育み、性暴力事件の解決のために、ともにたたかってきた。また、性暴力事件の解決を通じて女性運動団体に対する社会的信頼が高まり、女性運動団体の影響力が大きくなっていった（閔ギョンジャ 2004）。

女性運動団体どうしが連携を深めることができた要因として、韓国女性団体連合の役割も重要であったといえる。90年代には、当時大学で開講されるようになった女性学の影響を受け、インターネットを基盤としながら大学や日常生活で起きる性暴力問題を取り上げる「ヤング・フェミニスト」と呼ばれる新たな世代が登場した。こうした新しい世代とともに、韓国女性団体連合は性暴力防止、セクシュアリティ、家族の問題などに、よりいっそう取り組みはじめ、女性の日常生活における文化的なイシューを女性運動の重要な争点として取り上げていった。２０００年代以降は、移住女性の増加、南北統一および平和、女性障がい者といったイシューも取り上げられるようになり、運動が多様化した（オジャン・ミギョン 2004；山下英愛 2007）。

87年の設立当初から、同連合に参加する会員団体は「別々に、また、ともに」という方針のもと、各団体が独自の課題に取り組みながら、性暴力問題に関しては女性団体や他の市民団体と連携し取り組んできた。性暴力特別法（93年）、男女差別禁止及び救済に関する法律（93年）、女性発展法（95年）、ＤＶ防止法（97年）、男女雇用平等法の改正（99年）、母性保護法（２００１年）の改正、性売買特別法（２００５年）は、こうした連帯によって実現した代表的な例である。とりわけ性暴力事件に関しては、93年性暴力特別法の制定によって、加害者への処罰の強化および被害者支援体制の構築が進み、全国の性暴力相談所に対する財政的支援も可能となった。その後、改正運動を通じて、陳述録画制度（２００３年）、性暴力専門の検事および警察官の指定（２００６年）、親告罪の廃止、強姦の対象の「婦女」から「人」への変更（２０１３年）などの成果をあげてきた。こうした制度改善の際に、保守的な「韓国女性団体協議会」と、進歩的な「韓国女性団体連合」が、政治的に異なる立場を持ちながらも「女性に対する性暴力」の問題を中心に協力していたことが注目される。

さらに、韓国女性団体連合は98年から、性暴力を担当する諸団体が議論し実践する場として、連合内部に「性と人権委員会」を新設した。この委員会を通じて、会員団体間の性暴力・ＤＶの相談記録の形式を統一させたり、性教育施行令に対して意見を提示したりするなど、関連団体の活動を支えてきた（イ・ミギョン 2017）。

一方、韓国女性団体連合に所属している各性暴力相談所は、刑事司法手続きの中で起こる二次被害についてモニタリングする活動を初期からおこなってきた。この活動は、主に韓国女性団体連合の所属団体を中心におこなわれてきたが、２０００年代に全国性暴力相談所協議会という連合体が形成されてからは、そこが中心的役割を担うようになった。全国性暴力相談所協議会は、２００４年から性暴力に関する取調べや裁判のための市民監視団を結成し、各相談所で相談された事件を支援しながら、警察・検察・裁判所の司法手続きをモニタリングした結果を共有し、毎年良い例と悪い例を選定して発表している。

3　韓国における#MeToo運動の意味

以上見てきたように、2018年以前にも韓国では性暴力被害について公の場で語る運動は存在していた。それでも2018年に#MeToo運動が爆発的に広がったのは、「検事でさえも」不利益を恐れて8年間も性暴力を告発できなかったという事実が韓国社会に衝撃を与え、これからは変わらなければならないという共感が、一般市民のあいだでも形成されたからだといえる。その際、2018年3月に発足した「#MeToo運動と連帯する市民行動」（以下「#MeToo市民行動」）という女性・市民団体の連合体が「性暴力被害スピーチ大会」「性差別・性暴力を終わらせる集会」などの開催を通じて、一般市民が性暴力の実態を知り、#MeToo運動に参加できるプラットフォームの役割を果たしたことに注目する必要がある。さらに、2018年に至る過程で、2015年の「#私はフェミニストだ」宣言運動と、メガリア（女性嫌悪をそのまま男性に返す「ミラーリング」の駆使で注目を集めた韓国のコミュニティサイト）の登場、2016年の江南駅女性殺害事件を経て、女性が日常生活の中で経験する性暴力と性差別についての「語り」がさまざまな領域で広がり、オンラインでは自分が所属する組織内の性暴力を告発する「#○○系性暴力」ハッシュタグ運動などがはじまっていた。また、2016年の大統領弾劾のためのキャンドル集会（序章を参照）を通じて、民主主義と市民的権利意識、改革の必要性を共有してきた若い女性たちが、2018年の#MeToo運動によってフェミニズムに目覚め、既存のフェミニズム勢力とは異なる政治性を持つ新たな主体として登場し、運動を主導するようになったのである。

だが、ここで注目すべきは、こうした運動の広がりは、これまでの反性暴力運動と女性運動の実践を重要な土台としていたことである。とくに2018年の#MeToo運動の爆発的な広がりは、性差別と性暴力の構造的な問題を指摘し、韓国社会の根本的な変化を求め、また、性暴力に対する現行の法制度と司法制度の限界を明らかにしてきた、従来の反性暴力運動の結果ともいえる（キムミン・ムンジョン 2020）。

続く2章と3章で紹介される「#MeToo市民行動」と政治家による性暴力事件の被害者のための連帯活動の事例は、これまでの反性暴力運動の実践と女性団体間の連帯の歴史に基づいて、被害者が社会に対し声を上げていく際に、女性運動団体が現場でどのような役割を果たしているのかについて教えてくれている。

4 「#MeToo」以後

2018年の#MeToo運動は韓国社会に大きな影響を与えたが、他方でバックラッシュを引き起こし、2022年の大統領選挙での主要な争点となるなど、女性運動をめぐる状況が大きく変わってきている。

(1)「20代男性（イデナム）」現象とアンチ・フェミニズムの選挙戦略

バックラッシュとして、まず「20代男性（イデナム）」現象とアンチ・フェミニズムが挙げられる。

近年、韓国の20代男性のあいだでは、恋愛と結婚において自らを「差別されている」マイノリティと認識する人が多い。こうした現象を韓国のメディアは「イデナム」現象と名付けている（韓国放送公社2021）。「イデナム」の中からは、フェミニズムを敵視する人々が現れてきている。彼らがフェミニズムを敵視するポイントは、女性にとって不利な慣行や規範を是正するジェンダー平等政策である。政府によって推進されるジェンダー平等政策は、就職や昇進の際に女性を優遇することで、平等に競争すべきゲームのルールを歪曲する「不公正」な措置だと彼らは捉えている（チョン・グァンユル 2019）。アンチ・フェミニズムの動きは、ここ数年、組織が結成されるなど「対抗社会運動」としての性格を持つようになってきた（キム・ソンヘ 2019）。

２０２１年以降、「イデナム」は選挙の主なターゲットとなっている。20代男性の民主党からの離反が著しくなるなか、２０２２年の大統領選挙の際、保守政党の「国民の力」が、20代男性の票をつかむため、女性に対する構造的差別の存在を否定し、女性家族部の廃止を公約にするなど、アンチ・フェミニズムの雰囲気に便乗する政策を発表しつづけた（ハンギョレ新聞２０２２年1月29日）。

一方、民主党はこの「イデナム」現象に対して明確な選挙戦略を打ち出せず、ジレンマを抱えた。党内には「イデナム」の主張に同調し20代男性の支持を得ようとする動きもあったが、女性差別の容認は既存の民主党支持層を離脱させる危険性があった。こうしたジレンマを抱えた民主党は、明確な立場を打ち出せず曖昧な態度をとっていた。民主党が20代女性を対象にした政策を積極的に打ち出したのは、２０２２年1月、アンチ・フェミニズムに便乗する「国民の力」の「イデナム戦略」が本格化してからである。それは、「国民の力」の戦略を「退行的政治」と批判することで道徳的優位を占めるとともに、伝統的な民主党支持層に分類されていた20代女性の支持を高めるためのものであった。

だが、20代女性の民主党支持率は伸び悩んだ。初期の民主党の戦略は、20代女性を含めフェミニズムに友好的な集団の心をつかむことに失敗していた。その主な要因として、まず、民主党の内部で起きた一連の権力者による性犯罪に対する曖昧な態度と、その過程であらわれた女性運動の限界が挙げられる。安熙正《アンヒジョン》前忠清南道《チュンチョンナンド》知事、呉巨敦《オゴドン》前釜山《プサン》市長、朴元淳《パクウォンスン》前ソウル市長など、民主党の主要政治家による権力を濫用した性犯罪の疑惑に対し、民主党内部では反省と省察の態度を見せられなかった。さらに、元「慰安婦」の支援団体「日本軍性奴隷制問題解決のための正義記憶連帯（正義連、旧・挺対協）」の不正会計疑惑や、韓国女性団体連合の代表が朴元淳ソウル市長のセクハラ提訴を捜査開始前に同市長側に伝えたことなどは、民主党と協力関係を結んできた女性運動全般の正統性も危うくしていた。

そして、前例のないネガティブ戦が繰り広げられた大統領選挙で、民主党が相手候補の配偶者に対する女性嫌悪的攻撃に便乗または放置していたことも、20代女性の心をつかむことを困難にした。たとえば、尹錫悦《ユンソンニョル》候補の配偶者が風俗業に従事したという噂を民主党は放置していた。こうした民主党のネガティブキャンペーンは、80年代の民主化運動をリードしてきた世代の男性政治家らのジェンダー平等に対する認識の低さを明らかにし、女性運動出身の政治家の立場を弱め、結果的に20代女性の民主党候補への支持を阻んだのである。

（2）「20代女性」の再結集

このように女性に対する差別と嫌悪が前景化していた大統領選挙を超接戦にし、0・73%という僅差まで迫ったのは20代女性たちの再結集によるものであった。大統領選挙の初期には「20代男性」を中心に論戦が進められ、女性が経験する差別と暴力の問題が語れなくなっていた。だが、投票の約1か月前、テレグラム性搾取事件[1]（いわゆる「n番部屋事件」）をもっとも早くから伝えてきた大学生取材チーム「追跡団火花」のメンバーである朴志玹《パクジヒョン》氏が、民主党女性委員会の副委員長として李在明《イジェミョン》候補の陣営に合流してから、選挙の流れは一変した。

性暴力問題を真剣に取り上げた経験をもち、20代女性として既存の政治家とは異なる声をあげた朴氏が選挙陣営に参加したことで、民主党内部の女性差別的な態度や認識を変えることができるとの期待が広がった。それから、民主党はジェンダー暴力の根絶を公約として打ち出し、若年女性のフェミニズム運動に距離を置いた戦略的曖昧性を捨て、「フェミニズムはより良い世の中を作るための運動」というメッセージを打ち出した。

20代女性は、江南駅女性殺害事件、キャンドル市民革命、#MeToo運動などを経て、政治に対してより積極的に関心を持ち、直接行動に乗り出した世代である。この20代女性たちが大統領選挙のなか、バックラッシュにさらされても「ジェンダー暴力は容認できない」「フェミニズムは男女間のバトルを起こす原因ではなく解決策だ」と訴えつづけ、選挙に重要な影響を与えたのである。選挙結果は民主党候補の敗退であったが、20代女性が結集して投票をおこなったことで、政治的影響力をもつ新たな勢力として注目されるようになった。

（1）女性を脅迫し性的搾取して撮らせた映像や、アルバイト求人に見せかけ被害者に撮らせたわいせつ映像を、メッセンジャーアプリを使って取引したデジタル性犯罪および性搾取事件。「1番部屋」から「8番部屋」まで八つのチャットルームを作り、入場金額によって等級を分けたことに由来する。

おわりに

韓国ではこの40年間、性暴力に関連する法や制度が整備され、被害者を支援し権利を保障するという一定の成果をあげてきた。反性暴力運動は、登場した80年代には民主化運動の下位運動として位置づけられ、女性イシューに特化した独自の運動としては発展できなかったものの、90年代からは、女性運動全般を主導する重要な運動となった。

反性暴力運動の発展に大きく貢献したのは、個人の苦痛を克服して、勇気をもって被害事実を話しはじめた被害者たちである。また、事件が起こるたびに自分のことのように現場に駆けつけ、被害者と一緒にたたかった多くの支援者と活動家の役割も欠かすことはできないだろう。こうした信頼関係に基づき長いあいだ取り組まれてきた運動によって、90年代のはじめまで口にすることすらはばかられた「性暴力」という言葉は日常用語となり、社会問題として認識されるようになった。

約40年間にわたる反性暴力運動の実践と、女性運動および市民社会団体との連帯の経験は、2015年以降、フェミニズムを身につけた若い女性たちにもつながったといえよう。とりわけ、これまでの歴史は、2018年の #MeToo運動の初期に、女性たちが集会に出るのを恐れず、被害者の語りに共感し、支持を表明できる土壌となったといえる。その後バックラッシュを経験しているものの、今後、若い女性を中心とする、性暴力と性差別を撤廃しジェンダー平等な社会を実現するための取り組みは、新たな展開を見せることが期待される。

参考文献

日本語

権慈玉（2009）「韓国の農村社会における女性運動の普及過程――1960～70年代における『カトリック農村女性会』の事例から」『ジェンダー研究』第12号

鄭喜鎭編（2021）『#MeTooの政治学――コリア・フェミニズムの最前線』大月書店

鄭康子（2018）「韓国の#MeToo運動の現在とこれから」『国際人権ひろば』第140号、2018年7月 https://www.hurights.or.jp/archives/newsletter/section4/2018/07/metoo.html

閔ギョンジャ（2004）「第1章　性暴力追放女性運動史」韓国女性ホットライン連合編『韓国女性人権運動史』明石書店

山下英愛（2007）「公開シンポジウム　ジェンダーの視点で読み解く現在：韓国における女性運動の現状と課題」『東西南北』和光大学総合文化研究所

韓国語

イ・ナヨン（2018）「フェミニスト観点からみた『MeToo運動』の社会的な意味」『月刊福祉動向』参与連帯社会福祉委員会、第234号

イ・ミギョン（2017）「語りつづけること、向き合うこと、エンパワーメント――反性暴力運動」韓国女性団体連合編『韓国女性団体連合30年の歴史』ダンデ

イ・ミョンスク（2019）「二次被害との戦争、被害者の権利と日常を戻すこと」『イ・ユンテク性暴力事件対応の意義と争点討論会――怒りの後、再び舞台に立つ』資料集（2019年11月26日）イ・ユンテク性暴力事件共同対策委員会

イ・ミギョン（2019）「『強姦罪』構成要件改正運動の意味と課題」『女性学論集』第36集第2号、梨花女子大学韓国女性研究院

イ・ヒヨン（2019）「特集　韓国女性運動史120年を知る」『延世春秋』第53号

オジャン・ミギョン（2004）「韓国女性運動と女性内部の差異」『進歩評論』第20号
カン・ナムシク（2003）『女性平友会の活動と女性運動史的意義』女性平友会創立20周年記念行事準備委員会
キム・ソンへ（2019）「アンチ・フェミニズム運動の正当性獲得戦略に関する研究」『韓国社会学会社会学大会論文集』
キム・ヒョンミ（2018）「#MeToo運動、なぜ、いま、そして、今後」『ジェンダー・レビュー』夏号（第49号）、韓国女性政策研究院
キムミン・ムンジョン（2020）「#MeToo運動、韓国社会における変化の求心点となる」（討論会「#MeToo運動、２０２０年の政治となる」２０２０年４月３日、討論会資料）
キム・ヘジョン（2019）「#MeToo運動以後、言説戦略の争闘と反性暴力運動の課題――アン・ヒジョン事件の裁判過程を中心に」『反性暴力イシューリポート』第13号、韓国性暴力相談所付設研究所ウリム
チョン・グァンユル（2019）「20代男性、彼らは誰か」『シサＩＮ』２０１９年４月15日 https://www.sisain.co.kr/news/articleView.html?idxno=34344
パク・インへ（2011）『女性運動フレームと主体の変化――女性の人権言説を中心に』ハンウル

新聞・報道

韓国放送公社「③〝イデナム〟〝イデニョ〟論の実態」『ＫＢＳ世代認識集中調査』２０２１年
京郷新聞「差別と嫌悪を『フェミニズム論争』に変える政治家たち」２０２１年８月５日 https://www.khan.co.kr/politics/politics-general/article/202108051401011
ハンギョレ新聞「大統領選挙に『大手』として浮上した『イデナム』」２０２２年１月29日 https://www.hani.co.kr/arti/politics/politics_general/1029258.html

2章 韓国の#MeToo運動はどのように展開したか

金壽曦（キム・スヒ）

韓国女性団体連合政策部長（暴力・セクシュアリティ担当、当時）。大学院で女性学を専攻し、女性新聞社の記者を経て、韓国女性ホットライン、韓国女性団体連合で約10年間活動。#MeToo運動をはじめジェンダー暴力、ジェンダー平等改憲、3・8国際女性デー、募金キャンペーンなどの多様な活動に携わってきた。

はじめに

２０１７年に米国ハリウッドではじまった「#MeToo」運動は、全世界に大きな影響を与えた。韓国の#MeToo運動は、２０１８年1月から本格的にスタートした。そのはじまりは、８年間にわたって上司からのセクハラ被害と人事における不利益を受けた現職検事による証言からであった。現職検事による証言は他の女性たちにも影響を与え、それぞれが自分の経験を思い返し、性暴力は特殊な階層だけの問題ではないと気づくきっかけとなった。この事件の加害者である安兌根《アンテグン》前検事長は、職権濫用と権利行使妨害の疑いで起訴され、第二審の判決で2年の実刑を宣告された。だが２０２０年1月、最高裁判所はこの判決を覆し、無罪として訴訟を終了させ、多くの女性たちから怒りを買った。

現職検事による「#MeToo」以降、法・政治・文化芸術・労働・教育など、韓国の各界各層で#MeToo

運動が野火のように広がった。当時韓国では、オンラインで「#〇〇系性暴力」と検索すればすぐに結果が出るほど、ほとんどの社会領域で性暴力被害を曝露する運動が非常に活発に広がっていった。「あなたは悪くない」というメッセージは、性暴力被害者たちに堂々と問題に立ち向かう勇気を与えた。長いあいだ誰にも話せず一人で抱えていた性差別・性暴力の経験について告白する女性たちの声が、あらゆるところから溢れ出した。こうした女性たちの告白は、性差別・性暴力の問題が個人的な被害経験で終わるものではなく、韓国社会に根深く存在する性差別的な文化と制度・構造に原因があることを意識させ、社会変革を求める大きな運動の波へとつながった。

性差別・性暴力を受けた女性の証言が韓国ではじまったのは最近のことではない。80年代の公権力（警察）による性暴力の告発、90年代の日本軍性奴隷被害者の証言、2000年代の「サバイバーの語り大会」など、長いあいだ女性たちは性差別・性暴力について証言してきた。こうした長い歴史にもかかわらず、2018年に韓国で#MeToo運動が爆発的に起きたのは、2015年の「#私はフェミニストだ」宣言運動や2016年の江南駅女性殺害事件などによって、多くの女性たちがフェミニズムに目覚めたことがその理由であろう。

これまで韓国では女性運動によって、反性暴力など女性の権利向上のための法・制度が整備されてきた。だが、女性が生活する日常はいまだ安全ではなく、平等も実現されていない。そして、法や制度は整えられたものの、社会全般におけるジェンダー平等についての認識や文化はそれに追いついていない。こうした遅滞現象のなかで、2017年のキャンドル市民革命で政治権力を交代させた女性と市民たちは、#MeToo運動を通じて日常の中の権力をも交代させようとした。ジェンダー平等が欠如した民主主義は、真の民主主義とは言えないからである。

1　#MeToo市民行動

２０１８年1月の現職検事による証言の後、韓国女性団体連合（以下、女性連合）は傘下支部7か所と28会員団体とともに「検察内性暴力・性差別根絶のための特別委員会」を結成し、真相調査と加害者の処罰、検察内の性暴力被害調査、性差別的組織文化の改革を要求した。そして、他の市民団体、人権団体、労働組合などとともに、全国16地域の検察庁の前で同時多発的に記者会見を開いた。当時、#MeToo運動の流れは韓国社会のあらゆる領域に急速に広がっていた。女性連合をはじめとする女性運動団体は、爆発的に広がった#MeToo運動に積極的に対応するため、市民団体から労働組合まで連帯を広げ、多様な団体が参加できるプラットフォームの発足に取り組みはじめた。

２０１８年3月15日、全国から３４０の団体と約１６０の個人が参加する「#MeToo運動と連帯する市民行動」（以下「#MeToo市民行動」）が発足した。#MeToo市民行動は発足当日の記者会見（**写真1**）で「あらゆる性差別構造を壊す」という意味でプラカードを破くパフォーマンスを披露した。

#MeToo市民行動は、被害者の人権を保障し、加害者を処罰することと真相を明らかにすることを要求した。また、性差別・性暴力の根絶と実質的なジェンダー平等の実現を国の責務とすること、そのための具体的な政策と制度構築に取り組むことを求めた。さらに、性差別・性暴力に対する社会の変化を促すために、自分の日常と経験、活動について語る討論会を開いた。

幅広い領域の連帯のもとに#MeToo市民行動が発足できたのは、性暴力・性差別が「女性だけの」問題ではなく、社会構成員全体の問題であり、ジェンダー平等とジェンダー正義が民主主義社会を実現す

写真１　「#MeToo運動と連帯する市民行動」発足の記者会見

るための不可欠な条件であることに、多くの市民が共感していたからである。

発足直後、#MeToo市民行動は韓国女性財団の１階にメディアのモニタリングや情報提供など、バックラッシュに対応できる臨時事務室を設置した。ここを拠点に、さまざまな女性団体から派遣された活動家が、市民行動に参加した市民・人権・文化芸術・法律・労働団体などを対象に、#MeToo運動の必要性や状況に関してレクチャーをおこなうなど、プラットフォームの役割を果たした。#MeToo市民行動は、ソウル市庁近くのソウル広場に舞台を設け、多くの女性が直接自分の被害経験を語る「性暴力被害スピーチ大会」を開いた。このスピーチ大会は、３月22日から翌日まで２０１８分（33時間38分）、休憩時間もなく語りつづけるリレートークの形式でおこなわれた。中学や高校の女子生徒、移住女性、サバイバーなど、10代から70代までのすべての世代から１９３人が参加し、それぞれの日常で経験した性差別・性暴力の被害について証言した。オンラインでの参加も多く、たくさんのコメントが寄せられ、広場に設置されたフェンスはオンラインで参加した女性たちの経験が書かれた付せんでびっしりと埋まっていた。こうして多くの人々が公の場で証言することを通じて、性差別・性暴力とは少数の権力者による逸脱行為ではなく、誰もが経験しうる韓国社会の構造的問題であることを確認することができた。

#MeToo市民行動は2018年の1年間、計6回にわたって「性差別・性暴力を終わらせる集会」を開催した。集会は清渓《チョンゲ》広場、延南《ヨンナム》洞京義《キョンイ》線森の道、恵化《ヘファ》駅マロニエ公園、新論峴《シンノンヒョン》駅、ソウル歴史博物館前、光化門《クァンファムン》広場など各地で開かれた。「#MeTooが変える世界、私たちが作ろう」「私たちは止まらない」「いまこそ変える、#MeTooがやり遂げる」といったスローガンのもとで、1年間にのべ約3万人の女性と市民が広場に集まった（**表1**）。

「性差別・性暴力を終わらせる集会」の第4次集会は、江南駅女性殺害事件の2周忌に合わせておこなわれた。暴雨にもかかわらず、約2000人の女性が被害者を追悼するため集まり、#MeToo集会の熱意を受け継いだ（**写真2**）。

第5次集会は安熙正《アンヒジョン》前忠清南道知事を無罪とした第一審判決の直後に開催された。無罪判決に激怒した女性と市民たち約2万人が集まり、裁判結果は被害者中心ではなく男性中心的に法律が適用されたものであると批判し、国の制度や法律が女性中心的に運用されていないことを意味して「女性のための国はない」と叫びながら、性差別的かつ偏った判決を下した裁判所の判断を強く糾弾した。この日の怒りを表現するために、たいまつを高く掲げるパフォーマンスや記者会見、展示会など、多様な活動が展開された。

#MeToo市民行動は、中学・高等学校を中心とした「スクール#MeToo」や、男女賃金格差に対する問題提起など、韓国社会のさまざまな領域で起こっていた#MeToo運動と連帯した。そして政府に

表１　「性差別・性暴力を終わらせる集会」の概要

次数	日時	場所	参加人数	主要内容
1次集会	2018. 3. 23（金） 午後7時	清渓広場と 鍾路一帯	1,000人	「2018分リレートーク」開催（193名参加）。#MeToo運動の核心は性差別と性暴力であり、より多くの告発が語られるべきだと信じる市民が広場に集まりお互い励まし合う
2次集会	2018. 4. 7（土） 午後7時	延南洞 京義線森の道	1,000人	#MeToo運動の核心が性差別的構造であることを知らせ、#MeToo運動を支持する市民の力を集める
3次集会	2018. 4. 21（土） 午後7時	恵化駅前道路、 広州、全州、 大邱、金海、 浦項（同時）	1,500人	全国同時多発的に実施。ソウル地域では「#MeToo運動と連帯する1万人宣言」「自分で作るピケット作り」など実施
4次集会	2018. 5. 17（木） 午後7時	新論峴駅 6番出口前 江南駅一帯	2,000人	江南駅女性殺害事件２周忌を迎え、女性に安全で性差別・性暴力のない社会を作るために社会構造の改革を主張
5次集会	2018. 8. 18（土） 午後5時	ソウル歴史 博物館前道路	20,000人	安熙正事件一審無罪判決を糾弾する集会であり、たいまつパフォーマンス、街頭行進などを実施
パフォーマンス	2018. 11. 10（土） 午後1時	ソウル ダシセウン広場	218人	2018年を記憶する218人の市民が集まり、#MeToo告発を妨げていたものを壊し、我々が望む世界を作ることを宣言
6次集会	2018. 12. 1（土） 午後5時	光化門広場	500人	「いまこそ変える、#MeTooがやり遂げる」

（出典）『#MeToo運動、2020年の政治となる』（討論会資料集）

写真２　雨の中で開かれた第４次「性差別・性暴力を終わらせる集会」

対し関連する立法措置を促す一方、性差別的構造を改革するためジェンダー平等推進システムの構築、#MeToo予算増額（当時の文政権は政府の各部署におけるセクハラ・性暴力根絶対策のために「#MeToo及びデジタル性犯罪関連予算案」として403億6400万ウォンを計上していた）などを検討し、代案を提示する連続討論会も開催した。

2019年はじめには、スポーツ界で#MeTooが起きた。成績を過剰に重視するスポーツ界の雰囲気の中で、性暴力が頻繁に発生し、それを隠蔽する風潮が長いあいだ続いていたことが明らかになった。スポーツ界の#MeToo運動を受け、国家人権委員会（国民からの人権侵害の訴えに直接対応し勧告をおこなう独立した国家機関）は選手に対する調査を実施し、政府に対し今後の対策を求めた。

また同年、#MeToo市民行動は検察の改革に注目した。2018年から多くの人々が故チャン・ジャヨン俳優事件（2009年に俳優がマスコミ社長、放送局ディレクター、財界有力者からの性接待強要の事実を暴露して自殺した事件）の真相究明を求めていたが、検察は2019年にも加害者に免罪符を与えた。真相究明ができないまま事件を終結したことは、国民の人権を保障すべき国家権力が女性の人権を度外視したことを意味した。この事件をきっかけに、多くの女性たちが検察を改革するべきだと声を上げはじめた。これに応えて、#MeToo市民行動は2019年5月24日、大検察庁前で奇襲デモをおこなった。大検察庁前の広場で「検察が共犯だ」というスローガンを掲げ、検察改革を要求した。その後、「新しく書く正義、検察改革は女性の手で」というスローガンのもと、7月から9月まで10回にわたって「フェミ時局広場」という名前の集会を開催した（**写真3・4**）。

「フェミ時局広場」は、女性団体を中心に約3か月間、毎週金曜日の夜に広場の周辺で開催された。社会全般にわたる性差別的構造とレイプ文化、それに手を貸す公権力とメディア権力に対し、根本的な

写真３　大検察庁前で検察改革を求める女性運動団体の活動家たち

写真４ 「フェミ時局広場」のようす

改革を求め、叫びつづけた。「バーニング・サン」事件（芸能人による売春あっせんや性的動画の共有、ドラッグ使用などが発覚した事件）、デジタルポルノ犯罪など、当時さまざまな性差別・性暴力のイシューに関連していた検察の問題についても、参加者たちに各事件の詳しい情報を提供し、メディアによる世論化をめざした。

#MeToo運動の熱気の中、2018年の国会ではデートDV、ストーカー犯罪、デジタル性犯罪など、さまざまな法案が議論された。しかし、当時の国会議員らは年末までまともな議論を進めず、ごく少数の法案だけを成立させたのみであった。業務上の位階・威力（社会的・経済的・政治的な地位や権力）による姦淫罪や、自ら撮った撮影物を同意なしに流布する行為を処罰するデジタル性犯罪根絶のための法律など、そのほとんどが量刑を重くすべき内容にもかかわらず、軽い刑罰にとどまっていた。これに対し女性団体は、法制度の空白を埋める新たな法整備を要求する記者会見を開いた。

#MeToo運動が求める立法課題は、単純に量刑を強化することではなく、性差別・性暴力を根絶するための法律の制定および改定である。強姦罪の構成要件の改正がその代表例であった。韓国の刑法での強姦罪は「暴行または脅迫」をその構成要件としている。しかし、女性が経験している現実は異なる。「暴行または脅迫」がなくとも、女性の同意なしにおこなわれる性的侵害は無数に存在する。女性たちは「同意なしでの性的侵害」を強姦罪の構成要件にするべきだと要求した。これに関連して10件の法案が、2018年に五つの政党によって発議された。しかし国会ではまともに議論されず、第20代国会の任期（2016―2020年）が終了することで、これらの法案は自動的に廃案とされた。

強姦罪（刑法）の改正に関する女性たちの要求も、最近になってはじまったことではない。1991年性暴力特別法の制定運動の当時も、強姦罪について問題が提起され、30年間にわたって改正が重ねら

写真５　堕胎罪廃止を求めるデモ

れてきた。だが、性暴力を根絶するための根本的なパラダイムを変える法改正要求は、#MeToo運動をきっかけにふたたび燃え上がった。#MeToo市民行動は、第10回「フェミ時局広場」で公に強姦罪の改正を要求し、市民たちに背景情報を伝えた。市民行動に参加する２０９の女性・人権団体は、２０１９年３月に『強姦罪』改正のための連帯会議」を結成し、第21代国会で「同意」の有無を構成要件とする改正を成立させるために活動した。

#MeToo運動の前からおこなわれていた自己堕胎罪廃止運動も、#MeToo運動によってより力強く推進された。その結果、２０１９年４月11日、憲法裁判所は堕胎罪に対し違憲判決を下し、数十年間女性を抑圧し統制してきた堕胎罪は韓国の歴史から姿を消した。現在は、ジェンダー平等とリプロダクティブ・ヘルス／ライツの権利保障のための法制備を目標に、女性運動はさまざまな活動を繰り広げている。

#MeToo運動は、家庭・学校・職場など、日常空間での変化がともなうことで完成する運動である。日常の変化が社会に広がることで、男性中心的な社会に根深く浸透している性差別的な文化が変わっていく。#MeToo市民行動は、連帯する団体や個人とともに、それぞれが自らの日常や活動を省察し、実質的な変化を生み出すことを重要な活動目標として提示した。その一環として全体代表者会議を開き、性差別的な用語、名称、嫌悪発言など、日常で使う言葉を変えることで、家父長制的な男性性・女性性に基づく規範を解体し、性暴力を容認してきた文化を省察するという日常的な実践を提案した。また、市民団体と労働組合に対しても、職場においてジェンダー平等の観点から組織文化を点検し、制度化することを提案した。

#MeToo運動には、全国民主労働組合総連盟（民主労総）や韓国労働組合総連盟（韓国労総）といった韓国の代表的なナショナルセンターも参加した。韓国労総ではジェンダー平等労働教室を開き、所属事業所における実態を調査し、組織文化を点検する一方、女性組合員の活動を強化し、組合員の権益向上のための「女性委員会」の設置に取り組みはじめた。民主労総では、#MeToo運動の課題を盛り込んだ団体協約を締結し、「#MeToo運動1年後の組合員の意識調査」を実施した。また、組織内における女性の代表性の強化のため、女性委員会組織を拡大した。

女性に関するテーマで労働・人権・市民団体が大々的に連携組織を結成したのは、戸主制廃止運動本部の発足（98年）以来のことである（戸主制は2005年に廃止）。いままでジェンダー平等についてあまり注目しなかった市民社会団体においても、#MeToo運動によってやっと変化があらわれたのである。韓国の市民社会では、#MeTooをテーマにした講義やシンポジウム、ワークショップが開催され、新たなコミュニティが形成された。また、各社会運動団体の組織内においてもジェンダー平等を担当する専門部署が設置されるという、注目すべき変化が起きた。

メディアでも変化が起きた。ソウル新聞社の「ジェンダー研究所」、ハンギョレ新聞の「ジェンダーデスク」といった、ジェンダー・イシューを担当する部署が各新聞社の中でつくられた。ハンギョレ新聞では、ジェンダー・イシューを担当するチームとして「スラップ」がつくられた。公共放送のKBSではマスコミ初のジェンダー平等専門常設機構である「性平等センター」が設立された。
#MeToo運動はいまも進行中である。社会のさまざまなところでバックラッシュが起こり、「#MeTooの終わり」を語る人もいる。だが、#MeToo運動はまだまだ続いている。根深い性差別的な社会構造を変革することは、一朝一夕で起こることではない。2020年、コロナ禍の中で韓国社会に衝撃を与えたのは「テレグラムn番部屋」事件（1章参照）であった。テレグラムというプラットフォームを通して起きたデジタル性犯罪事件である。政府は解決のためのさまざまな対策に努めているが、デジタル性犯罪はより巧妙な形で女性の人権を侵害している。

2　#MeToo運動その後

全社会に広がった#MeToo運動の巨大な流れは、性差別・性暴力を根絶し実質的なジェンダー平等を実現することが国家の責務であることを、もう一度確認したできごとである。また、こうした流れによって、ジェンダー平等を実現するための具体的な政策と制度を準備し、国会での関連法の改正と、家庭、学校、会社など各組織や共同体におけるジェンダー平等実現に向けた日常の動きをつくりだした。

だが、#MeToo運動が起きてから5年が過ぎた現在、韓国の女性運動とフェミニズムは巨大なバックラッシュに直面している。

２０２１年4月、ソウル市長選挙で20代男性層が選挙の当落を決める勢力とみなされて以降、政界はアンチ・フェミニズムを掲げた人々を政治的戦略の道具として擁立するようになった。同年、「国民の力」党代表になった李俊錫《イジュンソク》は「イデナム（20代男性）」という呼称で若年男性を煽動し、アンチ・フェミニズムを政治戦略として利用した。その後の大統領選挙の過程でも、フェミニズムに対するバックラッシュはさらに激しくなった。「国民の力」の尹錫悦候補は「女性家族部の廃止」を公約に掲げ、「韓国社会にはもう構造的性差別はない」と宣言した。そして尹候補は「共に民主党」の李在明候補に0・73%というわずかな差で勝利した。辛勝にもかかわらず、尹候補は大統領就任後も「歴史的使命を果たした」という口実で、女性家族部廃止の公約を諦めなかった。尹政権で初めて任命された女性家族部長官は「担当省庁の廃止」という課題を抱えて就任するという笑えない状況が繰り広げられたのである。

就任してから1年、尹政権は国家政策から「女性を消す」ことに血眼になっている。女性家族部をはじめとするほとんどの政策で「女性」「ジェンダー」「性平等」が消えた。これは地方自治体の女性政策研究機関の縮小、ジェンダー平等推進部署の統廃合など、ジェンダー平等政策の退行につながっている。政府が政策から「女性」を削除したことは、女性を主体として、また受益者としていた政策を縮小または削除したことを意味する。またこれは、政策の企画と執行・評価の全過程で女性の声に耳を閉ざし、パートナーとしての女性団体との協力を拒否したことを示す。さらに、全省庁の政策ビジョンと目標からジェンダー平等の理念を抹消し、ジェンダー平等社会の実現という民主的目標を喪失したことを意味する。また、「ジェンダー平等」という政策用語を「両性平等」という以前の用語へと戻すことによって、ジェンダーと性（セクシュアリティ）に関するアイデンティティの多様性を無視し、マイノリティ集団を排除したまま、男女の二元論的な性別構図を強化させている。

このような現政府の動きに対抗するため、女性連合をはじめとする全国約７００の労働・市民・女性・人権・宗教・環境団体（２０２３年7月現在、約９００団体）は、２０２２年11月「女性家族部の廃止阻止とジェンダー平等政策強化のための汎市民社会全国行動」を発足させた。そして、女性家族部の廃止が盛り込まれた政府組織法改正案を阻止し、国家のジェンダー平等政策を強化するため、全国の女性・労働・市民団体の声を結集する活動を続けている。

「同意」の有無を構成要件として盛り込む強姦罪の改正は、第20代国会で成立できず、第21代国会でも三つの法案が発議されたものの、国会内の議論は開店休業の状態である。２０２３年1月に女性家族部が「不同意強姦罪の導入推進」を含む「第３次ジェンダー平等政策基本計画（２０２３―２０２７）」を発表したが、法務部と与党「国民の力」の反対に直面し、発表から9時間後に立場を覆すという寸劇を起こした。

また、#MeToo運動のダイナミズムに支えられ、２０１９年に憲法裁判所から堕胎罪の違憲判決を引き出したものの、4年が過ぎた現在まで、韓国の女性たちは安全な妊娠中絶ができない状況に置かれている。世界保健機関（ＷＨＯ）が必須医薬品として指定し、すでに世界95か国で安全に使われている公式医薬品があるにもかかわらず、政府は経口中絶薬（政府は「流産誘導剤」と呼ぶ）の導入を見送りつづけている。

#MeToo運動の影響を受けた日常空間の変化として、メディアの中に「ジェンダーデスク」のような新しい部署ができたが、5年が過ぎたいま、会社の経営陣が変わったことで部署が消えたところもあれ

写真６　韓国女性団体連合のメンバーたち

ば、地道に生き残り、組織内のジェンダー平等文化をつくっているところもある。さらには、新しくジェンダー関連組織を導入しようとするところもある。

熱く燃え上がり、社会変化の扉を開いた韓国の#MeToo運動はこの5年間、さまざまな浮き沈みを経験しつつも、ジェンダー平等な民主主義を実現していくための巨大な流れは継続している。運動に参加した女性・労働・環境・市民社会団体だけでなく、日常の中で変化をつくろうとした女性と市民一人ひとりが、変化の主体としていまも活動しつづけている。また、反フェミニズムを標榜する政府に対抗し、全国の市民社会団体の連帯を組織し、「同意」の有無を盛り込んだ強姦罪の改正のために国会にプレッシャーをかけ、女性のリプロダクティブ・ヘルス／ライツ保障のための署名活動を繰り広げている。「決して（過去には）戻らない」と叫んだ#MeToo運動のスローガンを記憶し連帯する女性と市民たちがいる限り、ジェンダー平等な民主主義に向けた歴史は退行しないだろう。

（抄訳＝金美珍）

3章 政治家による性暴力事件と共同対策委員会

金恵晶（キム・ヘジョン）

韓国性暴力相談所所長。大学在学中に同相談所のボランティア活動をはじめ、2005年から常勤。2017年から「#MeToo運動と連帯する市民行動」「安熙正性暴行事件対策委員会」「ソウル市長威力性暴行共同行動」「強姦罪改正のための連帯」等で活動に携わった。

本報告では、私たちが2018年からかかわってきた広域自治体（日本における都道府県にあたる）の首長による「威力」、すなわち（社会的・経済的・政治的な）地位や権力による性暴力の事例を紹介する。この三つの事件では、多くの女性人権団体と弁護士たちが共同対策委員会をつくり、力を合わせて対応してきた。

1　第一事例　安熙正《アンヒジョン》・前忠清南道《チュンチョンナンド》知事

忠清南道の前知事、安熙正氏は2018年当時、任期7年目の有力な政治家であった。当時の与党「共に民主党」の中で有力な次期大統領候補者の一人として、女性や人権の問題に積極的に発言し、若者たちに人気が高く、支持者も多い政治家であった。ところが、２０１８年3月5日、安知事の元随行秘書の金智恩《キムジウン》氏が、影響力のあるＪＴＢＣテレビの生放送ニュース番組に出演して、知事による性暴力を訴えた。

私たち韓国性暴力相談所は、出演の2日前に初めてこの事件を知った。当時、被害者がニュース番組で顔を出すことについて、私たちは正直なところ不安を感じていた。だが、当日の昼ごろから知事周辺の人々が被害者の所在を探しまわっていることがわかってからは、出演に同意するようになった。テレビに出演したほうが、身の危険を感じている被害者が保護を受けられると考えたからである。

翌日、被害者は検察に対して知事を告訴した。罪名は「業務上の威力による姦淫」「業務上の威力によるわいせつ行為」「強制わいせつ」だった。訴状にはこれら三つの罪名のもと、主に10の例が記載された。被害者は検察で誠実に証言した。秘書の仕事内容や政治家の権力、権威的な振る舞いの例を挙げて、知事とスタッフや周辺の人々の力関係を説明した。だが、政治家が周囲に及ぼす力を検事たちに理解させるには長い時間がかかった。弁護団と女性運動団体による共同対策委員会は、陳述の一貫性を補完するために、業務関連の詳しい資料、たとえば電車の時刻表や座席表、日程表、携帯電話の通信記録の分析結果、着ていた服や事件のあった建物の設計図など、関連するあらゆる資料を提出した。

安知事は、放送日の深夜に「すべては自分の責任だ」とFacebookに投稿して辞任した。しかしその後、携帯電話を壊すなどの証拠隠滅を図った。にもかかわらず裁判所は、証拠が曖昧だとして逮捕状の請求を2回も棄却した。また、放送日の夜、被害者の元同僚に知事の息子から電話があり、知事の配偶者も電話に出て「彼女の過去が知りたい、素行調査をしている」と言ったという。

翌日から、被害者についての真偽不明なフェイクニュースがネット上に溢れた。同僚たちとキャンプ

写真1　一審後の夜間集会のようす

場で撮った写真が、男性は黒塗りで彼女だけを残したまま「性的に問題のある女」と書き込まれTwitter上で一斉に投稿されもした。これはBot（自動投稿プログラム）のような機能を使って自動送信したと思われる。このツイートに侮蔑的なコメントをつけた元秘書の男性は、現在、名誉毀損などで裁判を受けている。金氏がネット上で受けた二次加害は深刻であった。最初に書き込んで加害を誘導したのは、知事を支持する政治グループだと思われる。

一審は「被害者が裁かれた裁判」となり、非常に苦戦した。被害者側の証人が途中で出廷を拒否したり、非公開で証言することもあった。仕事を失うのではと恐れたからである。一方、被告人側の証人8人は、公開の証言で、被害者のほうがおかしいというイメージをつくりあげた。「知事が好きだと笑って話していた」「日頃から自己主張が強かった」「威力に逆らえずというのは嘘だ」とか、被害者は秘書の業務としてホテルを予約していたのに、自ら予約したと記者に話していた、などである。

こうした証言によって二次加害がいっそう強まった。その結果、判決は無罪となった。判決理由は、「翌日も平常通りに勤務をこなし、……知事の食事の世話をするなど、被害者とみなすことは難しい」として、「威力」が「性的行為」と関係があったのか、

写真２　二審後の夜間集会のようす

「性的行為」があったとしても、それは「性被害」なのかを段階別・個別に判断すべきという趣旨であった。

一審の無罪判決が出された夜、ネットでは糾弾の集会が呼びかけられた。４００人以上の女性がソウル西部地裁に押しかけ、「裁判所を燃やせ！」と叫ぶなど、怒りの声が次々と沸きあがった。その週の土曜日には、都心で2万人規模の集会が開かれた（**写真1**）。

この不当な判決を受けて、女性運動団体の活動が一気に高まった。女性学など多方面の専門家が被害者と面談し、資料を分析し、何回も意見書を提出した。シンポジウムで「威力による性暴力」の判例を検討し、言論による二次加害の例を集め、二審に提出した。公判が開かれるたびに傍聴とデモで連帯し、大勢で裁判所に圧力をかけた。

二審では、共同委員会に参加する団体も増え、二つの新たな活動が開始された。ひとつは被害者の名前を冠した「金智恩は普通の人だ！」という活動である。「普通の金智恩」をテーマに、若い女性たちが職場で経験した性暴力の被害を語り、嘆願書を書くのを呼びかけた。もうひとつは「被害者だけが質問され、被告人に質問しないのはなぜか。被告人に質問せよ！」というキャンペーンであった。共同委員会はこれらのキャンペーンを展開し、アンケート調査を通じて被告人への質問を募り、裁判所に送った。その結果、二審では被告人に対し質問がおこなわれ、安熙正は懲役3年6か月の実刑判決を受けた。**写真2**は二審判決当日の集会のようすである。この日は韓国の秋夕《チュソク》（お盆のような墓参りの日）の連休初日であったが、判決が出るのを知った数多くの人々が帰省を延期し、集会に参加した。

二審が有罪となって最高裁に送られると、被害者に対する二次加害がより盛んになった。民主化運動世代である安熙正の配偶者は、被害者が裁判に提出した医療記録をSNSに無断で掲載し、「性暴力を認定した診断書は偽物だ」「被害者は嘘つきだ」と主張した。さらには、被害者と他の秘書たちのあいだの携帯チャットを都合よく編集し、「これは単なる不倫で、本当の被害者は自分と子どもたちだ」とSNSに投稿した。投稿は民主化世代の支持者にリツイートされ、一瞬でネット上に拡散された。マスコミもそれを掲載した。さらに被告人は、上告審に向けて検事や判事の経験を持つ17人の有名弁護士を雇った。

私たち共同対策委員会は、被告人配偶者のツイートに反駁するツイートで対抗した。最高裁の判決がいつになるか、緊張の日々が続いた。被告人側の攻勢による二次加害が深刻化していたので、被害者はそれまで以上に苦痛を受け、耐えがたい日常を強いられていた。さらに、被告人側の弁護士たちは「被害者には政治的野心があった」などの非論理的な意見書を無数に提出した。

こうした攻撃に対抗し、共同対策委員会は「無数の安熙正と闘う、あなたも参加できるワークショップ」と題した集会を開いたり、マラソン大会に団体出場したりして広報活動を続けた。全国の性暴力相談所から活動家たちが集まって、有罪確定を求める記者会見を開いた。弁護士たちは二審判決の意味を法的に分析し、マスコミに伝えた。分析の中には2018年4月の最高裁判例があった。それは「性認知感受性（gender-sensitivity）に留意し」「偏見を排除し被害者陳述を合理的に判断」すべきであり、「事件の脈絡によっては被害者が抵抗できない場合もありうる」ので「加害者との関係などを考慮し総合的に判断すべき」という内容であった。この判例は本事件の二審でも適用されたが、この部分に疑問を呈する人が大勢いたので、弁護団が丁寧に説明したのである。

そして、安熙正事件は最高裁でも有罪が維持された。2019年9月9日の判決当日に、被害者の弁護団は勝利の記者会見をおこなった。被害者に最初から寄り添い、一審を支えたのは3人の弁護士であった。被害者の話を聞き、大量の資料を集め、解釈して整理する大変な作業であった。二審からは6人が新たに加わって全部で9人の弁護士が参加した。若手の女性弁護士たちと、女性人権分野のベテランたちがタッグを組んだのである。

実は、一審の敗訴後、経験豊かな男性のベテラン弁護士を入れるべきだと周囲から助言され、被害者は複数の男性弁護士に頼んでいた。だが、彼らは誰も引き受けてくれなかった。韓国には無料法律支援基金があるが、これは被害者一人あたり500万ウォン（約50万円）まで、裁判ごとに弁護士一人につき120万ウォン（約12万円）までという、とても少額な支援制度である。裁判費用に対しては、多くの人々からカンパが贈られた。9人の女性弁護士たちは、「威力による性暴力」をめぐる裁判で「被害者陳述のジェンダー・センシティブな判断」という意義ある判決を導き出し、他の裁判に良い影響を与える結果を出せたことを誇りに思っている。

しかし、未だに二次加害は続いている。国会には安熙正系の議員が多くいて、前知事の元秘書官たちがそのスタッフとして働いている。国会での経験もある有能なスタッフの一人は、被害者側の証人とし

写真３　釜山での記者会見

て証言したために露骨に首を切られた。２０２０年７月、安氏の母親が亡くなったとき、安氏は一時釈放され、母親の葬儀に出席した。このとき、当時の国務総理を筆頭に、多くの男性政治家が弔問した。「つらいときは支えあう」のだそうだ。大統領も弔花を贈り、そのようすに多くの人が怒った。もし他の犯罪者であれば、彼がいまも政界にいるかのように、わざわざ弔問して慰めたり、新型コロナの感染リスクの中で大挙して参列したりするだろうかと憤慨したのである。

　被害者が書いた『金智恩です』という手記が２０２０年に出版された。これと同時に「本を買って読む」という市民たちの運動がはじまった。多くの人がこの本を買い、読後の感想をＳＮＳに載せた。本を買うことで被害者を支援する側面もある。だが、この本には、地位の高い人物の権力が日常に与える影響や、そのような人の下ではどのような労働を強いられるか、告発までの困難などが詳細に、かつ誠実に記録されていたために、多くの人に読まれたのである。他の威力による性暴力事件を理解するために専門家や学者、マスコミ関係者のあいだでも読まれている。

2　第二事例　呉巨敦《オゴドン》・前釜山《プサン》市長

2020年4月23日、呉巨敦釜山市長が辞任した。釜山はソウルに次ぐ大都市であり、この市長も「共に民主党」所属であった。市の女性職員への強制わいせつが原因であった。6月になってから「呉巨敦性暴力事件対策委員会」が結成され、290の女性団体が結集した。

6月になってようやく全国団体が記者会見を開いた理由は、被害者を支援していた釜山性暴力相談所が政治的な攻撃を受けていたからであった。釜山は保守勢力が強い地域であり、「相談所が進歩系市長のスキャンダルを4・15総選挙が終わるまで隠していた」「相談所が民主党支持なので、政治的な意図があった」などの激しい攻撃が続いていた。政界周辺で起きる性暴力の被害者が陰謀論で攻撃され、二次加害を受けるのと似た状況であった。攻撃対象が被害者本人ではなく、被害者を支援する団体へと変わっただけのことである。この事件に対し、女性運動側は釜山市当局に再発防止のシステムをつくることを要求した。

3　第三事例　朴元淳《パクウォンスン》・前ソウル市長

2020年7月に、朴元淳ソウル市長の性暴力事件が発覚した。この事件は市民社会に大きな衝撃を与えた。加害者が市民運動や民主化運動で長年にわたり大きな功績をあげた人物だったからである。被

写真４　国家人権委員会の職権調査を要求する共同行動。横断幕には「ソウル市に人権を、女性労働者に平等を」と書かれている

害者は、公務員になったばかりの２０１６年、突然秘書室から面接に呼ばれ、市長の秘書として働きはじめた。秘書の選考は専門技術ではなく顔や外見で選ぶのが公共機関の慣例だったと多くの人が証言している。彼女は４年間、秘書の仕事から異動できなかった。彼女が９回以上も異動を申し出たにもかかわらず、市長を補佐する人々は「君がいると市長の機嫌がいいから」との理由でそれを引き止めつづけた。その間、市長は３選に成功して数々の業績をあげていた。だが被害者は、その間も継続的に市長からの卑猥なメールや威力によるわいせつ行為を受けていたとして、７月８日に告訴したのである。

ところが、同市長は翌７月９日に自死を選択した。長年の功績がある市長の自死を受け、多くの人が被害者を特定し非難しようとした。そこで私たちと「韓国女性ホットライン」が被害者支援に動きだした。弁護士の同席のもと、被害は本当に存在したこと、詳細な内容の相談を受けたこと、解決すべき事件であることを公表した。紫の傘と紫色の服装で、ソウル市庁前から国家人権委員会の庁舎までデモをし、事件の調査を要求した。警察は告訴状を受理したが、被疑者が死亡したので捜査を打ち切らざるを得なかったからである。本件に関しては現在も多くの団体が共同で動いている。

以上、権力者による性暴力事件の三つの例を紹介した。だが実は、似たような事件は社会のあらゆるところに数多く存在し、現在裁判中の案件も多い。選挙で選ばれた権力者による性暴力は、告発するときから大きな困難に直面する。その困難とは、第一に、他の性暴力被害と同様に、被害者を保護し権利を保障する方策が必要であること。第二に、進歩陣営と保守陣営が政治的に対立している場合、どちらの政治家が加害者であっても被害者は激しい二次加害を受けること。第三に、組織内のセクハラに対して、いまも目をつぶる周囲の人々が多いこと。写真や音声など明白な証拠が残っている事件も多いが、はっきりした証拠がない事例もある。女性を性的対象物とみなしてトップのご機嫌を取らせ、その役割を強制しつづけるやり方を、どうすれば社会問題化できるか。このような問題の解決が重要な課題である。

4　#MeTooのその後と近年の動向

報告した三事例のその後の経過を振り返っておく。

第一事例の安熙正前知事は、刑事処罰確定ののち、2022年8月4日に刑期を終えて出所した。出所の日には現職国会議員を含む約60人の支持者が彼を迎えた。韓国性暴力相談所は8月20日、「#MeToo運動中間決算　いま、ここにいる」というイベントを開いた。「加害者の処罰後と復帰前、社会における宿題」「『被害否定』の時間、二次被害の解決は可能か」「被害は日常へ――変わった私たちとして生きていく」という三つのテーマでトークセッションが開かれた。フェミニスト・デザイナーたちが協力し、アーティストの公演、関連書籍とグッズの販売ブースなど、多彩なイベントがおこなわれた。

被害者は前知事と忠清南道庁を相手に、民事上損害賠償請求訴訟を提起した。だが、被告側は「被害者が政治的野望で提起したこと」「合意した関係だった」という主張を未だくりかえしている。また、被害者が裁判に提出した診断書を被告側が認めず、被害者に身体的・精神的鑑定を受けることも要求した。このことで現在まで裁判は遅れている。また、被害者が秘書として働いていた時期の写真と映像をキャプチャーし、まるでラブホテルに入るかのようなフェイク記事をつくった報道機関を相手どった民事訴訟も進行中である。報道機関の多くは、事件と関係のない被害者の写真をすべて削除したが、一部の報道機関は「国民の知る権利」を盾に訴訟で対抗している。

第二事例の呉巨敦釜山市長の事件は、被害者が提起した刑事訴訟は勝訴で終わった。一審で懲役3年、二審でも3年の決定が下され、前市長側は上告しなかった。しかし、二審で前市長は非常に悪質な主張を提起した。たとえば、突然のわいせつ行為も「暴行・脅迫」に該当し、強制わいせつに当たるという最高裁の判例（強姦罪の要件である「暴行・脅迫」を変えるための刑法改正運動については第1章参照）の違憲性を主張した。また、被害者が提出した診断書について、他の医療機関での再鑑定を主張した。そのため、被害者は診断書に対する鑑定と再鑑定を強いられることになった。また、事件後も市長職を遂行していた被告人は、自ら「認知症」があると主張した。

釜山市長の辞任を受けて補欠選挙が実施された。「共に民主党」には、党員の重大な誤りによって職位を喪失した場合の補欠選挙には候補者を推薦しないという規約があったにもかかわらず、党内には前市長の性犯罪を「個人の逸脱」に過ぎないと矮小化する声が少なからずあった。それらはすなわち、被害者の訴えを否定する二次加害の言説でもあった。被害者と対策委員会の要求に対し、「国民の力」の候補と「共に民主党」の候補はいずれも、性暴力の再発防止対策を講じることを約束し宣言した。選挙は「国民の力」候補者の当選で終わった。被害者側は二次加害について「共に民主党」に謝罪と対案を要求し、同党は選挙直前には謝罪すると言っていたが、敗北してからは何の回答もない。その後、「共に民主党」のジェンダー暴力申告相談センターが二次加害と判定し、発言した党員に対する懲戒を党の倫理審判院に請願したものの、党倫理審判院は二次加害ではないと判断した。

第三事例の朴元淳ソウル市長は性暴力で告訴され、翌日死亡して発見された。したがって刑事告訴にともなう検察の調査、起訴、裁判などは開かれなかった。被害者と共同対策委員会の要求を受けて国家人権委員会は職権調査をおこない、2021年1月、「職場内でのセクハラであり、秘書の労働において性差別的な側面があった。事件の解決過程で二次加害があった」と判断した。

ところが、前市長の遺族と一部の支持者たちは、国家人権委員会の決定の取り消しを求めて行政審判を提起した。死亡した前市長が十分に反論権を行使できないこと、被害者の主張に根拠が足りないことが提訴の理由であった。しかし2022年11月15日、行政裁判所でも国家人権委員会の決定が正しいと宣告された。遺族側はこれに控訴し、現在控訴審が進行中である。一方、前市長を支持する人々の一部は、被害者の主張が嘘だと主張する『悲劇の誕生』という本を出版し、それを元にドキュメンタリー映画『初弁論』を制作して2023年7月の前市長の3周忌に合わせて公開した。この映画の予告編では「#MeToo戒厳令」と語られ、性暴行を告発した女性たちの声を疑問視し、社会的変化に強く反発する主張が含まれている。

おわりに

#MeToo運動と威力による性暴力事件への対応活動はどのような意味を残しただろうか？　#MeToo運動が起きる2年前の２０１６年、Twitter上で繰り広げられた「#○○系性暴力」キャンペーンを思い出す。「#クラシック系性暴力」「#ネット漫画系性暴力」「#教会系性暴力」など、こうしたハッシュタグ運動は、性暴力が身体の特定部位に対する特定の行動だけを意味するのではなく、社会のあらゆる領域において構造的な力が作動するなかで、ある人が他人に暴力や差別・排除を行使できること、そしてこうした問題がどのように隠蔽されるかを明らかにした。これと同様に#MeToo運動も、検察、軍隊、演劇界、政界、モデルスタジオなど、社会的空間の中で構造化された権力の存在と、被害者と加害者が経済的、社会的、政治的に従属関係にあることを明らかにした。

これらの問題に対する解決はいかにして可能になるだろうか？　司法的な問題解決は依然として必要である。韓国における性暴力犯罪は、刑法２９７条の強姦罪を中心に「暴行・脅迫」をともなうことで成立する。犯罪と認められるためには「被害者の抵抗が不可能だったり、著しく困難な程度」に至っていることが証明されなければならない。しかし威力による性暴力は、暴行や脅迫といった露骨な手段をともなわない。こうした現実における「力の行使」について、法が詳しく把握し、制裁を加えることが必要である。そのためには、被害者の陳述を傾聴することが土台となるだろう。

しかし、刑事的な処罰だけで問題がすべて解決するわけではない。威力による性暴力は構造の問題であるため、根絶のために考慮されるべき事項の範囲ははるかに深く広い。なぜ有形無形の社会的な名声や力、資源が、ある組織の男性代表者に集中するのか？　なぜ男性に問題が生じたとき、多くの人は自分たちの社会が崩れるように思うのか？　なぜ女性が男性代表者を補佐し世話をするようになったのか？　なぜ女性が男性代表者の性的な対象とみなされるのか？　こうした現実について、なぜ女性だけが沈黙し耐えなければならないのか？　こうした現実を知っているにもかかわらず、周辺の人々はなぜ性暴力を制止し、予防することができなかったのか？　いわゆる「進歩的」とされる組織の内部でも、公私二元論や男性代表者―女性補佐役という位階構造、政治家―非正規職・臨時職の二重構造が正当化されたのはなぜなのか？　こうした組織内で発生したセクハラ、性暴力は、誰が責任を持って改善しなければならないのか？　このような質問は、加害者と被害者が1：1の相手とみなされる刑事裁判の閉じた構造の中では提起しにくい。

さらに、二次加害の問題も影響が大きく、程度もひどくなってきている。加害者の活動による社会的利益が大きく、「代替不可能な人物」と称されればされるほど、被害者に対する攻撃と誹謗中傷はよりいっそう強くなる。被害者に対する攻撃と誹謗中傷を「公益的活動」「民主的行動」と言う人々もいる。こうしたことに直面するたびに、これまで進められてきた韓国の「民主的進歩」の中にジェンダー平等のための変化が含まれておらず、名目上だけの目標であったのではないかと痛感している。それでもなお、現在、私たちは変化の真ん中に立っていると考えている。数多くの人々が「加害者は監獄へ、被害者は日常へ」とのスローガンを叫びながら、互いに尊重され尊重できる仕事と生活を実現するため努力している。多様性やジェンダー・センシティブな感受性のレーダーを広げ、社会的に参加し連帯を広げている。現在、二大政党にはいずれもジェンダー平等に対する認識と意志が不在のように見えるため、挫折感も感じているが、過去に戻れない市民たちは、すでに新たな一歩を踏み出している。（抄訳＝金美珍）

第2部

移民国家化する韓国と「外国人労働者」

日本以上のスピードで韓国は外国人労働者を受け入れている。かつては日本の技能実習生をモデルにした産業研修生制度を持っていたが、深刻な人権侵害の温床となっていたことから、2004年に雇用許可制へと大きく舵を切り、ブローカーの排除に成功したと国際的に高い評価を受けている。日本でも雇用許可制への移行が模索されているが、なぜ韓国では早い段階で制度変化が可能だったのだろうか。それは韓国の経済発展のスピードと労働運動の歴史を振り返ることで見えてくる。

もっとも、韓国の雇用許可制に対しても、現場の運動からは批判が根強い。「現代版奴隷制」とも呼ばれるほど、劣悪な労働条件や自由を制限された働き方がいまだに続いているという。外国人労働者や海外にルーツを持つ住民をどのように受け入れ共生していくべきかは、韓国においても大きな論点となっている。雇用許可制の光と影を見つめることで、日本ではどのような制度を導入すべきなのか、より良い制度を構築するために、労働運動や人権団体は何をすべきなのかを考えていきたい。

4章 韓国の移民政策とその歴史的前提

木村　幹

はじめに

昨年7月、国連貿易開発会議（ＵＮＣＴＡＤ）は１９６４年以来初めて、大韓民国を先進国に分類した。60年前はアフリカの国々より貧しかった韓国が、これにより西欧の先進国と肩を並べることになったのだ。［中略］世界の数多くの開発途上国のなかで先進国に追いついた国家は極めて珍しく、外国でアジアやアフリカの学生を教えている筆者としては非常に嬉しいことだ。

（イ・ガンカク「［寄稿］大韓民国は先進国になったが」ハンギョレ新聞日本語版、２０２２年1月25日）

かつては貧しい途上国であった韓国は、いまでは豊かで強大な先進国の仲間入りを果たした。時として韓国で見られる言説だ。確かに、かつては列強の植民地支配を受け、独立後も貧困と政治的混乱に苦しんだ多くのアジア・アフリカ諸国の中で、韓国の成長は目覚ましいものである。日本との関係でも、２０１８年にはすでに購買力平価ベースでの一人当たりＧＤＰで日本を凌駕するに至り、名目値でもまもなく逆転するといわれている。軍事費においても同様であり、日韓両国の軍事費は、2023年には為替の変動もあり逆転したとみなされている。

1948年の政府樹立から現在までは76年、1960年代にはじまった急速な経済発展から数えれば六十数年という短い期間でのこの変化は、当然のことながら、この国をして、多くの国が経験する経済発展の過程に付随して起こる大きな社会的変化を、きわめて圧縮した形で経験させることとなった。そしてそのことは、この短い期間において、この国がその社会政策を大きく変えていかなければならなかったことを意味していた。

そのことは移民政策においても同様であった。そもそも、かつての韓国は、現在とは異なり「外国人労働者を受け入れる」国ではなかった。朝鮮戦争後の韓国では、経済的貧困に加えて、多くの人々が北朝鮮から逃れてきたことにより「人口過剰」に苦しんでいた。だからこそ、彼・彼女などにとって重要なのは「外国人労働者を受け入れる」ことではなく、むしろ自国の人口を積極的に海外へと移民させることにより、少しでも人口圧力を緩和することであったのである。このような移民政策は、60年代から政府の主要施策のひとつとして活発に展開され、**図1**のような形で、多くの韓国人が他国へと移民することになった。

かつての韓国は、単に自国民の移民に積極的であるのみならず、独立以前から自国内に居住する外国人を国外に送り出すことにも積極的であった。第二次世界大戦後の朝鮮半島では、最盛期は100万人を超える規模で居住していたともいわれる日本人が、戦後処理の過程で、韓国人の配偶者のようなきわめて例外的な人々を除いて、ことごとく連合軍により追放された。残された外国人の中で最大勢力を誇ったのは、首都ソウルや黄海に面する仁川《インチョン》に居住する中国人（華僑）であった。朝鮮半島における中国

図1　韓国からの移住申告者数（1962～2010年）

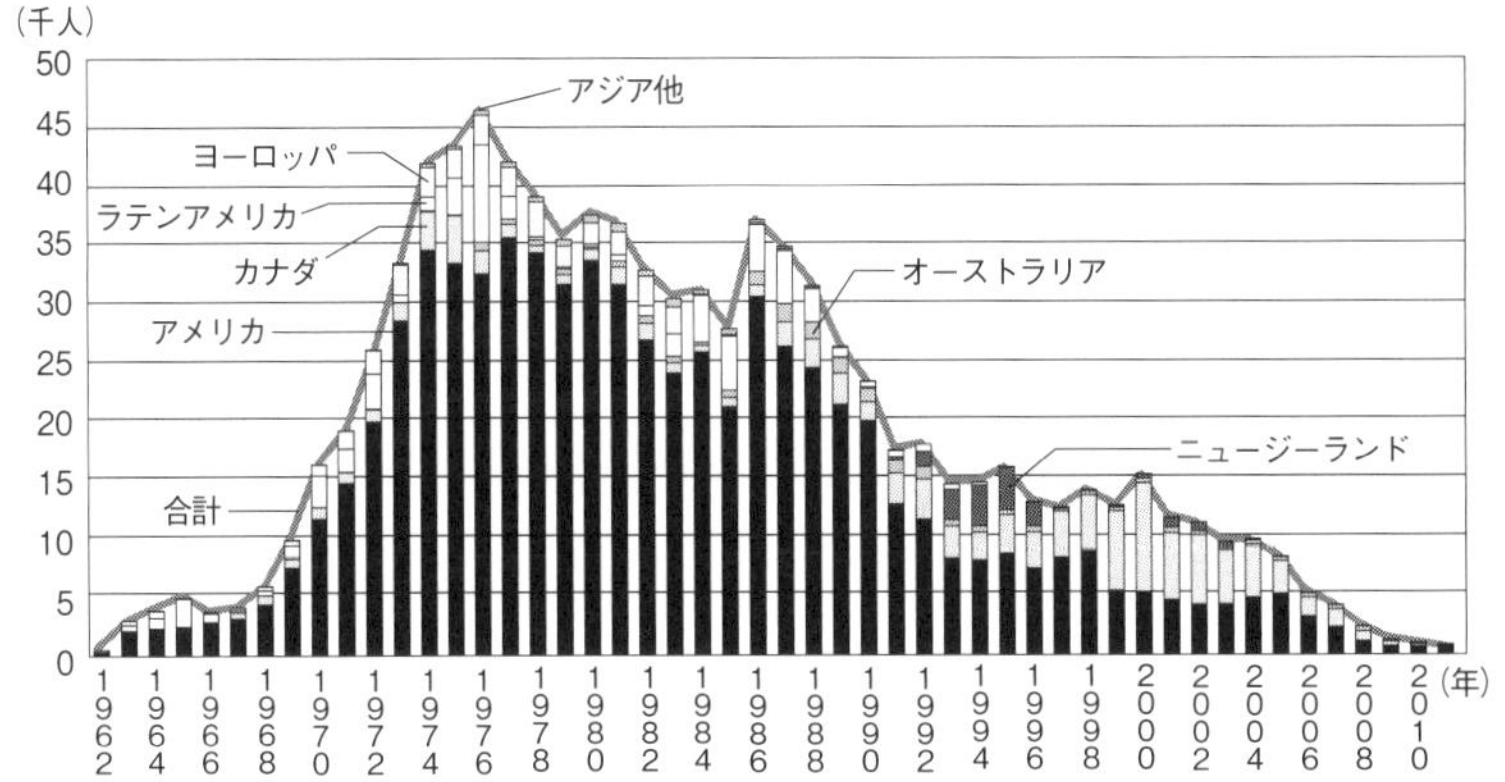

（出典）海外同胞庁「海外移住申告者現況」2012年より。

人の居住は植民地期以前にさかのぼるものであり、また1949年の中華人民共和国樹立の後は、台湾に移った中華民国を韓国政府が承認しつづけたこともあり、華僑は不安定な法的地位に置かれることになった。しかしながら、独立後の韓国政府は、植民地期から居住しているこれらの人々に永住権を与えることなく、圧力をかけつづけた。華僑はその経済活動においても、1962年の「外国人土地所有禁止法」と70年の「外国人土地取得及び管理に関する法」により、その活動が大きく制限され、結果、72年には3万2000人を超えていた人口が、2002年には1万2000人まで減少することとなった。

1　外国人「受け入れ」政策のはじまり

以上のような事実からわかるように、かつての韓国においては、強い人口圧力とナショナリズムのもと、外国人は可能な限り国内から排除されるべきものと考えられていた。しかし、このような状況は80年代になると大きく変化することになる。背景にあったのは、この時期における韓国の急速な経済成長であった。これにより韓国の賃金水準は大幅に上昇し、あわせて労働市場の逼迫によって失業率が大幅に低下する。同時に、急速な教育水準の向上もあり、多くの若年層が過酷な労働環境を忌避する状況も生まれていた。若年層が避けた過酷な労働環境は、日本の「3K労働」言説をもじる形で「3D（Dirty・Dangerous・Difficult）労働」と呼ばれた（キム・ドンフン 2005）。しかしながら、当時の韓国の産業構造は依然として労働集約的な産業に多くを依存しており、経済界は安価な労働力を必要としていた。そしてここから、外国人労働者を雇用する動きが生まれることとなる。

とはいえ、この時点の韓国においては、外国人を労働者として雇用するための制度的な整備はおこなわれておらず、結果これらの外国人は、観光ビザ等を利用して入国し労働に従事する「不法滞在者」としてあらわれることになる。80年代末になると、この問題はたびたびメディアでも取り上げられるようになり、大きな社会問題のひとつとして浮上した[1]。

このような状況において、韓国政府が採用したのが、隣国日本と類似した外国人労働者受け入れ政策であった。すなわち、当時の盧泰愚《ノテウ》政権は91年11月、海外投資企業を対象とした「産業技術研修制度」をまず導入し、93年11月には対象を中小製造業まで拡大した「産業研修生制度」をスタートさせた。事実上の労働者を「労働者」としてではなく「研修生」として受け入れるこの制度は、明らかに日本が89年に導入した「研修生制度」と、同じく93年から実施された「技能実習制度」に範を取ったものである。そこでは、自らが受け入れている外国人は「労働者」ではなく、労働技術を習得するためにやってきた「研修生」であり、この研修は先進国が途上国に対しておこなう技術支援の一部である、という論理が採用されていた。つまり、韓国の当初の外国人労働者受け入れ政策は、外国人に「労働者」としての待

図２　韓国における外国人居住者（1992～2000年）

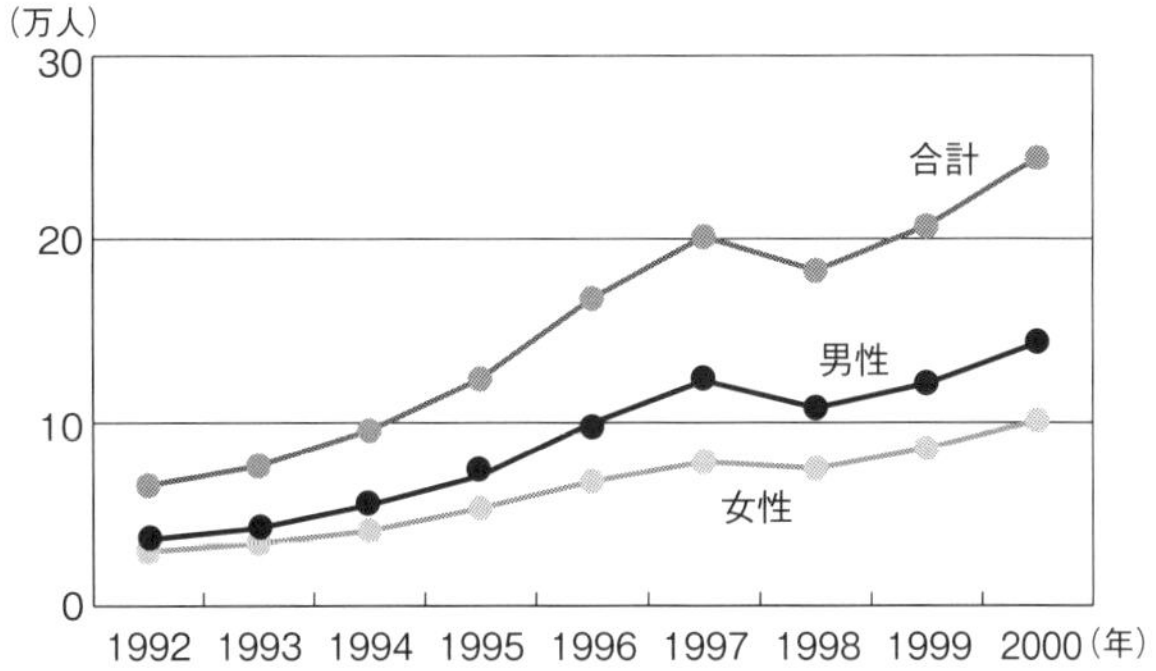

（出典）国家統計ポータル https://kosis.kr/index/index.do（最終確認2023年９月14日）より筆者作成。

遇を与えないまま労働力として利用しようとするものだった、ということになる。

このような研修制度の採用により、韓国内における外国人居住者は急速に増加した（**図２**）。92年には中国との国交が回復され、これにより大量の朝鮮族が労働者として入国したことも、この現象を大きく加速することとなる。

それだけなら韓国の状況は、当時の日本の制度の単なるコピーに過ぎなかったことになる。しかし、このような状況は、韓国固有の状況により大きく変化することとなる。以下、この点について見てみることとしよう。

（１）たとえば「中央日報」１９８９年12月１日付「外国人不法雇用処罰強化」、同89年５月19日付「新都市建設外国雇用不許可」。なお本稿における「中央日報」の記事はすべて以下のサイトに拠っている。https://www.joongang.co.kr/article/（最終確認２０２３年９月14日）

2　90年代前半の韓国社会

韓国における外国人労働者受け入れの特徴のひとつは、それが90年代前半に大きく進んだことであり、当然のことながら、その過程には当時の時代状況が大きく作用した。その意味を、日本と比べながら説明すると以下のようになる。

日本が外国人労働者の本格的受け入れを開始した80年代、日本人の外国人労働者に対する感情は決して悪いものではなかった。たとえば内閣府は、80年と88年の2回にわたって「外国人の入国と在留に関する世論調査」をおこなっている（内閣府政府広報室 1980；1988）。このうち80年代におこなわれた調査では、当時急増しつつあった、観光ビザで来日しそのまま日本で不法就労した人々について、37・5％もの人が「短期アルバイト的なものは認めてやってもよいと思う」と答えている。製造業やサービス業における外国人の就労も42・6％が「認めるべき」と答えており、当時の日本人が外国人労働者の受け入れという「国際化」に前向きであったことがわかる。この状況は88年の調査でも大きく変わることはなく、当時の日本人は外国人労働者の受け入れに対して前向きな姿勢を維持していた。

このような日本と比べると、韓国の状況はかなり違っていた。同じく急速な経済発展と進学率の急速な上昇による単純労働力の不足に苦しむ韓国ではあったが、同時にこの時期の韓国は、依然として一人当たりＧＤＰが６０００ドル前後の状況にあり、その所得水準は日本の4分の1程度に過ぎなかった（**図3**）。90年代初頭の韓国は、その目覚ましい経済成長により、台湾、香港、シンガポールと並んで「アジアＮＩＥｓ」の一員としての注目を浴びてこそいたものの、依然として多くの労働力を海外に送

図3　日韓両国の1人当たりGDP

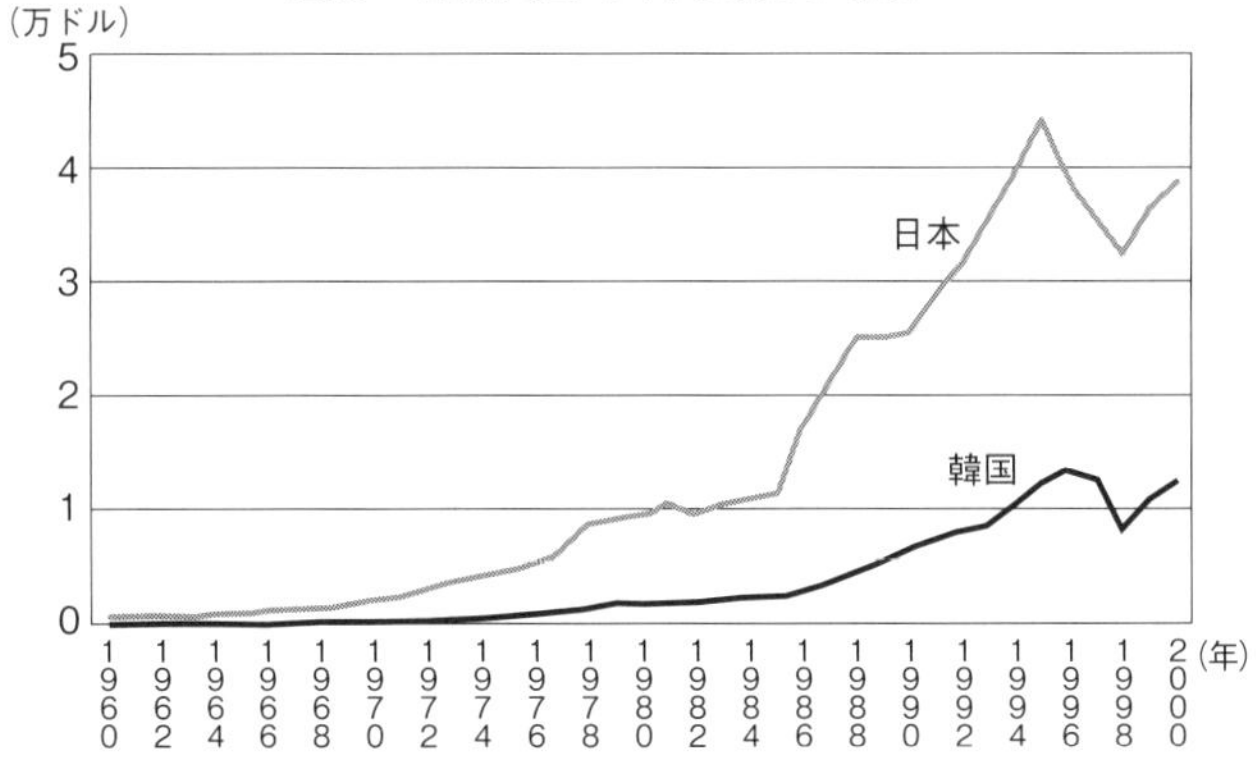

(出典) 国家統計ポータル (同前) より筆者作成。

り出す移民国家としての性格も有していた(2)。

だからこそ、当時の韓国における外国人労働者に対する目は、決して余裕のあるものとは言えなかった。たとえば、韓国が「研修生」を本格的に受け入れる直前の90年の国際世論調査によれば、「近所に住んでほしくない人」として外国人労働者を挙げた韓国人は46・6%にも及び、同じ調査で16・6%であった日本人を大きく上回った。「雇用主は外国人よりも自国民に職を与えるべきだ」と答えた人の数も韓国では71・6%に及んでおり、55・9%の日本を大きく上回った(World Value Survey 2023)。明らかなことは、当時の段階では、同じ外国人労働者の存在が日韓両国ではまったく異なるものとして捉えられていたことであった。すなわち、日本では外国人労働者は、貧しい母国から日本の高賃金に惹かれてやってきた人々であり、ゆえに自らに利益を与えるものだと考えられていた。だからこそ、この時期の日本では現在と比べて、外国人労働者に対する社会

(2) たとえば1990年の段階では、韓国は2万3314人の海外移住者を送り出している。海外同胞庁「海外移住申告者現況」2012年。

の反発が小さかった。海外からの労働者を「研修生」として受け入れ、訓練を積ませて本国に返すという建前の日本の「研修生制度」は、一面では、このような日本人の外国人労働者に対する考え方の表れであった。

これに対して、依然として所得水準が高くなかった韓国では、外国人労働者は自らと職を奪い合う存在であり、だからこそ人々は当初これを強く警戒していた。しかし同時に、この状況はまったく異なる意味を有していた。日本においては、外国人労働者はあくまで日本人が従事することの少ない労働に従事する貧しい人々と理解されていた。だからこそ、彼らの存在は自らを脅かすものだとは考えられず、それゆえにこの時期の日本人は、外国人労働者を比較的容易に受け入れることができた。しかしながらそのことは、当時の日本人が流入する外国人を、自らと異なる種類の人々、つまりはある種の「他者」と捉えていることをも意味していた。

他方、依然として決して豊かな社会ではなかった韓国では、外国人労働者は労働市場における自らのライバルだとみなされていた。加えて重要なことは、外国人労働者を自らと縁遠い「他者」として捉える日本とは異なり、突如として国内に大量にあらわれた外国人労働者の存在は、韓国においては、過去さらにはその当時においても存在した、韓国からの移民労働者たちの姿を想起させた。たとえば97年、「カトリック新聞」は「われわれもかつては外国人労働者だった」という表題で次のように論じている。

産業研修生、不法滞在者として韓国に押し寄せる外国人労働者たちは、この地で人間以下の扱いを受け、ついには外国人たちが人間らしい扱いを望んで声を上げ街頭に出る事件（1994年1月、明洞《ミョンドン》）も発生しました。彼らが「お願いです、殴らないでください」という切実な思いを書いたプラカードを掲げ、鉄鎖で体を縛った状態でソウルの街頭で叫ぶ理由は何だったのでしょうか。人間の尊厳を取り戻し、人間らしく働きたいという根源的な願望から来るものなのではないでしょうか。

では、私たち自身はこの問題と無関係なのでしょうか。まだ日本を含む世界各国で、私たちの中にも彼らと同じく不法滞在労働者として働いている多くの人々が存在します。私たちが私たちの土地で働く外国人労働者たちに人間以下の扱いを与える一方で、外国での韓国の労働者たちが適切な扱いを受けることを望むことができるでしょうか。

(「97年外国人労働者の年/特別企画2『われわれもかつては外国人労働者だった』」カトリック新聞、1997年1月12日)


外国人労働者をめぐる問題は、単なる「他者」の問題ではなく、自らもまた多くの労働力を海外に送り出す韓国人そのものの問題でもある。このような発想から、多くの韓国人は外国人労働者をめぐる問題を「自ら」にまつわる問題として認識することとなった。

加えて、この時期の韓国が、1987年にようやく実現された民主化直後の状況にあった事情が作用した。90年代中盤の韓国は、軍事政権の流れを引く盧泰愚政権が、民主化を主導した金泳三《キムヨンサム》の政権に取って代わられた時期であり、これまで軍事政権やその流れを引く勢力の打倒に尽力してきた各種団体は、その活動の見直しを迫られていた。

たとえば、金泳三政権の成立から4か月後、韓国を代表する進歩紙であるハンギョレ新聞は、当時の人権団体における議論について次のように論じている。

金泳三政府の改革政策が具現化する前に今年初めに何度か議論された中で、自然に形成された共感は、「文民政府の出現により、過去に重要だった政治的人権問題が、人権運動の中心から周辺に追いやられるのは避けられない」という見通しでした。このため、カトリック人権委員会や韓国基督教会協議会人権委員会等は、市民人権、精神病院、海外同胞、障害者、高齢者、女性、子ども、外国人労働者など、人権運動の主要な対象を多様化するための方法を模索してきました。この結論として、カトリック人権委員会は昨年3月の総会で「市民人権運動に力を入れる」と宣言し、新たに浮かび上がるさまざまな人権課題に対処するための永続的な市民人権相談所の設立を公表しました。

（「人権運動の中心移動は妥当か」ハンギョレ新聞、1993年6月27日）

重要なのは、このような状況において外国人労働者問題が、民主化以後の新たな人権運動の対象として取り込まれていったことである。ここにおいて重要な役割を果たしたのは、カトリックをはじめとする宗教団体であった。その役割をもっとも象徴的に示したのが、先の引用文にもあらわれたネパール人労働者13名による明洞聖堂籠城事件である。この韓国最大のカトリック聖堂で95年1月に勃発した籠城事件は、「殴らないでください。私たちは人間です、奴隷ではありません」という衝撃的なスローガンとともに話題になり、韓国国内において外国人労働者の待遇をめぐる大きな議論を巻き起こした。韓国のある新聞は、この事件について次のように報じている。

韓国の建設会社がサウジアラビアに進出し、労働者たちが家一軒でも建てる金額を稼げれば、という夢を抱いて、多くの人が灼熱の砂漠で汗を流した時代があった。そのころ、偶然、香港空港で一群の韓国人労働者たちに会ったことがある。彼らは香港空港から中東に行く飛行機に乗るために待っていたところだった。私はそのときの彼らの姿をいまも忘れることができない。

新調したかのようなジャンパーは、彼らにあまり似合っているように見えず、初めて旅立つ異国の地に対する恐怖と不安感に慄《おのの》く姿が手にとるようにわかった。また、偶然目に入ったある労働者の古びた靴、荒《すさ》んだ一言に、胸が張り裂けるような悲しみと憐憫の情を感じざるを得なかった。貧しい親戚に思いがけず会ったようで、気の毒でありまた恥ずかしかった。その妙な気持ちをどう説明すればいいのかすらわからなかった。

私は香港からソウルに戻る飛行機の中でずっと心を痛め、彼らが元気に暮らし、世界のどこかで立派になった姿を見ることができればと切実に願っていた。そして、彼らが見知らぬ異国の地で蔑《さげす》みを受け悲しむことがないことを強く祈っていた。

そしていま、私たちは苦難の時期を脱し、外国人労働者を受け入れるまでに韓国は発展した。なのに人々の心根は何故にこれほど厳しくなったのか。「どうか殴らないでください」「私たちを動物扱いしないでください」などと書かれたプラカードを持って、人間的な待遇を訴え、明洞聖堂の庭に座り込むネパール人勤労者たちの姿がテレビ画面に映るのを見て、本当に恥ずかしく、顔を上げることすらできなかった。

（「外国人勤労者のデモ／外国人」京郷新聞、１９９５年1月14日）

こうして日本とは異なり韓国においては、外国人労働者をめぐる問題を自らにかかわる問題だと認識する言説が形成されていくことになった。

3　機会構造の違い——労働組合と移民排斥団体(3)

韓国自身が比較的最近まで移民送り出し国家であったことと、民主化直後の状況にあったことは、韓国において外国人労働者問題を、他者の問題としてではなく、自らの労働環境や人権状況をめぐる問題の一部として認識させることとなった。そして、それは外国人労働者問題をめぐる主要なアクターのひとつである労働組合の活動の違いとなってもあらわれてくる。

そもそも外国人労働者問題は、労働組合にとってきわめて扱いの難しいものだ。たとえば日本最大の労働組合組織である「連合」は２０１７年、自らの外国人労働者政策について「すべての外国人労働者の権利を保障すべき」との前提のうえで、次のように述べている。外国人労働者の受け入れについて、きわめて否定的であることがわかる。

> 外国人労働者の受入れにあたっては、我が国の産業にイノベーションをもたらすとともに国内雇用や労働条件に好影響を及ぼすような「専門的・技術的分野」の外国人を対象にすべきである。［中略］外国人労働者の安易かつなし崩し的な受入れは、低賃金労働者の流入による国内雇用や労働条件への悪影響、さらには外国人労働者の権利の保障の観点からも問題があるため、行うべきではない。
>
> （日本労働組合総連合会　第16回中央執行委員会確認、２０１７年）

もちろん、外国人労働者の新規流入は、すでに労働組合に加入している労働者の権利を阻害する可能性があり、ゆえに労働組合が外国人労働者の新規移入に反対するのは普遍的に見られる現象だといえる。しかしながら韓国の労働組合は、これと並行して外国人労働者の組合加入をも積極的に進めている。背景にあるのは、韓国には「韓国労総」と「民主労総」という二つのナショナルセンターがあり、両者が激しい勢力獲得競争を進めていること、そしてとりわけ両者のうちイデオロギー色の強い民主労総が、外国人労働者の積極的な包摂を進めていることである。この結果、多くの国では外国人労働者受け入れ拡大を阻害する最大のアクターである労働組合が、韓国においては同様の働きをしにくい状況が生まれている。

韓国における外国人労働者受け入れをめぐる日本との政治的機会構造の違いは、労働組合や市民団体といった「進歩派」側のみならず、「保守派」についても見ることができる。「保守派」において重要なのは、外国人移民の受け入れに反対する勢力の、政府や与党との関係である。周知のように、日本においては移民受け入れに反対し、外国人排斥を求める排外的な勢力の一部は、政権与党右派ときわめて近い関係を有している。その代表のひとつは、櫻井よしこが理事長を務める「日本国家基本問題研究所」であり、彼らはたびたび外国人労働者受け入れの制限や永住権剝奪等の主張をおこなっている。このような政権に近い言説の存在は、保守政権が産業界の要請に従ってさらなる外国人労働者を受け入れ、その基盤を整備することを困難にさせている。

しかしながら韓国の状況は異なっている。韓国においても、移民排斥運動団体は一定の規模を有して

（3）本節にかかわる部分については、木村幹「日韓の移民政策はなぜ異なるのか」（『アジア時報』第45巻3号、2014年3月）をも参照。

いるが、彼らは主要メディアや政党との関係をほとんど有しておらず、ゆえに保守派が政権を取った場合にも、その主張が政策に反映される可能性は少ない。他方、保守派に対して一定以上の発言力を持つ財界は、一貫して外国人労働者の移入拡大を求めている。

　こうして韓国における外国人労働者をめぐる政治的機会構造は、日本とは大きく異なるものとなっている。すなわち、保守政権においては外国人排斥団体等の及ぼす力が小さく、結果として、財界の希望もあり外国人労働者の移入が拡大する。他方、進歩政権においては、労働組合が外国人労働者の移入拡大に対する歯止めの役割を果たしておらず、政権を支えるもうひとつの要素である各種市民運動団体は、外国人労働者の待遇改善を自らが求める「民主化」の一部とみなし、その人権状況の改善に積極的に行動する。２００３年に成立した盧《ノ》武鉉《ムヒョン》政権が、同年3月31日時点で韓国滞在日数が3年以下の不法滞在外国人が、管轄当局に自主的に出頭し規定の手続きをおこなえば最長2年間の就労を認めるとしたこと、あわせて２００５年8月、永住権取得後3年を経過した外国人に対して地方参政権を付与する公職選挙法改正をおこなったことは、その典型であろう。同じ盧武鉉政権は、日本を模倣した産業研修生制度を２００４年に撤廃し、外国人を名実とも「労働者」として扱い、外国人の雇用を希望する企業に政府が雇用許可を与える「雇用許可制」を開始した。つまり、「許可」された限られた範囲ではあるにせよ、企業と外国人のあいだに、韓国人とのあいだと同じような「雇用」関係を認め、正規の労働者として扱うことになったのである。

　民主化運動の流れを汲む勢力による政権が、自国民のみならず外国人にも人権的配慮をおこない、状況を改善させる。それはまさに前節で述べた、90年代に前提がつくられた韓国における外国人労働者の受け入れをめぐる「政治的機会構造」の特色があらわれた瞬間であった。加えて、韓国に特殊な事情として、急速に進む人口減少がある。その根本的な原因は、世界的にも例を見ない速度で進む少子化であるが、歴代政権の少子化政策は効果をほとんど上げていない。このような状況において、人口減少を食い止める唯一の方法は海外からの移民獲得であり、外国人労働者の流入と定着は、その中でももっとも重要な政策としての位置を与えられている。あわせて韓国では、国際結婚の奨励もおこなわれており、この面でも外国人市民の人権状況の改善は重要な問題として認識されるに至っている。

むすびにかえて

こうしてみると、80年代と90年代前半という隣接した時期に外国人労働者の受け入れをはじめた日韓両国であるが、今日における状況は大きく異なっていることがわかる。もっとも重要なポイントは、経済水準に比して相対的に早い段階で受け入れが開始された結果、韓国労働者の多くが、外国人労働者の置かれた立場を、当時あるいは少し以前の自らをめぐる状況と重ねて考えることができたこと、そして、そのような人々の認識が、民主化の成功後、自らの活動の見直しを迫られていた市民運動団体にとって格好の「新しい取り組むべき課題」として取り込まれていったことであろう。言うなれば、こうした言説内の地位を得て、外国人労働者問題は韓国にとって「内なる問題」となったのである。

とはいえ、このような韓国の状況は、あくまで90年代のこの国における特殊な状況の反映に過ぎない。経済成長の結果、韓国の賃金水準は日本を凌駕する水準になっている。現在の韓国の若年層にとっては、かつて韓国人が海外に出稼ぎや移民に行かなければならなかった時代は遠い昔のことであり、それを自らに直接かかわる問題として認識することは難しい。

他方、若年層を取り巻く環境は過酷であり、国家全体では先進国でもきわめて低い3％前後にとどまる失業率は、若年層においては遥かに高い水準になっている。背景には、急速な規制緩和の結果としての労働環境の悪化がある。非正規雇用の割合もきわめて高く、労働市場の流動化の悪影響が若い世代に集中してあらわれる形になっている。そのような立場に置かれた韓国の若年層にとっては、依然として流入を続ける大量の外国人労働者の存在は、自らの生活を脅かしかねないものとしてあらわれてくる。

さらに言えば、かつて韓国における外国人労働者の人権状況改善に大きな役割を果たした韓国の市民運動団体もまた、大きな転機に差しかかっている。民主化前後の時代に形成され、時に進歩派と称される韓国のリベラル勢力と近い関係にあった彼らの多くは、文在寅《ムンジェイン》政権期には政権入りし、今度は自分たち自身が特権層の一部として非難されるようになった。このような市民運動勢力の体制化は、格差の拡大する今日の韓国において、市民運動勢力もまた支配エリートの一部であり、一般民衆とは距離のある特権層だとの認識を拡大させるに至っている。結果、市民運動勢力の力は大きく失われ、その社会運動は転機に差しかかっている。

このようななか、外国人労働者をめぐる状況も決して理想的な環境にあるのではない。雇用許可制への転換により、彼らには正式な労働者としてのステータスが与えられたが、同時にこの制度で韓国に来るためには、雇用労働部傘下の韓国産業人力公団による仲介を経なければならない。しかしながら、現実には多くの外国人労働者は、この仲介に至るまでに多くのブローカーに手数料を払っており、その手数料が大きな負担になっているとも言われている（加藤 2021）。大きな改革は２００４年以来おこなわれておらず、それ以外にもさまざまな面から制度的欠陥が指摘されている。

だからこそ、韓国においては、いまなお外国人労働者政策をめぐる議論が続いている。第5章の報告者である薛東勲《ソルドンフン》氏は、盧武鉉政権期の外国人労働者受け入れ政策の整備において重要な役割を果たした人物であり、現在もその意義を強調する論者である。他方、外国人労働者の立場に寄り添い、外国人労働者を真の「労働者」として認めるべきだとする声もある。第6章の報告者である社団法人移住労働希望センターの宋恩廷《ソンウンジョン》氏は、まさにそのような現場の声を代表する一人である。

とはいえ、そのような韓国国内の議論もまた、この国において外国人労働者問題が「他者」の問題ではなく、「自ら」にかかわるものとして捉えられていることの表れかもしれない。その議論の行方からわれわれが学ぶことも多そうだ。

参考文献

日本語・英語

イ・ガンカク（2022）「［寄稿］大韓民国は先進国になったが」「ハンギョレ新聞」日本語版、2022年1月25日 https://japan.hani.co.kr/arti/opinion/42385.html

加藤真（2021）「韓国・雇用許可制はブローカーを排除できているのか」三菱UFJリサーチ&コンサルティング「レポート・コラム」2021年5月14日 https://www.murc.jp/library/column/sn_210514/（最終確認2023年9月14日）

キム・ドンフン（2005）「韓国社会のマイノリティ：華僑の人権は！」『国際人権ひろば』60号、2005年3月

内閣府政府広報室（1980）「外国人の入国と在留に関する世論調査」1980年 https://survey.gov-online.go.jp/s55/S55-07-55-09.html（最終確認2023年9月14日）

内閣府政府広報室（1988）「外国人の入国と在留に関する世論調査」1988年 https://survey.gov-online.go.jp/

s62/S63-02-62-24.html（最終確認２０２３年９月14日）
World Value Survey　https://www.worldvaluessurvey.org/wvs.jsp（最終確認２０２３年９月14日）

韓国語

「カトリック新聞」１９９７年１月12日「［'97 외국인 노동자의 해／특별기획］２〝우리도 한때는 외국인 노동자였다〟」（97年外国人労働者の年／特別企画２「われわれもかつては外国人労働者だった」）
「中央日報」１９８９年５月19日「신도시건설 외국인고용 불허」（新都市建設外国雇用不許可）
「中央日報」１９８９年12月１日「외국인 불법고용 처벌강화」（外国人不法雇用処罰強化）
「京郷新聞」１９９５年１月14日「외국인근로자들의 시위／손숙 연극인（정동칼럼）」（外国人勤労者のデモ／外国人）
「ハンギョレ新聞」１９９３年６月27日「인권운동 중심이동 타당한가」（人権運動の中心移動は妥当か）
チョン・ヨンピョン、ハン・スンジュ（2006）「소수자로서 외국인노동자：정책 갈등 분석」（少数者としての外国人労働者：政策葛藤分析）『韓国行政研究』第15巻２号

5章 外国人雇用許可制度の評価と展望

薛東勳（ソル・ドンフン）
全北《チョンブク》大学校社会学科教授、同社会科学研究所所長。韓国調査研究学会、韓国移民学会、韓国社会学会などの会長を歴任。移住労働者や結婚移民、外国人留学生、北朝鮮離脱住民、海外移住韓国人などの生活を調査し、移民政策と制度をグローバルな観点で比較する理論的・経験的研究に30年以上携わっている。

はじめに

筆者は１９９１年から韓国における外国人労働者について研究してきた。２０１８年からはＯＥＣＤ国際移住に関する持続報告システム（Système d'observation permanente des migrations : SOPEMI）の韓国代表として活動してきている。２０１９年から２０２０年には韓国移民学会会長を務めた。本章では、韓国における外国人労働者の現況と、外国人雇用許可制度の導入過程、運用実態と主要ポイント、成果と効果、争点と課題について述べる。その際、韓国の労働市場において外国人雇用許可制度が持つ意味と、人口減少期における韓国の移民政策改編と関連する立場から議論を展開する。

1　韓国における外国人労働者の現状

２０２２年６月現在、韓国には約70万人の外国人労働者がいる。新型コロナウイルス感染症が蔓延していた期間にはその規模が減り、２０２０年末の78万人から２０２１年には72万人に減少した。

外国人労働者は、熟練度を基準に高熟練外国人労働者と低熟練外国人労働者に分けることができる。まず高熟練外国人労働者は、専門技術職従事者と外国人投資企業（外国人投資家が株式引受または持ち分所有の方式で出資した企業）の経営・管理、または生産・技術分野に従事する専門人材を含むが、同じコロナ禍の時期にその数は４万４０００人から４万６０００人へとむしろ増えた。このことから、専門技術などを持つ人材が移住する際には、新型コロナ感染症はあまり障害にならなかったと思われる。

一方、低熟練の外国人労働者の数は大きく減った。外国人労働者を民族別に区分すると、非韓国系と韓国系に分けることができる。韓国系外国人労働者は、中国や旧ソ連地域から来た人々であるが、前者を中国朝鮮族、後者を旧ソ連高麗人と呼ぶ。同じ時期に、非韓国系の低熟練外国人労働者、つまり一般雇用許可制度によって韓国に入ってきた人々が５万人程度減り、訪問就職制または特例雇用許可制度（後述）の適用を受ける韓国系（中国、ロシア、ウズベキスタン、カザフスタン、キルギスなど外国の国籍を持つ）外国人労働者が３万人程度減少した。コロナ禍が深刻になると、外国人労働者の多くが出身国に戻ったものの、新しく入ってきた人はいなかったのである。

一方、書類不備ないし未登録外国人労働者（いわゆる「不法滞在者」）は、約４０００人減って38万人から37万人台になったものの、外国人労働者全体に占める比率はむしろ半分以上に増えた。これは雇用許可制度（一般および特例）の適用を受ける合法滞在の外国人労働者に比べ、彼らの減少幅が小さかったためである。韓国において、書類不備外国人労働者はコロナ禍で一時的に減少したものの、2022年以後ふたたび増加している。後述するが、2022年以降、書類不備外国人労働者が急増したのは、雇用許可制度の失敗というよりは、2018年平昌《ピョンチャン》冬季オリンピックの前後とコロナ禍の期間中に、韓国政府が書類不備外国人の統制に失敗したことにその原因がある。

これらの外国人労働者の主な送り出し国は、カンボジア、ネパール、ベトナム、インドネシア、タイ、ミャンマー、フィリピン、スリランカ、ウズベキスタン、バングラデシュ、モンゴル、東ティモール、パキスタンなどである。ラオスは2018年から労働者を送出している。

2　外国人雇用許可制度の導入過程

以下では非韓国系の低熟練外国人労働者、すなわち外国人雇用許可制度の適用を受ける労働者について述べる。91年まで、韓国に滞在していた外国人労働者の大部分は不法滞在者であった。この問題を解消するため、90年代はじめに産業技術研修制度（日本の研修生制度をモデルにした制度）を施行した。だがこの制度は、表向きの建前と実態が異なる方法で設計されるという致命的な問題を抱えていた。「産業技術研修」という言葉通り、技術を身につけることをめざす研修生として扱われることから、研修生には労働法も適用されず、低賃金を強いられながら、実際には技術研修がまったくおこなわれないという大きな問題が生じていた。結果的に、本国を送り出す際に不正が蔓延し、人権が侵害されるほか、指定された職場を離脱した不法滞在者を大量に生み出すなど、深刻な問題が生まれていた。

こうした問題の解決のため、韓国では２００３年「外国人勤労者雇用などに関する法律」が制定され、２００４年から外国人雇用許可制度が施行された。同法の制定にはＮＧＯと労働組合が大きな役割を果たした。ＮＧＯは産業技術研修制度の問題点を指摘し、労働組合（韓国労総や民主労総）も現場で一緒に働く労働者に労働法が適用されないことを問題視していた。韓国の多くの専門家はＮＧＯや労働組合と連携していた。一方、使用者団体（中小企業協同組合中央会）は、安く労働力を導入できるよう、産業研修生や研修就業制度を従前のまま存置してほしいと主張していた。

こうしたなか、当時の盧武鉉政権では、民主化の一環として大統領がこの問題に特別な関心を注ぎ、与党だった新千年民主党（のちにヨルリン・ウリ党に名称変更、現在の「共に民主党」につながる）が政策過程をリードした。国会に法案が出された後、ＮＧＯと労働組合、使用者団体などから請願が出され、国会の中で使用者団体と労働組合が対立する状況が起きた。国会議員２７３人中２４５人が投票し、その60％が賛成して同法案は成立した。しかし反対も35・９％と少なからず存在した。反対した議員のほとんどは使用者団体の側に立った議員たち（現在の「国民の力」につながる）であった。進歩側の議員のほとんどは賛成していた。

この法案によって成立した雇用許可制度とは、外国人労働者を雇用する使用者が政府から許可を受けるものである。そのため外国人雇用許可（employment permit）制度という名称になっているが、他の外国人就職制度と同様に、外国人労働者の側も就職許可（＝労働許可 work permit）を同時に受けなければならない。ここを混同する人が多いが、これは雇用許可制度と労働許可制度がそれぞれ別のものであることではない。韓国の制度は、全世界で導入されている労働許可制度とまったく同じものである。

法律は制定されたものの、外国人雇用許可制度は２００４年からは全面施行されなかった。政府は産業技術研修制度を廃止して雇用許可制度に完全に移行したかったが、一部の使用者と使用者団体の強い反対により、一定期間、産業技術研修制度および研修就職制度も並行して運用され、２００７年にようやく雇用許可制度に一元化された。同年、外国籍同胞の訪問就業を許可する特例雇用許可制度もはじまった。雇用許可制度には、一般雇用許可（E-9）と特例雇用許可（H-2）という2種類のビザがあるが、前者は外国人労働者の募集と受け入れ過程における透明性を確保し、政府の責任を強化するため、韓国政府とのあいだで了解覚書（MOU）を締結した国からの労働者が製造業、建設業、農畜産業、漁業、サービス業に従事することになっている。後者の場合、韓国系外国人がその対象である。

制度の施行初期（盧武鉉政権期）の雇用許可制度は、1年単位で労働契約を締結し、最大3年まで更新できるものであった。また、1年ごとに契約更新をする際に、事業場の移動が可能になっていた。だが、のちに李明博《イミョンバク》政権が発足してからは、3年一括契約へと変わった。

3　外国人雇用許可制度の運用実態と主なポイント

(1) 政策決定と執行過程

続いて、雇用許可制度がどのように運用されているかを見ていこう。まず、導入規模や送出国の選定などの政策は、「外国人力政策委員会」という国務総理室（大統領を補佐する官職の機関。国務総理は日本では「首相」とも表記される）に設置された委員会で審議・議決される。これには雇用労働部、法務部など政府の代表だけでなく労働者、使用者、NGO、専門家など民間から利害関係者の代表が参加する。外国人力政策委員会の実務委員会には労・使・政・公益の代表者が参加し、ここで決定された案件が、政府各省庁の次官が参加する外国人材政策委員会の本会議で細部内容として審議・議決される。こうした民主的手続きが制度的に担保されている。

韓国政府は、送り出し国と人材導入に関するMOUを締結する。その核心的内容のひとつは、送出機関と韓国側の受け入れ機関が、政府または公共機関でなければならないということにある。これは民間のエージェントやブローカーを排除することを意味する。従来の産業技術研修制度や研修就業制度においては、民間ブローカーによる中間搾取の問題がきわめて深刻であったため、中間搾取を排除するために、ドイツを参考にこのようなモデルを作ったのである。韓国では、公企業である韓国産業人力公団が受け入れ機関の役割を担っている。

送出機関は、韓国で就業を希望する労働者のリストを作成し、受け入れ機関に送る。するとリストは韓国の使用者にただちに伝達され、使用者はそのリストから労働者を選抜する。もちろん、この過程で、直接面接をせず写真と書類だけで採用することに不満をもつ使用者もいる。しかし、使用者と送り出し国の労働者のあいだのやりとりが発生する余地を遮断することで、民間ブローカーによる中間搾取のような、選抜段階で発生する深刻な不正を防止できる。

外国人労働者を雇いたい使用者は、「韓国人を募集したが雇用できなかったため、外国人労働者の雇用を希望する」という事実を政府に対し立証しなければならない。これを国内人材優先求人努力、または労働市場テスト（labor market test）という。その手続きを経た使用者は、政府から外国人雇用許可を取得できる。許可を受けた使用者は、就業希望者リストから特定の人を選抜し、労働契約を締結する。

選抜された労働者は、労働契約書と査証発給認定書（韓国政府が発給）を自国所在の韓国外交公館に提出し、非専門就業（E-9）ビザを発給される。非専門就業ビザは、韓国国内での就業許可（労働許可）を意味する。このような書類手続きがすべて終わった後、初めて外国人労働者は韓国に入国できる。

外国人労働者の国内就業管理および教育・相談などの支援は雇用センター（外国人労働者の事業場移動および就労あっせんなどの管理業務を担う雇用労働部傘下の機関）または韓国産業人力公団（付設機関である外国人労働者支援センターを含む）が担当する。つまり、他の国では民間エージェントがおこなう仕事を韓国では公的機関がおこなっている点が特徴である。

(2) 雇用許可制度の基本原則

雇用許可制度には五つの基本原則がある。

①国内労働市場の補完性の原則。すなわち、韓国人の仕事を奪わないように外国人材制度を運用すること。

②国籍による差別的待遇の禁止、労働基準法を遵守すること。外国人労働者に対する賃金と労働条件における差別は、韓国の国内労働者の労働条件を切り下げる要因にもなるので、外国人の権益保障と内国人の仕事の保護を同時に追求する制度になっている。

③外国人労働者の定住化防止の原則として、所定就業期間が過ぎた後には本国に帰還することを必須としている。これをローテーション原則（rotation principle）ともいう。非専門就業（E-9）在留資格を持つ外国人労働者に家族同伴ビザを発給しないことも、このローテーション原則と関連している。

雇用許可制は当初、低熟練外国人労働者の受け入れを目標にしていたため、ローテーション原則には例外をおいていなかった。だが、現場の訓練（ＯＪＴ）を通じて熟練した外国人労働者に対する産業界の需要が増えると、韓国政府は在留資格変更許可制度を通じて、外国人労働者が韓国で継続して就労できる道を開いた。つまり、非専門就業において技能工（準専門人材）として就労できる熟練技能人材在留資格転換制度が施行され、この原則における例外を設定したのである。

④外国人労働者の選抜・送出過程の透明性を確保し、不正を防止すること。すなわち送出不正防止の原則である。その具体的な方式として前述の通り、送出機関と受け入れ機関をすべて政府または公共機関とする原則を設定している。

⑤産業構造調整の阻害防止の原則として、政府は、産業としての効率性を欠き市場から退出すべき産業が、外国人労働者の導入によって存続することを予防する仕組みを設けている。外国人力政策委員会では、外国人労働者を導入できる業種を決める際、該当業種の市場競争力を考慮する原則を堅持している。個別業種における労働力不足の実態だけでなく、市場競争力まで考慮して総合的に判断する。しかし、雇用許可制度施行以前の段階で検討していた日没制度（最長雇用年限）、三振アウト制度（雇用回数制限）、外国人雇用負担金制度などは、使用者団体の反対で導入されなかった。

（3）雇用許可制度の適用を受ける外国人労働者の特性

Ｅ－９ビザで就労する外国人労働者の出身国別分布（**表1**）を見ると、現在はネパール、カンボジア、タイなどの順に多いが、以前にはインドネシアやフィリピンがもっとも多い時期もあった。外国人力政策委員会が、使用者側の出身国選好を反映して各送出国の受け入れ規模を決めるので、時期により出身国別分布は異なる。

表3　地域別外国人労働者（E-9）就業者数（2021年）　（単位：人）

地域	従事者数	割合（%）
全国	161,400	100.0
ソウル	1,107	0.7
釜山	4,554	2.8
大邱	3,062	1.9
仁川	8,380	5.2
光州	2,353	1.5
大田	572	0.4
蔚山	2,571	1.6
世宗	895	0.6
京畿道	68,815	42.6
江原道	2,328	1.4
忠清北道	10,314	6.4
忠清南道	14,170	8.8
全羅北道	5,565	3.4
全羅南道	7,731	4.8
慶尚北道	10,125	6.3
慶尚南道	16,820	10.4
済州道	2,038	1.3

（出典）表１～３とも雇用労働部『雇用許可制雇用動向』2021年（www.kosis.kr 2022年4月30日アクセス）

表１　出身国別外国人労働者（E-9）就業者数（2021年）（単位：万人）

国名	従事者数	割合（%）
全体	16.1	100.0
ネパール	2.6	16.1
カンボジア	2.4	14.9
タイ	1.7	10.6
ミャンマー	1.6	9.9
ベトナム	1.5	9.3
インドネシア	1.5	9.3
フィリピン	1.4	8.7
スリランカ	1.1	6.8
バングラデシュ	0.7	4.3
ウズベキスタン	0.7	4.3
モンゴル	0.2	1.2
パキスタン	0.2	1.2
東ティモール	0.2	1.2
キルギス	0.1	0.6
中国	0.1	0.6
ラオス	0.1	0.6

表2　業種別外国人労働者（E-9）就業者数（2021年）　（単位：人）

業種	従事者数	割合（%）
全業種	161,400	100.0
製造業	131,594	81.5
農畜産業	18,091	11.2
漁業	5,920	3.7
建設業	5,551	3.4
サービス業	244	0.2

業種別分布（**表２**）を見ると、製造業が圧倒的に多く、農畜産業、漁業、建設業が続いており、サービス業の従事者は数百人程度である。地域別（**表３**）に見れば、ソウルや釜山のような大都市は製造業の仕事が少ないので、外国人労働者の数が少ない。外国人労働者は、ソウル周辺の京畿道《キョンギド》と仁川など首都圏の郊外に圧倒的に多く居住する。京畿道だけで全体の42・6％が居住する。東南海岸工業地帯に位置する慶尚南道《キョンサンナムド》は、外国人労働者が２番目に多い地域である。

男女比を見ると、男性がおよそ90％、女性が10％（２０２１年）で女性が非常に少ない。これは韓国の産業構造自体が重化学工業中心で、女性労働力を必要とする軽工業の割合が低いことを反映している。半導体産業など女性労働力を要求する分野もあるが、外国人の雇用自体が禁止されている大企業が大部分であるうえ、内国人優先求人努力の手続きを通過することも容易ではない。女性外国人労働者を雇用しているのは、生産工程で繊細な労働力を必要とする電子部品などを製造する中小または零細企業に限られる。そのため、外国人労働者に占める女性の割合が非常に低いと解釈できる。

４　外国人雇用許可制度の成果と効果

（１）利害関係者の観点から見た雇用許可制度の成果

雇用許可制度に対する評価は、使用者、外国人労働者、韓国人労働者、韓国社会、送出国社会という五つの利害関係集団の観点に分けて考えられる。

①使用者は、労働生産性の確保と外国人材導入の効率化という成果を収めた。

②外国人労働者自身の評価は、職場生活の満足度などで評価できるが、全般的に満足度が高い。また、外国人労働者に対する人権侵害件数の減少、送出不正の激減なども、外国人労働者にとっては肯定的な効果といえる。しかし、事業場の変更が非常に難しいという点で、雇用許可制度を否定的に評価する人々もいる。

③韓国人の労働者にとっては、雇用、賃金、労働条件に及ぼす影響で評価できる。雇用許可制度は「内国人労働市場補完の原則」に基づいているので、外国人労働者による雇用の置き換え効果、賃金水準の圧迫効果などはほとんど発見されないと、筆者と韓国政府は評価している。

④韓国社会にとっては、外国人労働者が就労することによって産業が円滑に運用される効果とともに、社会の多様性の増大という便益を享受している。外国人労働者の増加による単一民族アイデンティティの弱化、交通・住宅などの混雑効果など、否定的な側面に言及する人もいるが、人的資本投資なしに外国から人材を導入して雇用することで得られる便益のほうがはるかに大きいと筆者は評価する。他方、他の移民受け入れ国と同様に、一部の外国人居住地域がゲットー化する現象は否定的な効果といえる。

⑤送出国社会は、外国人労働者が家族に送る金銭による経済的送金効果だけでなく、帰還した労働者が韓国で学んできた技術や作業規律などを自国内に普及することで、社会的送金（social remittances）効果を享受している。社会的送金は、アメリカの人類学者ペギー・レヴィット（Peggy Levitt）が考案した概念である。しかし、若く野心に満ちた若者が海外に職を求めることから生じる頭脳流出をめぐる論争も依然として存在する。外国人労働者の定着を厳格に規制する韓国の雇用許可制度の場合、頭脳流出論争からは相対的に自由であるものの、技能工の定着に門戸を拡大する場合、頭脳流出をめぐる論争があらためて誘発されるだろう。

（2）先行制度と比較した雇用許可制の効果

続いて、過去の産業技術研修制度との比較における雇用許可制度の効果について述べる。

①雇用許可制度の施行以後、送り出しにおける不正が急減した。韓国雇用労働部の『外国人雇用許可制施行3周年評価および制度改善方案研究』（2007年）によると、外国人労働者を雇用している事業体の88・3％は、外国人労働者が韓国に就職する過程で非公式的な送出費用を支払われたことがないと答えた。一部のNGOは現在も送出不正が深刻だと批判しているが、それは誇張されたものだと筆者は評価する。民間の人材導入ブローカーを排除して、政府または公共機関に人材送出と導入の窓口を設定し、送出不正があった場合インターネットを通じて韓国政府に情報提供または申告できる制度にしたことが決定的であった。さらに韓国政府は、送り出す際の不正を防止し、外国人求職者を選抜する際の客観性を確保するため、2005年8月17日以降、選抜される外国人労働者は韓国語能力試験に合格することを基本要件として設定した。その結果、外国人労働者の送り出し─導入過程は透明化され、こうした成果が認められて、2011年に韓国産業人力公団は国連からの公共行政サービス大賞を受賞した。

②雇用許可制度の施行により、不法滞在者（書類不備外国人労働者をさすが、ここでは政府が取り締まる対象の意味でこのように表現する）の数が急減した。これは非常に大きな効果であった。産業技術研修制度が施行されていた時期、不法滞在者の多くの割合を、事業場を無断で離脱した研修生が占めていた。しかし、雇用許可制度の施行以後、外国人労働者が事業場を無断で離脱する事例はほとんどなくなった。しかし、所定の在留期間を満了後、帰国せず残留し不法滞在者になる事例は、以前よりは減ったものの、依然として存在する。

前述したように、最近、不法滞在者数が大きく増加した。それは2018年平昌冬季オリンピックと密接に関連している。韓国政府が、外国人観光客の誘致のために「韓国訪問の年」を設定し、短期在留資格を所持した外国人観光客／訪問者に対する入国規制を大幅に緩和したが、その隙をねらって、韓国で就職したい外国人が大挙して入国したためである。オリンピック終了後、韓国政府は不法滞在者に対する取り締まりの強化を発表したが、2020年の新型コロナウイルス感染症の拡大により、それは無に帰した。

不法滞在者に対する取り締まりを強化する場合、彼・彼女らは韓国社会のあちこちに隠れるだろうし、それは新型コロナ感染症の防疫における死角地帯を作ることになるので、韓国政府は取り締まりを中断した。それだけでなく、彼・彼女らに韓国人と同等にワクチンやPCR検査サービスなどを無料で提供した。その結果、2020年から2022年のあいだに不法滞在者は強制退去の恐怖から解放され、防疫のための医療サービスの提供を受けることができた。また、新規の外国人労働者の受け入れが中止された状況のなかで、韓国の低熟練労働市場における労働力の不足はますます深刻化し、その結果、不法滞在者の賃金水準と労働条件が改善された。平昌オリンピックに続く新型コロナ感染症という災難状況が、韓国の不法滞在者の数を急増させた背景になったことを理解すべきであろう。

③人権侵害事例が急減した。外国人労働者に対して労働法上の労働者の地位が付与され、国籍による差別的処遇が禁止された。また、労災補償保険、国民健康保険など四大社会保険に加入し、社会保障の恩恵を享受することになった。しかし、一部の使用者が、とりわけ農業部門における外国人労働者に非住居用の建物、組立式パネルハウス、コンテナ、ビニールハウスなど仮設建築物を宿舎として提供した事例が発見された。宿舎費用を節減し、通勤時間と費用の負担を軽減できるとの理由で、仮設建築物を選好する外国人労働者もいた。だが韓国政府は2021年1月1日から、仮設建築物を外国人労働者に

宿舎として提供する使用者には新規の雇用許可を与えないとし、不法仮設建築物に居住している外国人労働者は、希望するなら自由に事業場を変更できるよう認めている。しかし、その措置が実施される前に入国した外国人労働者の中には、未だに非常に劣悪な住居環境で生活する事例が、多くはないが、あると把握されている。

5　外国人雇用許可制度の争点と課題

最後に、雇用許可制度をめぐる韓国社会内の争点について紹介する。

第一の争点は、外国人労働者の労働権侵害に関するものである。雇用許可制度によって、韓国で働く外国人労働者の労働権が侵害される事件の発生件数は大きく減少した。これは労働法の保護を受けているためである。賃金の未払いはほとんどなくなった。仮に賃金未払いが発生しても、制度を通じて解決することができるようになった。しかし、産業現場における事故や労働災害の件数は、以前に比べれば大幅に減ったものの、依然として深刻な状況である。彼・彼女らが従事する事業場の労働環境が劣悪なところが多いためである。こうした点から、外国人労働者の産業安全レベルを高めることは当面の課題になっている。

第二の争点は、外国人労働者の事業場移動に関することである。雇用許可制度では、外国人労働者が韓国で職業を選択する自由、または事業場を変更する自由を認めていない。「外国人勤労者雇用などに関する法律」は、労働者が事業場を変更できる条件を①使用者が正当な事由なく労働契約期間中に労働契約を解約しようとしたり、労働契約が満了した後、更新を拒絶する場合、②休業、廃業、雇用許可の取消、雇用の制限、宿舎提供の際の法律違反、使用者による労働条件違反または不当な処遇など、労働者の責任がない事由により社会通念上、その事業または事業場で勤労を続けられなくなったと認められ、雇用労働部長官が告示した場合、③その他に大統領令で定める事由が発生した場合に限ってのみ、と規定している。その場合でも、外国人労働者が自由に事業場を探索できるわけではなく、雇用センターから提供された選択肢の中から選ばなければならない。このようにするのは、韓国人が就業を忌避することで発生した労働市場の空席を満たす役割を、外国人労働者に付与しているからである。

この条項を根拠に、外国人労働者の権益擁護団体らは、雇用許可制度を「現代版奴隷制度」と批判し、最低水準以下の労働環境で労働者を使用者に従属させて強制労働を引き起こし、人間の尊厳と幸福追求権、身体の自由、職業選択の自由、労働の権利、平等権を侵害するとして、憲法裁判所に二回にわたって提訴してきた。しかし憲法裁判所は、国民経済と使用者の利益のために、外国人労働者の職業選択の自由を制約することは正当だという趣旨で、いずれも合憲判断を下した。これに対し外国人労働者の権益擁護団体は、「事業場移動の自由、雇用許可制度の廃止、労働許可制度の獲得」を主張している。彼・彼女らは雇用許可制度と労働許可制度を異なるものと理解しているが、それは外国人労働者制度を理解していないことのゆえである。

前述したように、雇用許可（使用者に対する）と就業許可（＝労働許可、労働者に対する）はコインの両面である。彼・彼女らの要求を詳しく見ると、外国人労働者が職場を自由に選択できるようにしてほしいということを意味する。つまり、永住権をもつ外国人には付与されている「職業選択の自由」を外国人労働者にも容認せよというものであり、これは憲法裁判所に提出された訴状にも明記されている。

「職業選択の自由」は、国民と定住外国人住民にのみ与えられた特権であるが、権益擁護団体はすべての人間が享受できる基本権、すなわち人権（human rights）と混同していると筆者は考える。しかし、憲法裁判所は外国人労働者の事業場の移動に対する規制は憲法違反ではないと判示したのである。

第三の争点は、ローテーションの原則に関するものである。２０１７年に、熟練技能人材在留資格転換制度、すなわち、技能工水準の熟練を持つ外国人労働者に対しては在留資格を変更できる熟練技能人材点数制ビザが導入されたが、導入後、この原則はぐらついている。その背景には、韓国の労働市場が変動していることがある。雇用許可制度の施行初期の２０００年代はじめ、韓国は国内に若くて有能な労働力を多数保有していながら、部分的な労働力不足を解消するため、ローテーション原則に基づいて低熟練外国人労働者を導入した。しかし２０２０年代以降、韓国では内国人の人口が減少しはじめ、いくつかの地域や業種の労働市場では深刻な労働力不足におちいっている。これによって、熟練度の高い外国人労働者を選別して定着を誘導する必要性が増加してきている。韓国政府は２０２２年12月、外国人雇用許可制度の改善に関する包括的政策案を発表したが、その計画にも、使用者側の要求を反映し、非専門就労において外国人熟練人材点数制ビザへと在留資格の変更許可制度を拡大する内容が含まれている。

第四に、雇用許可の対象となる職種の拡大である。雇用許可制度の対象となる産業のうちサービス業が物流および倉庫業に限られているため、サービス業に従事する外国人労働者はごく少数であったが、２０２２年12月に韓国政府は、家事・育児サービスを提供する外国人家事労働者制度を２０２３年から施行すると発表した。家事労働は、育児だけでなく介護まで拡大される可能性があるため、外国人労働者の定着を誘導する必要がある職種である。こうした点は、労働力需給動向を考慮する際に特別に関心を傾ける必要がある。

第五に、外国人労働者の賃金水準が他国と比べかなり高いので、彼・彼女らの賃金を抑制するべきだという主張もある。２０２２年に保守政権となってから、企業の競争力強化に向けて、全国・全業種の最低賃金を同一に適用する現行制度を廃止し、地域・業種ごとに最低賃金を定めるべきだという主張が多くなっている。この主張を綿密に検討すれば、外国人労働者の比率が高い地域と業種が引き下げのターゲットとなることは言うまでもない。外国人労働者に対する差別賃金を骨子とした（以前の）産業技術研修制度が莫大な弊害をもたらしていたことを考慮すると、筆者はこのような主張を不適切なものと考えている。

韓国の外国人雇用許可制度は、固定不変な形で持続されてきたのではなく、国内の労働市場の変動を反映しながら、数回の修正を経て今日に至っている。雇用許可制度は、韓国の外国人労働力政策の根幹としてこれまで維持されてきており、おおむね肯定的な成果と効果を上げてきた。今日の韓国は、世界最低水準の出生率、世界最高水準の速度での人口高齢化の進行に直面している。このような状況が持続すれば、韓国は発展の限界に直面するだろう。その対策のひとつとして、移民政策の重要性はますます高まっている。

雇用許可制度、船員就職制度、季節農業移住労働者制度など、ローテーション原則に基づいた外国人労働力制度とともに、定着移民を受け入れるための地域特化型移民ビザ制度も施行されている。地域特化型移民ビザ制度は、人口減少や労働力不足などの問題を抱える地域に外国人が一定期間（現行5年以上）就業または居住することを条件に、在留資格を発行する制度である。家族の招聘も可能であり、家族での定着を奨励している。この制度を利用した外国人は「職業選択の自由」を持ち、その配偶者も該当地域社会で就職できる。現在、韓国政府はこの制度の成果を評価し、拡大を検討している。

このような現状を踏まえ、外国人労働者制度と定着移民制度を網羅する包括的移民政策を体系化することが至急の課題となっている。したがって、現行の外国人雇用許可制度を根幹とする外国人労働力政策の再編が必須不可欠であると言える。

（抄訳＝金美珍）

6章 人権と労働権が保障される移住労働者受け入れ制度のために

宋恩廷（ソン・ウンジョン）
移住労働希望センター事務局長（当時）。労働専門の日刊紙「毎日労働ニュース」取材記者を経て、全国保健医療産業労働組合政策部長、民主労総女性部長、韓国女性労働者会政策部長として、女性労働問題を中心に活動してきた。現在は移住民センター・チング事務局長。

はじめに

韓国における雇用許可制に対し、移住労働者と移住人権団体など市民運動側は「現代版奴隷制」であると捉えている。なぜなら、働き手が希望しても事業場（職場）を変更することができない「毒素条項」を含んでいるからである。雇用許可制が国際的に評価を受けているという話を聞くたびに、この制度が本当に人権や労働権を保障する制度として機能するためには、さらなる改善策を考えつづける必要があると思う。

韓国の雇用許可制を規定する法律は「外国人勤労者雇用などに関する法律」である。法律名からわかるように、これははじめから韓国の「３Ｄ」（日本の３Ｋに当たる）業種における労働力不足を解消するため、外国人労働力を活用する必要性から作られた制度であって、移住労働者を権利の主体として捉える法律ではなかった。同法の第1条には、「円滑な労働力の需給と国民経済の均衡ある発展を図る」ことが目的と明示されている。このことから同法は、発展途上国に対する援助の目的などではなく、純粋に韓国経済の必要性から立法されたものであり、国が人材の送り出しや就職あっせんをすべて担当しているため、雇用許可制によって発生するすべての問題は国に責任があるといえる。

1　市民運動側から見る雇用許可制

これまで韓国政府は、移住労働者の労働権を保障し、人権侵害を根本的に解決するよりも、使用者の利害と要求に合わせて制度を変更してきた。労働力を必要とする使用者らの要求によって、雇用期間が変更され、最長9年8か月間を単一の使用者のもとで働くように設計されている。労働者と使用者のあいだの雇用契約は私的領域でおこなわれ、不当解雇や中間搾取など、相対的に弱い立場にある労働者の保護が必要な場合を除き、国が雇用契約関係に介入しないのは当然のこととなっている。しかしながら、韓国の雇用許可制は事業場変更を原則的に禁止し、例外的許容方式をとることによって、実際は国が直接介入しているのである。

写真1は、憲法訴願（公権力の行使または不行使によって国民の基本権が侵害されている場合に国民が憲法裁判所に対し救済を要求する制度）の際に、移住労働者が直接アピール活動をしているようすである。事業場の変更規制は、強制労働からの自由、法律および労働契約違反の労働条件を拒否する権利、差別されない権利など、移住労働者の基本的人権の侵害につながっている。そのため、2020年に移住労働

写真１　移住労働者が憲法訴願を提起した際の記者会見

希望センターを含む「憲法訴願を推進する会」が憲法裁判所に訴願を提起したが、２０２１年12月に敗訴した。憲法裁判所は、移住労働者の人権よりも零細事業所の労働力供給のほうが重要だという論理を駆使し、多くの反発を買うこととなった。

雇用許可制は、原則として最初の３年間に３回を超える事業場の変更を禁じており、賃金未払いなどの労働条件違反、暴行や性暴力などの刑事事件が発生した場合のみ、回数や制限なしで事業場の変更を可能としている。だが、労働条件違反や刑事事件といった変更事由に対する立証責任を労働者に負わせており、外国人労働者の就労や事業場変更を管理する雇用センターは通常、非常に高い水準の立証を求めている。そのため、事業場変更を望む労働者に対し、使用者が労働契約を解除する条件として金銭を要求する事例が発生するほどである。

現在、初雇用期間の３年間に事業場変更は３回可能であるが、２０２１年までは４年10か月間、同じ事業場で働いた場合のみ再入国特例の認定を受け、再度韓国に入国して同じ期間（４年10か月）雇用されることが可能であった。これが２０２１年以降は、最後の事業場で１年以上勤務した場合だけでも、再入国し再雇用されることが可能と変更された。

農業分野の移住労働者の現実はもっと深刻である。これまで労働者を雇用したことがない農場主らが多く、事業場を変更できない労働者の立場を悪用して、実質的に奴隷のように労働させている事例もある。とくに農業では季節によって農閑期があるため、他の農場に不法に派遣されることもある。賃金未払い事件も数多く発生している。雇用契約上の労働時間は８時間であるにもかかわらず、10時間から12時間働かせて、８時間分の賃金だけを払うやり方である。

賃金未払いの場合は事業場を変更できるが、移住労働者たちはこういった情報を得ることが難しく、地方の雇用労働庁（雇用労働部傘下の地方機関）に未払い届けを出しても、労働者が主張する労働時間を認めてもらうことは容易ではない。２０２０年、カンボジアからの移住女性労働者が、３年７か月間分の賃金約６０００万ウォンを未払いとして申し立てた事件があった。この事件の場合、労働者は事業場変更が可能ということを知らなかったうえ、使用者は真面目に働く労働者に対しては再入国特例制度で再雇用するという口約束で労働者を縛りつけていた。

写真２　農業用水路の上に立つコンテナ宿舎

農業労働者の場合、農地周辺に仮設建築物として建てられた劣悪な寮での生活、重労働や長時間・低賃金の労働などを強いられることが多い。しかし、これに耐えられず事業場を脱出して不法滞在となった場合、移住労働者たちはかえって労働条件に関する交渉権を持つこともある。というのも、農村では足りない人手を補完する労働力として、未登録の移住労働者を確保しておく必要が生じるために、合法的に雇用した移住労働者よりも高い賃金を彼・彼女らに払うこともあるからである。在留期間内で働く移住労働者の合法的な奴隷状態と、不法滞在の状況でも労働組合法が適用され交渉権の行使ができ、また農村の人手不足の状況で有利な立場から交渉できるという不法的自由のパラドックスだといえる。

また、雇用許可制は労働者をローテーションさせる短期循環労働政策であり、移住労働者の定住化防止を原則としているため、在留ビザの変更が難しく、家族とともに暮らす権利を認めないなど、差別的要素が含まれている。世界人権宣言をはじめとする国際人権規範は、家族がともに暮らしながら社会の基本単位として尊敬と保護、支援と支持を受ける権利を、外国人にも適用すべきであると規定している。韓国で働く専門職の移住労働者は家族とともに暮らす権利が認められているが、雇用許可制によって製造業や農畜産業、漁業で働く労働者の場合は、家族を呼び寄せて一緒に暮らすことができない。移住労働者たちは10年近く家族とともに暮らせないのである。移住労働者を労働力としてしか見ない観点から脱却し、人道主義的観点から、家族とともに暮らす権利を認めなければならない。

2 雇用許可制によってブローカー問題は解消されたのか

雇用契約は使用者と移住労働者のあいだにおいて締結されるが、政府が導入の規模および送り出し国を決定し、送り出し国政府とのあいだで了解覚書（ＭＯＵ）を締結するなど、全面的に国のあっせんによっておこなわれている。労働法を守らない劣悪な事業場に労働者をあっせんするのは、いわば韓国政府がブローカーの役割を果たしているのではないかと、私たち市民運動側は批判している。

入国するためにブローカーに莫大な準備金を支払うといった過去の弊害はなくなったものの、移住労働者が支払わなければならない費用は、依然として大金である。航空運賃、教育費、制服・作業着代など、韓国に入国するために数百万ウォンを支払わなければならない。法務部の出入国本部も、再入国許可申請の際に移住労働者から手数料を取る。

また、「不法滞在」住民の就業をあっせんするブローカーは依然として存在する。一般的に賃金の10%程度を手数料として取っているとされる。最近、農村の人手不足が深刻化し、労働力を確保できない農家に移住労働者を紹介するという言葉で接近し、紹介費の名目で金だけを奪った詐欺事件もあった。

韓国には移住民政策を総括する政府部署がない。雇用許可制は雇用労働部、結婚移住女性に対する政策は女性家族部が担当している。また、農村では季節によって発生する人手不足に対応するために季節労働者制度を導入しているが、これは法務部の管轄である。地方自治体が外国の自治体と協定を結び、3~5か月間農村で働く季節労働者を入国させているが、この過程で送り出し国ではブローカーが多く活動している。これらのブローカーは賃金の半分以上の上前をはねることもある。韓国政府と自治体は、送り出し国の現地で労働者がどのように募集されているかにまったく関心を持っていないため、こうした問題が発生している。

3　移住労働者が抱える問題

(1) コロナ禍における差別

雇用許可制によって現在移住労働者が直面している諸問題について詳しく述べると、まずコロナ禍によって、韓国社会における人種差別がより深刻化したことが挙げられる。感染が拡大した初期、移住民たちにはコロナ関連の情報がきちんと伝わっておらず、災難支援金の受給や公的マスク購入支援などでも差別されていた。ウイルスは国籍によって感染するわけではないのに、国籍を理由に政府は移住民を差別し、移住民というだけで潜在的にウイルス保持者であるように扱われることもあった。このような差別的政策によって、市民の中にも移住民への嫌悪と人種差別がより広く顕わになったと思われる。事業場では、感染リスクを理由に寮から外出を禁じられ、社会的孤立状態に長期間置かれた移住労働者が多くいた。

(2) 賃金未払いと事業場変更

雇用労働部によると、(未登録滞在を含む)移住労働者の未払い賃金の総額は1200億ウォンの水準(2020年現在)である。移住労働者支援団体への相談事例では、賃金未払いが6〜7割、事業場変更の相談が2割程度となっている。賃金未払い事例には、賃金の未払いや支払い遅延、各種手当の未払い、退職金のみの支給、不当な賃金控除などがある。賃金未払いの場合は、使用者の同意なく事業場の変更が可能なために、賃金未払いの相談と事業場変更の相談が一緒になっている場合が多い。

移住労働者の賃金は大部分が最低賃金レベルだが、文在寅政権時代に最低賃金が大幅に上昇したことで、さまざまな方法で人件費を減らそうとする事業場が増えた。最賃の上昇分を寮費の値上げで控除したり、これまで支給していた手当を減額・中断するやり方で賃金を減らそうとしたりした。韓国政府は、使用者が寮費を過剰に得る構造を防ぐ名目で、臨時の住居施設は通常賃金の8%、常設住居施設は15%を控除上限とする指針を作ったが、この指針の施行後、もともと寮費を取らなかった使用者までもが寮費を最大限に取りはじめ、上限ラインが基準となり、賃金が上がれば寮費も上がる状況になった。

(3) 劣悪な居住環境

寮については、その劣悪な住環境が大きな問題となった事件があった。2020年12月20日、カンボジア出身の女性労働者のソクヘンさんが寮で亡くなった状態で発見された。その寮に実際に私たちも行ってみたが、ビニールハウス内に薄いサンドイッチ状のパネルやコンテナでつくられた仮設建築物だった。その仮設建築物で、数日間停電によって暖房が作動していなかったことによってソクヘンさんは亡くなった。その日の最低気温は零下18度であった。

この事件によって、移住労働者の劣悪な住環境が問題視されるようになった。政府も慌てて農漁業分野の移住労働者の居住環境に対する調査を実施した。その結果、移住労働者の約7割が仮設建築物で暮らしていることが明らかになった。これらの仮設建築物は暑さや寒さが防げず、換気もできない。日光も入らず、鍵もなく、女性労働者にとってはとても危険な場所であった。トイレはビニールハウスの宿舎の外にある汚い仮設トイレの場合が多い。台所と洗面所が分かれていないところも多くあった。また、狭い部屋に多人数が同居する状況もあった。工場内のコンテナに住む場合も多く、騒音や粉じんなどにさらされ、安全ではなかった。休むべき時間である夕方や夜も、いつでも使用者から呼び出される状況にあった。

私たち移住人権団体は2016年から「ビニールハウスは家じゃない」と訴え、移住労働者の住居権を要求してきた。2021年1月に政府は、ビニールハウス内の仮設建築物を寮として使う場合、新規の雇用許可を認めず、移住労働者が望む場合は事業場変更ができるようにする対策を発表した。これに対して使用者団体は、すぐに対策をとることは無理だとして反発した。そのため依然として農村の移住労働者たちは仮設建築物で暮らしている。近隣の住宅に移った移住労働者もいるが、問題は、仮設の寮なら寮費は通常賃金の８％までと規制されていたのが、常時住居施設に移ったという理由で上限の15％を控除している場合である。使用者が、月家賃50万ウォンの大部屋を借りて移住労働者４人を住まわせ、それぞれ20万ウォンずつ寮費を差し引いて利益を得る事例もあった。

（4）健康権

ソクヘンさんの死によって再確認されたもうひとつの問題は健康権であった。国立科学捜査研究院の司法解剖の結果、ソクヘンさんの死因は肝硬変による合併症だった。移住労働者は韓国に来る前に健康診断を受け、問題がない場合にのみ入国できる。これまで病院で治療を受けたこともない健康な20代の若者が、韓国で働きだして4年目で、本人も知らないまま肝硬変になり死亡したのである。事業者登録がない農業事業所に雇用されている場合、移住労働者は健康保険の職場加入者にはなれず、地域加入者になるしかない。職場加入者は保険料を使用者が半額負担するが、地域加入者は全額労働者が負担する。移住民は所得と財産が把握できないという理由から、韓国人の平均保険料と同額を払う規定になっている。つまり、職場加入の韓国人よりも保険料が高いわけである。

にもかかわらず、移住労働者が病院を利用するのは容易ではない。農業労働者は大部分が1か月に2回しか休めず、病院に行く時間がない。体調が悪くても、どこの病院に行くべきかなど医療施設に関する情報を得るのも難しい。また、病院での意思疎通ができないのではと心配するので、結果として病院を利用する率は低くなる。さらに農畜産業の労働者は、労働時間および休憩と休日に関する労働基準法の適用除外対象となっているのも、彼・彼女らの健康権を脅かす要素である。

（5）移住労働者の労働災害

最近の移住労働者が抱える、もうひとつの深刻な問題が労働災害である。雇用労働部が発表した２０２１年労働災害事故死の現況を見ると、事故死亡者は過去最低水準を記録した。しかし移住労働者の死亡者は、２０２０年の94名（死亡者全体の10・７％）から２０２１年の１０２名（同12・３％）へと増えた。コロナ禍によって移住労働者が大幅に減ったにもかかわらず、労災の事故死亡者が増加したのは、とくに危険な状況を意味する。移住労働者が労災申請すらもできない状況、あるいは申請しても認められないケースもある状況を考慮すると、統計で把握できない労災はもっと多いと推定できるし、深刻だといえる。

労働人口全体の４％にすぎない移住労働者の労災死亡率が、それ以外の労働者の３倍を超えている。その背景には、多くの移住労働者が小規模零細事務所で低賃金、長時間、危険な重労働を強いられている状況がある。このような問題に対して、現行の労災対策は不十分で実効性にも欠けている。この状況を改善しない限り、移住労働者は３Ｄを超えて死（Death）が加わった４Ｄ労働に継続的に苦しむしかない。

移住労働者は、たいてい50名未満の零細事業所や、農業事業者登録がない事業場などで危険な労働に従事していることが多い。こうした事業場では、安全に対する投資もほとんどおこなわれず、安全装置や設備もないことが多い。最近韓国で制定された重大災害企業処罰法も適用されない。農漁業での死亡事故は統計にも把握されにくく、現場の状況に合わせた労災予防教育もおこなわれていないことが多い。危険な事業場から他の事業場に移りたくても、変更の自由がないまま縛りつけられ、保険加入率も低い。

最近のマスコミ報道では、事故以外でも20～30代の若い移住労働者が睡眠中に死亡する突然死症候群、心臓麻痺などによる死亡も多く起きていると報じられているが、労災として認められることはほとんどない。２０２２年5月1日のメーデー集会で叫ばれた移住労働者たちの合言葉は「われわれは韓国に死ぬために来たのではない」であった。

(6) 社会的孤立

移住労働者は事業場の変更ができないため立場が弱く、不当な処遇を多く経験する。最近注目されている問題のひとつが移住労働者の社会的孤立である。雇用許可制が施行されて18年経ったが、韓国社会の中で彼・彼女らは島のように孤立させられている。移住労働者の職場は大部分が郊外に位置し、事業場も小規模で、社長以外の他の韓国人がほとんどいないところで働くことが多い。コロナ禍の初期、ほとんどの移住労働者はコロナに感染しなかった。コロナ禍になる前からソーシャルディスタンスをとって（韓国社会と離れて）生活していたようなものだったからだ。移住労働希望センターは、移住労働組合の活動家を対象として韓国語教室を運営しているが、長く住んでいる労働者のほうが、むしろ韓国語を話せない場合が多い。これは韓国人と話す機会がほとんどないからだ。

移住労働者は単なる労働力ではなく、一人の人間として過去・現在・未来を含む一生をかけて韓国に来た人々である。移住労働者を隣人として考え、共存していける政策と文化をつくっていかねばならない。

4　移住労働者の労働権を保護する制度は、現場でどう影響しているのか

確実なのは、現在の雇用許可制は移住労働者の労働権を保護する制度ではないことである。「外国人勤労者雇用などに関する法律」の第4章において「外国人勤労者」の保護について規定している。ここには差別禁止（22条）、宿舎の提供など（22条の2）、退職金や賃金の未払いに対する保証のための保険加入（23条）、外国人勤労者関連団体などに対する支援（24条）、外国人勤労者権益保護協議会（24条の2）、事業または事業場変更の許容（25条）といった内容が含まれている。移住労働者を保護するために事業場の変更の許容が規定されているが、事業場変更を原則的に禁止している以上は、外国人労働者を「保護」する機能には限界がある。

韓国政府は、外国人労働者支援センターなどの政府委託機関を通じて、移住労働者からの相談を受けている。しかし政府の委託機関であるため、労働者の権利を保護するというよりも、発生した問題を早く解消することを優先して処理されやすいという限界がある。賃金未払いの場合も、使用者を法的に処罰するよりも、未払い額を減額して使用者と和解するやり方でほとんどが解決されている。そのため、賃金支払いや労働関係法に違反した事業場は雇用許可の取り消しを受けるよう法律上規定されていても、実際には何の制裁も受けていない。実際、２０１７年から18年に移住労働者を雇用した事業場のうち、年間約６０００件の不法行為が摘発されたが、違反によって雇用許可を取り消された事業場は一件もなかった。

このような状況を是正し、労働権を保障するために活動する移住労働者の労働組合がある。韓国で唯

一の、移住労働者が自らつくった当事者の労働組合である。移住労働組合は、移住労働者の相談窓口を設け、雇用許可制の廃止と労働許可制を勝ち取るためのキャンペーンや集会などの活動をおこなっている。8月17日の雇用許可制の施行日にちなみ、2022年も8月21日に移住労働者らが事業場移動規制を糾弾する集会が開催された。

5 移住労働希望センターの取り組み

最後に私たち「移住労働希望センター」について紹介したい。同センターは、移住労働組合の活動中に強制送還された活動家たちを支援し連帯するために結成された。団体を立ち上げた際には民主労総の前職・現職活動家が多く、現在も民主労総出身の活動家が多く参加している。2005年の設立当初、雇用労働部が移住労働組合の設立申告を差し戻したことに対し裁判を提起し、2015年に最高裁が組合設立を合法とする判決を下した。それ以前には、未登録で滞在していたネパールやバングラデシュの移住民活動家たちが多数参加していたが、移住労働組合の活動を理由に取り締まりのターゲットとなって本国に強制送還された。彼・彼女らはお金を稼ぐために韓国に来たのに、稼ぐことができないまま、韓国の社会問題を改善するための活動に身を捧げていた。私たちは、彼・彼女らが本国に帰った後にも生活を安定させ、韓国でおこなっていた社会運動を本国の社会のために続ける方法の一環として、本国で貧しい児童のための学校を設立し共同で運営することを考えた。だが、本国に帰国して長い時間が経ち、彼・彼女らの状況も変化していて、現地の学校運営もさまざまな困難を抱えていたので、当初の趣旨通りに移住労働希望センターの活動にはつながらなかった。しかし、移住労働者の国内外の運動を支援し、送り出し国における教育支援をおこなう活動目標は未だに維持している。

韓国における移住労働者の人権団体は、大部分が財政・人材の面において劣悪な状況にあるため、独自の活動だけではなくイシュー別・課題別にネットワークを形成して活動している。たとえば、ビニールハウスで亡くなったソクヘンさんの問題への対応では、移住労働組合・民主労総・移住労働希望センターをはじめとした移住労働関連NGOが連帯し、「移住労働者の寮と労災死亡対策委員会」を結成し活動してきた。

宗教・人権団体・労働組合などに基盤を置いていた移住労働者の人権団体は、約20年間の活動の中で、各々の分野別に細分化されてきている。さらに、各団体が移住労働者・結婚移住女性・難民・移住児童・未登録者など、移住者の状況別に専門化されており、また送出国別に組織化されている。移住労働希望センターは労働組合に基盤を置いたNGOとして、とくに雇用許可制・移住労働者問題を中核として活動しているが、難民や結婚移住女性などの移住民たちの労働問題の解決、移住民の人権運動も同時におこなっている。私たちは移住民の当事者たちが活動の主体になることを重要な課題にしている。そのため、移住民活動家からの推薦で毎年一人ずつ表彰および賞品を授与し、移住民活動家の養成にも尽力している。

前述の憲法訴願請求のための集会に参加する際にも、韓国人の場合は週休2日で参加しやすいが、移住労働者の場合は週に1日だけの場合が多いので、記者会見やキャンペーン、集会などに参加することが困難である。そのため私たちのような団体が彼・彼女らの声を代弁しなければならないことが多い。

移住労働希望センターは政策広報と文化事業に強みがある。これまで移住労働者を対象に韓国語・文化教室、映画監督とともに過ごす映画祭、ソウル移住民芸術祭、移住労働者の人権のための映像の制作事業などをおこなってきた。

私たちは、雇用許可制の「毒素条項」である事業場変更規制を廃止し、移住労働者を含むすべての労働者の権利が尊重される社会のために、これからもっと積極的に活動していきたい。また日本の団体とも協力関係を構築できればと思っている。

（抄訳＝金美珍）

第3部

住民参加に基づく「協治」の試み

朴槿恵《パククネ》大統領を退陣に追い込んだキャンドル市民革命は、韓国の民主主義の底力を象徴するものだった。韓国の活動家がよく引用する言葉に「一人で見る夢は夢でしかない。しかし誰かと見る夢は現実になる」というものがある。まさしくこの言葉を証明するかのように、政権交代を実現させた。

こうした権力と対峙する社会運動と同時に、市民参加の実践も地方自治体では重ねられてきた。とりわけ、2011年からソウル市が推進した「マウル（村）共同体総合支援事業」と、その延長線上にある「協治」（参加型ガバナンス）の取り組みに注目したい。進歩派の首長のもとで、市民団体が直接的に政策決定に関与する可能性が広がり、ボトムアップの民主主義の実践がなされた好例である。

もっとも、定期的な政権交代が生じる韓国では、保守政権が誕生すれば事態は一変する。ソウル市でも市長の交代により、多くの政策が後退・消滅を余儀なくされた。今後、韓国の社会運動はどこへいくのか。2010年代から現在に至るまでの対立と参加をめぐる夢、挫折、再起をみていこう。

7章 社会を変えた韓国のダイナミズム
——対立から参加型ガバナンスへ

桔川純子
金美珍

はじめに

2017年、朴槿恵政権から文在寅《ムンジェイン》政権へと政権交代を実現させた市民の力は、国政でも地方自治でも、市民主導の政策を推進する後押しとなり、市民の声が政治に反映される仕組みづくりがなされるようになった。とりわけ、韓国でもっとも強い影響力をもつ自治体であるソウル市から、「協治」と称される民と官の協働のガバナンスの仕組みがはじまり、全国に広がっていったことは、その後の地方政治のあり方にも大きな変革をもたらした。市民主体、市民参加が、当たり前のようにどの自治体でも重点項目として挙げられるようになったのである。

本章では、ソウル市政において、地域に重点を置いて進められてきた「マウル（村）共同体運動」を例に、民主化運動の流れを汲む市民運動の底力が、重層的に社会の中で機能していることを理解するための基本的な情報と、社会的な背景について述べていきたい。

1　ダイナミックコリアの骨格である市民運動

民主化宣言が発表された1987年以降、韓国ではさまざまな市民団体が誕生している。民主主義、平和、統一などの実現を主眼においていた民主化運動から、女性や環境など個別のイシューに取り組む運動へとフェーズが変化していき、80年代末からは新たな市民団体が誕生していった。韓国女性団体連合（87年）、女性民友会（87年）、経済正義実践市民連合（89年）、環境運動連合（93年）、参与連帯（94年）、韓国市民社会団体連帯会議（2001年）などが現在に至るまで精力的に市民運動を推進している。

これらの市民運動は、不正・腐敗の追放を求め、異議申し立てを運動の基本的方式にしていた。だが2000年代以降、異議申し立てからオルタナティブの提案へと、運動の方式が多様化してきた。その例として、寄付を集め、公益的な活動を支援する「美しい財団」（2000年）、販売収益から社会貢献事業をおこなうリサイクルショップ「美しい店」（2002年）、市民参加型のシンクタンク「希望製作所」（2006年）などが挙げられる。

2000年以降のこうした市民運動の新たな取り組みは、主に国政への影響力を発揮してきたこれまでの運動の方式とは異なるものであった。韓国の社会運動が地域に目を向けるようになったのは、活動家が地域コミュニティに入り込んで、貧困にあえぐ人々と生活や活動をともにするという「貧民運動」がはじまった1960年代からだ。こうした流れは、80年代の民主化運動の担い手だった学生運動の中で、イデオロギーや天下国家を語ることに限界を感じていた一部が地域に入り、生産共同体をつくりながら、仕事をつくり、脆弱階層の人々の自立を支援していく活動につながっていった。

盧武鉉《ノムヒョン》政権時代（２００３―２００８年）には、地域間の格差や差別を是正するために、国家均衡発展政策（首都圏への一極集中を緩和する公共機関の地方移転、地方の開発政策など）がすすめられた。だがこれらの政策は、住民参加のまちづくりを国家が主導して推進するという矛盾に満ちたものであった。現行の地方自治制度が本格的にはじまったのが民主化以後の95年からであることに鑑みると、当時はまだ「住民参加」がいかなるものであるかも社会に浸透していない時代であり、自治体の公務員も、上から指示を受けても何をどうしていいのかわからないという状況だった。何はともあれ、まちづくりへの住民参加が進んでいる日本から学ぼうと、数多くの視察団が韓国から来たのは２００６年ごろからのことだった。わずか17年前のことに過ぎないのだが、停滞している日本に比べ、ジェットコースターのような変化があるのも韓国の特徴かもしれない。

２　「マウル」を通じたコミュニティの再生

(1) マウル共同体事業のモデルとなったソンミサン・マウル

２０１１年10月、民主化運動出身の朴元淳《パクウォンスン》弁護士が、「地域における共同体の再生」を公約の中心に据えてソウル市長に当選した。同市長による２０１２年度の事業計画の構想が、ハンギョレ新聞に次のように紹介されている。

まちの共同体復元事業の基本原則は、〝住民主導〟と〝公共支援〟である。住民たちが共同体の再生に必要なことを自発的に探り、まちの生態系をつくっていくようにし、ソウル市がこれを後押しするというものだ。具体的には、まちの生活協同組合、惣菜店、リサイクルセンター、コミュニティカフェ、保育施設などのコミュニティ型の企業を育成し、コミュニティの商業圏を再生する。地域住民の子どもたちの世話をするコミュニティケアセンターのような基盤施設を拡充していくことを支援する。このように地域の雇用を創り出し、保育・憩いの場のような基盤施設を用意し、コミュニティが形成されるようにするというものだ。住民が先頭に立ち、ソウル市・自治区、企業体、社会的企業、市民団体などが伴走するという方法を適用する構想である。

（ハンギョレ新聞、２０１１年11月３日付）

この構想のモデルとなっているのがソンミサン・マウルである。「マウル」とは韓国語でまち、村を意味する。ソンミサン・マウルとは、ソウル市の漢江《ハンガン》の北側に位置する麻浦《マポ》区にあり、標高60メートルほどの小山であるソンミ山《サン》を囲む地域で、行政区ではない。そのごく小さい地域に、94年、共働き夫婦25世帯が、お互いにサポートするために集団で移住したところからマウルの歴史がはじまっている。

ソンミサン・マウルは、民主化運動の闘士としてたたかった「86世代」が、生活者となってぶつかったさまざまな問題を解決しようとする場だった。移住してきた当初、地域には何もなかった。保育所がなければ保育所を、詰め込み教育ではなく自律的な学習ができる学校がなければオルタナティブ学校を、安全な食材が手に入らなければ生活協同組合をと、住民たちは「なければ作るしかない」という認識のもと、地域をバージョンアップさせていった。

（2）地域での実践から政策立案へ

ソウル市のマウル共同体政策は、民間委託という方式ではじまった。まず、ソウル市マウル共同体総合支援センターが拠点として設立された。センターの運営は、ソウル市が直接おこなうのではなく社団法人「マウル」が受託した。これはソンミサン・マウルの実践者たちが参加してつくられた団体だ。初代理事長は、ソンミサン・マウルのコアメンバーの一人であり、地域住民のための劇場「ソンミサン劇場」を設立した柳昌馥《ユチャンボク》代表だった。

ソウル市はまず、2012年3月に「ソウル特別市マウル共同体づくり支援などに関する条例」を制定した。実践家たちの経験と知恵の詰まったこの条例の目的と定義を引用してみたい。

第1条（目的）この条例は、住民自治の実現と民主主義の発展に寄与するために住民が主導するマウル共同体づくりを支援するのに必要な事項を規定することを目的にする。

第2条（定義）この条例で使う用語の定義は次の各号の通りである。

1 「マウル」とは、住民が日常生活を営みながら経済・文化・環境などを共有する空間的・社会的範囲をいう。

2 「マウル共同体」とは、住民個人の自由と権利が尊重され、相互に対等な関係の中で、マウルに関することを住民が決めて推進する住民自治の共同体をいう。

3 「マウル共同体づくり」とは、地域の伝統と特性を継承発展させ、地域の人的・物的資源を活用して住民の生活の質を高める活動をいう。

（「ソウル特別市マウル共同体づくり支援などに関する条例」）

この条例ではマウルを再定義し、かならずしも地理的な地域を基盤とするだけではなく、目的や志を共有するアソシエーション（結社）もその範疇だとしている。さらに、共同体として営みがなされることによって住民自治が進展するという「経験」の要素を入れこんでいる。

マウル共同体総合支援センターの発足にあたり、延世《ヨンセ》大学のチョハン・ヘジョン教授は「隣の日本では無縁社会が問題になっている。韓国は共同体の再生に取り組んでいくことによって、無縁社会を回避することがまだできると思う」と祝辞を寄せた。韓国社会は外国の事例をベンチマーク（参照基準）とし、よい面を学びながら自国に適応させることに長けている。地理的に近く、制度や文化も類似点が多い日本は、良い意味でも悪い意味でもベンチマークの第1号なのだ。

ソウル市のマウル共同体政策の運営方針を簡単に要約すると、このようになる。

・条例を制定し、行政から独立的な中間支援組織を設立し、官が直接運営しない。
・首長が代わっても政策に影響を与えないようにする。
・中間支援組織は市民団体が受託し、市民の声を最大限に反映させ、市民が主体的にマウル共同体事業に参画できる仕組みをつくる。

行政の枠組みの中である以上、官主導の側面は否めない。柳昌馥氏によると、行政の支援によって、はるかに速い速度で活動が進むようになった一方、年度ごとに成果を求められ、成果主義におちいってしまう副作用が生じやすいので、いかにその副作用を最小限にするかが課題でもあったということだ。

（3）住民参加による参加型ガバナンス

マウル共同体事業は、これまで市民運動に参加してこなかったような一般市民を対象に、地域社会や非営利活動に参加してもらおうという意図がある。それまで市民運動が「代弁」していた市民の声を、住民が自ら発し実践へ移していく、ソンミサン・マウル式の住民参加・住民自治のスタイルだ。

ソウル市はまず、地域の中で3人以上が集まってなんらかの活動をはじめようとする人たちを支援した。具体的には、法人格がなくても、意思のある住民が3人集まれば応募できる公募事業をはじめたのだ。支援事業はマウル共同体総合支援センターがおこなった。必要な場合は出前説明会もおこない、事業計画書などを仕上げるサポートもおこなった。公募事業は公開で審査され、誰もがその審査プロセスを見学できるようにした。ここには、まちづくりの先進事例として韓国でも知られる世田谷区のまちづくり事業なども参考にされている。

特筆すべきは、住民が公募事業を通じて成長できるように、いつでも応募できる形式をとったということだ。通常、行政の公募事業は年に一回などの締め切りが決められたものが多いが、応募に際して十分な準備をしてもらうことや、失敗を重ねながらよりよい企画を練っていくためには、通年の募集が望ましいという判断だ。そのための職員の苦労は計り知れないが、住民目線に立った事業の建て付けは、地域でのまちづくり活動を実践する当事者が数多く参画していたことによるものだった。

2012年から2015年の4年間のマウル共同体事業の成果を分析したソウル研究院のレポート[1]によると、マウル共同体事業に参加した市民は、最小で12万8743名から最大で23万10名である。最小

（1）『ソウル市マウル共同体事業の成果の評価と政策課題』第268号、2019年1月28日。

は事業に参加するためにつくられた住民グループの会員の数で、最大は最終的な報告書に記録された事業参加者の合計数であるという。参加の濃淡はあれ、ソウル市民の10人に2人がなんらかのマウル活動に参加したことになる。

ソウル市では、民と官の協働を進め、市民の公益活動を活性化するために、2016年9月に「ソウル特別市民官協治活性化のための基本条例」を施行している。この時期の政策のキーワードともなった「（民官）協治」を理解するために、条例の定義を引用してみたい。

第2条（定義）この条例で使用する用語の定義は、次の各号の通りである。

1 「民官協治」とは、社会問題の解決のために、民間とソウル特別市（以下「市」という）が共同で政策を決定・執行・評価する市政運営方式及び体系等をいう。

2 「協治諮問官」とは、民官協治事業全般に対する諮問のために、「ソウル特別市民間専門家の市政参加及び支援に関する規則」に基づき、市長が委嘱した民間専門家をいう。

3 市民活動をエンパワーする法制度

韓国では、市民運動の主導のもと、2007年に社会的企業育成法、2012年に協同組合基本法が制定されている。社会的企業とは、脆弱階層に社会サービスないし雇用の場を提供する、または地域社会に貢献して地域住民の生活の質を高めるための事業体のことである（社会的企業育成法第1条）。この法律に基づく「社会的企業」に認証されると、人件費の補助や社会保険料の支援などが得られる。2023年6月現在で3597の社会的企業が活動している（認証は4368件）。

協同組合は5人集まれば法人格が取得でき、相互扶助的な事業に取り組み、社会的企業育成法や関連する法制度などを通じて、さまざまな支援を得ることができる。こういった法制度がつくられたのは、もともと韓国の社会保障制度が非常に脆弱であるため、第三セクターを強化していくことによって雇用を創出し、市民が自ら課題を解決できるようにしたいという政権側の思惑がある。他方の市民社会側は、イタリアやスペインをはじめとするヨーロッパや南米で取り組まれる社会的連帯経済の実践に影響を受け、資本主義に代わるオルタナティブな経済活動の理念を強調し、社会正義、公正性、公共性といった概念をベースに「社会的（連帯）経済」という領域を確立していった。

また韓国では、すべての自治体に「参加型予算制度」が義務づけられている。これは、市民自らが、税金とは、予算とは何かということを学習したうえで、次年度の予算編成に参画していく制度である。2006年にブラジルのポルトアレグレ市ではじまり、現在ではニューヨーク、パリ、バルセロナなど世界の主だった都市で導入されている。地域にとって何が必要かを一番よく知る地域住民の意見が行政の施策に反映されるこの制度も、市民の力量を強化していると言えよう。

こういったさまざまな変革の流れが、とくに2010年前後から横断的に広がっていき、地域社会や公益活動、市民社会の動向とシナジー効果を生み出してきた。

4　参加型ガバナンスから敵対の時代への逆行

しかし、残念なことに、朴元淳市長がセクハラ告発を受けて自死し、2021年4月に保守政党「国民の力」の呉世勳《オセフン》市政がはじまると「ソウル特別市マウル共同体づくり支援などに関する条例」も「ソウル特別市民官協治活性化のための基本条例」も廃止されてしまった。首長が代わっても影響を受けないようにと、独立した機関を設立し政策の独立性を担保しようとした目論見も、瞬く間に覆されてしまったことになる。大統領やソウル市長が絶大な権力をもち、トップダウンで転換を推し進めていくならば、積み上げた政策などいかに脆いものかを見せつける結果となってしまった。

前市政が多くの事業で市民団体や公益団体と協働していたことを批判して、呉世勳市長は「ソウル市は市民団体のATMだ」と発言した。不正がおこなわれていたという印象を与えるものだとして、市民運動側は呉市長に対し名誉棄損で訴訟を起こしている。さらに呉市長やソウル市は、市の事業にかかわっていた数多くの市民運動出身者を刑事告発し、警察が捜査する事態にもなっている。一年ほど続いた捜査の結果、嫌疑なしで告発は無効とされ、刑事問題になった関係者は一人もいないということだ。

マウル共同体事業の中心人物であった柳昌馥氏も、ソウル市と訴訟で争う事態に発展した。同氏が理事長を務めていた社団法人「マウル」が、ソウル市の事業を受託した2012年から約10年間にわたり、約600億ウォン（約60億円）の予算を独占的に受託し、その予算を関係団体に優先的に配分する背任行為があったと市側が発表したのだ。それに対して「マウル」側は、ソウル市を相手取って名誉棄損の損害賠償訴訟を起こすと記者会見で明らかにした。この裁判について、2023年5月にソウル中央裁判所は原告の一部勝訴の判決を下し、「ソウル市はそれぞれ100万ウォン（約10万円）を支給せよ」「ソウル市のホームページに訂正報道文を公開し、これを履行しなければ毎日30万ウォン（約3万円）を原告に支給せよ」と命じた（ハンギョレ新聞2023年5月18日付）。

このように、「民官」の協働のガバナンスから一転してしまった現在、かつての李明博《イミョンバク》政権、朴槿恵政権以上の受難の時代に突入してしまったと、市民運動や公益活動領域の人々は考えている。

5 市民主体の政策は継続されるのか

現在の国政やソウル市の状況は、前述のように、市民運動や公益活動などの領域と親和性が高いとは言い難い。文在寅政権や朴元淳市政に携わっていた人々には、京畿道《キョンギド》や済州道《チェジュド》、また民主党の首長がいる自治体に移動した人も多い。しかし、ソウル市からはじまったマウル共同体運動は韓国全土に広がり、政策として推進されている。また何よりも、参画した市民たちが全国津々浦々にいる。京畿道では、共同体の構成員の生活の質を高めるという知事の強い意思のもと、マウル共同体事業が進められている。京畿道のマウル共同体支援センターのスタッフは、ソウル市には期待できないので京畿道が頑張らなくてはならない、と強い決意を語った。

少子高齢化、若者の生きづらさや失業問題、引きこもり、地方都市の消滅危機など、解決しなければならない問題は日本同様に山積みだ。第三セクターの関係者に話を聞くと、どこの地域でも、社会的連帯経済やマウル共同体運動に関する予算がカットされ、非常に厳しい状況だと口々に語るが、10年前と比較すれば確実に社会は変化している。

また、この10年での韓国の飛躍的変化として、文化芸術の立ち位置の変化が挙げられる。マウル共同体運動とともに、文化芸術を享受する市民の権利が認知され、関連予算も増えている。同じ京畿道では、「機会所得」という名で、芸術家に対するベーシックインカム（基本所得）制度を進めている。市民の生活の質を高めるうえでは文化芸術が欠かせず、ゆえにその担い手を支えなくてはいけないというロジックだ。「あなたの価値が機会をつくるのだ」という、芸術家一人ひとりの価値を認めようというメッセージにもなっている。近年、Kコンテンツが世界を席巻しているのは偶然ではなく、その根底にしっかりとした哲学と政策が存在するのである。

10年間の進歩派政権で推進されてきた政策の数々は、トップダウンで導入されたことによる限界を露呈しつつも、一定の成果と展開を残し、現在も地域によって継続されている。過去10年の蓄積が韓国の市民社会を成長させたのか否かの判断は、これからの進展如何によるだろう。

その判断のためにも、これまでにどのような哲学をもって政策が進められてきたのか、また、重層的な韓国市民の取り組みがどのように広がってきたのか、続く柳昌馥氏（8章）と李《イ》承勳《スンフン》氏（9章）の報告から手掛かりを得ていただきたい。

8章 ソウル市革新10年からみる市民イニシアチブ

柳昌馥（ユ・チャンボク）

未来自治分権研究所所長、聖公会大学校兼任教授。学生時代に労働運動に没頭。まちづくりの先進事例として有名なソンミサン・マウルの劇場代表として地域の課題に取り組む。朴元淳市政でソウル市マウル共同体総合支援センター長、ソウル市協治諮問官を歴任し、協治システムの構築に携わった。

はじめに

筆者はソンミサン・マウル（7章参照）というまちの住民であり、まちにある劇場の代表を務めながら、地域の課題を解決するさまざまな活動に参加してきた。そして、2011年に朴元淳市長がソウル市長に当選して以降は、ソウル市マウル共同体総合支援センター長、ソウル市協治諮問官として、協治（参加型ガバナンス）システムの構築にもかかわってきた。こうした経験に基づき、本章では2012年から2020年までの約10年間におけるソウル市の革新政治について述べる。

1 「市民が市長だ」

「市民が市長だ」。これは朴元淳ソウル市政の10年をもっともよく表す言葉である。市民が直接投票を通じて、自らの代表として市長を選出し、権限を委任する。市長の権限はすべて主権者の市民に由来するものであり、ゆえに「市民が市長」なのだ。

そしてもうひとつ、朴市政を代表する表現は「革新と協治」である。ここで「革新」とは「市民が参加し、民と官が協力しあって公共の問題を解決し、社会を新しい方向へと導くこと」を意味する。ここで中核となるのが、市民が参加し「民」と「官」が協力すること、すなわち「協治」である。したがって、「市民が市長だ」という表現は、協治によって革新が推進されることを意味し、その際、市民は協治と革新の主体となる重要なカギである。

これまでの韓国社会を革新してきた主体は誰だったのか。1987年の民主化宣言を境に韓国では政治的民主化が達成されたが、社会における実質的な民主化を担っていたのは市民運動であった。当時、市長や議員のように選挙を通じて委任された権限はなかったものの、民主化のために献身した、いわゆる「市民活動家」たちは、大学教授や弁護士など専門家と協力して、韓国社会の至るところを革新してきた。90年代に実現した代表的な革新の例として、金融実名制（借名口座を利用した資金管理を禁止する制度）、漢方薬紛争（漢方医界と薬剤師界の対立）の調停、小口株主運動（透明な企業経営のために小口株主が集まって影響力を行使する運動）、国民生活最低線（生活保障を求める運動）、東江《トンガン》ダム反対、戸主制の廃止、国家人権委員会の設置、歩行権条例などがあげられる。

しかし、２０００年に「総選挙市民連帯」による落選運動で影響力を発揮したことを頂点に、その後、市民運動は政界とマスコミから批判される一方、市民運動内部においても多様な路線に枝分かれし専門化が進んだ。これに対しては、専門家を中心とした市民団体が「市民」の利益を代弁するという意味で「市民なき市民運動」との批判もあった。

一方、２００２年の日韓共催ワールドカップの応援を契機に、個々の市民が直接に広場に集まって行動するという新しい集会文化が登場した。90年代末からのインターネットの普及を背景に、ＢＳＥ（狂牛病）のおそれのある牛肉輸入に反対するキャンドル集会など、自発的に参加する市民行動の文化が爆発的にあらわれたのである。

同時に、90年代の地方自治制の改革とともに、地域社会や地方の農村では、市民個々人の生活と福祉を保障し、生活の課題を最優先する「生活運動」の動きがはじまり、社会を変革する新たな革新の主体が登場した。これまでの韓国政治が成長と開発、イデオロギーと地域対立のなか、エリートが主導する「上からの政治」であったことに対し、環境と平和を志向しながら、地域の市民からの要求が反映され、彼・彼女らの参加が保障される「下からの政治」を求める運動があらわれたのである。

朴元淳市長は、国家が革新を主導した「国家公共性」、活動家中心の市民団体が主導した「市民公共性」の時代を経て、新しい公共性の主体として、市民社会を直接主導する「市民」という当事者の参加に注目した。そして彼は、２０１１年のソウル市長就任後、ソウル市民に参加を呼びかけ、市民とともに市政をリードした。こうした革新政策の代表的な例が、以下に述べる「マウル（村）共同体」政策である。

市長当選直後は、彼自身が市民運動の出身だから、就任後は市民団体と一緒に市政を営むものと多くの人が予想したが、それと異なり、市民団体とつながりのない市民が政策に直接参加していったので、これらの政策は大きく注目された。

2 「マウル共同体」政策

市民が政策に参加することは良いことだ。だが、多くの市民は生活に追われ、常に忙しく、市政に関心をもつことが難しい。さらに、行政と協力した経験もないし、あったとしても良い記憶はほとんどない。私が見てきた行政と市民の関係は、常に「通訳が必要な関係」であった。

こうした問題を克服し、市民の参加を呼びかけるために、朴市政は小さなきっかけで人々の意思決定に影響を与え、行動変容を促す「ナッジ（Nudge）戦略」を用いた。「生活のニーズをともに考え、ともに訴え、協力して解決する過程で形成される隣人たちのネットワーク」としてマウル（村）のコンセプトを提示し、その形成のために3人以上の「住民の集まり」に補助金を出す少額公募事業を実施したのである。

この住民の集まりは、自由なテーマで活動でき、成果を出す必要もなかったので、気軽に地域住民らが集まり、話し合う過程で自然に地域の共通の関心や問題を共有していくことをねらいにしていた。つまり、ばらばらの個人が孤立し断絶していた地域社会において、親密圏が復元されることを企図したのである。実際、子育てに不安を抱える母親どうしの助け合い会、地域の合唱団、写真クラブ、「マウル祭り」の企画会など、多様な集まりがあらわれ、地域の問題を解決していった。2012年に1189

図1　マウル共同体の広がり

2012年：1,189件の住民の集まり　　2017年：5,200件の住民の集まり

件であった住民の集まりは、２０１７年に５２００件に増え、２０１９年には１万件を超えた。約23万人の参加者（２０１７年現在）のうち60％が女性、20～30代の若年層が49％、50～60代が25％以上参加した。

こうした住民の集まりを通じて近隣住民どうしがつながり、公共的に成長していくことが確認できてから、朴市長は「点・線から面へ」、つまり個々のネットワークから地域の構成員全体に広げていく戦略を展開した。その際に重要な役割を果たしたのが、各住民の集まりの中にいる「オジラッパ（오지라퍼）」といわれる世話好き、おせっかいな人であった。どの集団にもいる、これらオジラッパを通じて隣どうしの路地から町全体につながりが広がり、これが「マウルの集い」へと進化した。オジラッパがゆるくつないで形成した「マウルの集い」が拡張され、公共課題の解決に挑戦することをソウル市は支援した。

ソウル全域で形成されたマウルの集いは、２０１４年から洞（日本の町丁に相当）単位の「マウル計画団」事業の土台となり、洞単位の議論の場として「マウル総会」が設けられた。マウルの集いに参加した住民たちは、互いの討論を通じて「マウル計画」を樹立し実行していく。マウル計画は、自分たちの洞でもっとも早急に解決すべき課題を取りあげ、毎週または隔週単位で6か月以上議論しつづけ、最終的にはマウル総会での住民投票によってその優先順位を決める。決定された事業は、ソウル市と区庁からの財政的支援を受け、翌年から住民たちが直接実行に移した。

こうした一連の過程で注目すべきは、地域社会の公共性が拡大したことである。最初は一人のニーズに過ぎなかったことが隣の人のニーズへ、さらにマウル全体のニーズへと拡大していき、その過程を通じて個人レベルから共同体レベルへと地域社会の課題が格上げされ、その解決が公共性を帯びるようになったのである。たとえば、子どもたちが地域内で学習し成長できるマウル学校、マウル単位で介護や育児を提供するコミュニティケア、衰退した地域を活性化する都市再生などがその例である。

3　民主的コミュニケーションの文化

上記のようにマウル共同体政策は広がっていったものの、それがうまく機能するためには、民主的コミュニケーションの文化が必要だった。「一人では寂しいけれど、他の人と一緒にやるのはつらい」と一般的に言われるように、マウル共同体の形成は簡単ではなかった。その主な原因は、どの集まりにも不満を言う人がいたからだ。そのような場合、多くの人は不満を言う参加者に退出してほしいと思いがちだが、その人がいなくなると、今度は他の人が不満を言いはじめる。つまり、不満を言う人はいつでも、どこの集団にも存在するのだ。だから、ともに生きていくことを選択したなら、私たちは不満を言う人がいないことを願うのではなく、そういう人たちと共存していくことを考えなければならない。そのとき必要なのは、互いの差異を認め、共存し、励ます感覚を身につけることである。マウル共同体は、共存と民主的なコミュニケーションの感覚を身につける民主主義の学校であり、また、草の根民主主義の実践であった。

　こうした過程を経て、市民は単に政策の恩恵を受ける受益者やサービスの消費者にとどまらず、政策を求める請願者であり、隣人とのゆるやかな関係に基づき公的な問題を解決する革新の主体ともなってきた。つまり、日常の中で隣人とネットワークを形成しながら暮らす公共的主体として、「目覚めた市民の組織された力」を発揮するようになったのである。

4　協治、「参加から権限へ」

　このように住民がつながることで、地域の問題に対する解決力も向上してきた。だが、それと同時に問題解決を阻む障害もあらわれた。ひとつは権限であり、もうひとつはセクショナリズムである。

　権限は「民」と「官」が協治をおこなう際に中核となるものである。権限のない参加は動員になってしまうし、行政側にとっては、権限を市民に譲ることは、その責任が問われるので大きな負担となる。協治を進めるためには、まず行政の負担感を減らし、市民と協力することが問題解決につながるという期待を持たせる必要があった。

　こうした問題の解決のため、ソウル市は「協治」を市政の方向として定め、協治を促進する政策樹立の根拠として協治条例を制定した。そして、民と官の協力的意思決定システムとして、副市長と市民代表が共同委員長となる「協治協議会」を設置し、その傘下に実行委員会として「協治推進団」を置いた。

　住民の意見や現場の声を伝える民間人を「協治諮問官」に委嘱し、この人が協治推進団の団長となり、市の各局の常設会議を主催し、部署間の連携と協力事項を調整した。だが、協治推進団が具体的な協力事項を調整できるとしても、あくまでも会議体に過ぎないので、実際に公務員が動くためには、行政の担当部署が必要であった。そのため、それぞれの自治区の協治を支援する地域共同体課と、ソウル市全体の協治を担当する民官協治課を設置し、協治協議会で決定された事項を直接執行できるようにした。

こうした「参加から権限へ」の核心的内容は、決定の権限を官から民に移行させることにあり、ソウル市の試みは、少数の住民が独占していた権限を多数の住民に、広域自治体から基礎自治体に、ひいては生活世界の現場である洞（町丁）にふたたび移す実践であった。

問題解決を阻むもうひとつの障害はセクショナリズムであった。「マウルの集い」によって民と官の協治が広がったものの、ネットワークの拡大や維持のために注ぐ資源の不足、民間にも存在するセクショナリズム、政策課題ごとの行政の担当部署の違いなどが、民と官の協力を困難にさせていた。

そこでソウル市は、民官の協治の力量を高めるため、「市民協力プラットフォーム」政策を導入した。この政策は、地域社会で活動する民間の主体が自治区レベルで討論できる空間をオンライン／オフラインで設け、民間団体どうしが互いに理解を深めるとともに、民間の主体が直面する共通の課題や、自治区で共通に直面している緊急の問題を選定し、民主導の協治を促進する方法などを支援するものであった。具体的には、地域を基盤とする活動家を養成したり、地域の民間団体間の連携体を設立・運営したり、オンライン上のコミュニケーションアプリなどのメディアを構築したり、オフラインでも会議室やセミナールームを設け、民間の主体どうしが常時コミュニケーションを図れるように支援した。

民間主体どうしが協力的なネットワークをつくり、活動が軌道に乗ると、その次のステップとして「地域社会革新計画」に参加できるようにした。同計画は、基礎自治区の財政的困難を補完し、上位政府の政策変化と関係なく独自の政策目標を執行できる「裁量予算」を提供する制度であった。これを通じて各自治区庁の公務員が地域社会の民間主体と緊密な関係を結び、協力の土台をつくるように誘導した。これを通じて、「民―民―官」「民―民」協治と「民―官」協治をバランスよく構築することができたのである。

これらの障害となる要素を除去したうえ、市民の参加が政策の方向や事業内容の決定にとどまらず、決定した政策を実際に執行できるように、ソウル市は市民に権限を与え、決定された政策の執行にも参加できるようにした。市民が「参加の効能」を体感できるようにするためには予算が不可欠であった。そこでソウル市は、すでに実施されていた住民参加予算制を改善し、協治予算制を導入した。協治予算は、広域市単位の市政協治、ソウル市内の自治区単位の地域協治、洞単位の近隣協治という三つに分けられ、各単位における協治関連事業に編成された。

当初、個別に請願を出す主体として登場した市民が、ゆるやかな隣人ネットワークを形成し、さらに範囲を広げ、異なる社会課題を扱う他の主体とも関係を構築し、大規模に組織され融合的に協力する段階へと進化したのである。こうした方法で対応がなされた課題としては、コミュニティケアや都市再生、「原発をひとつ減らす」運動、青年手当制度などがある。とりわけソウル市が実施した青年手当制度は、市民が地域の若者の生活と健康の問題について議論したことからはじまり、市長直属の「青年庁」の新設まで発展した事例である。このようにしてソウル市の「革新と協治」が進められてきたのである。

5　協治制度の急速な展開

２０１９年以降ソウル市は、市民主導の協治が持続的に維持できるように、「ソウル民主主義委員会」を設置するほか、熟議民主主義のためのプラットフォームを構築し、市民熟議予算制と協治親和型評価制を実施した。以下にその概略を説明する。

ソウル民主主義委員会は、ソウル市庁の幹部と民間の代表を構成員とする民官協力型「合議制」行政機関であった。市民参加をうたう他の機関が諮問や審議を主たる任務としていたのに対し、同委員会は処分の力、つまり行政執行の権限を持っていた。そのため同委員会は、部署間の協議・調整を実質的に主導し、傘下に実行部署を置くことで、協治事務を統合的に直接遂行することができた。ソウル民主主義委員会は、協治制度としては最高の地位と権限を持っていたのである。

また、熟議民主主義の実践のために、ソウル市はオンラインとオフラインの両方に市民が参加できる公論プラットフォームを設置した。オンラインの公論の場である「民主主義ソウル」は、従来の一方的な意見表明を超え、オンラインでの公論を活性化し、行政の責任ある回答を誘導する統合プラットフォームとして設けられた。

一方、オフラインの公論の場である「ソウル市民会議」は、ソウル市民３０００人で構成され、政策アジェンダ別の市民参加委員会を設けた。この市民参加委員会は、公募を通じて地域、性別、年齢などの代表性を考慮した開放型委員会プール（人材情報データベース）を設け、必要に応じて課題別に構成・運営された。市民参加委員会は、政策課題の発掘と討論型世論調査、市民陪審機能（公共的課題に関して選ばれた市民が3～4日間熟議すること）をはじめ、政策の優先順位の選定と予算編成、主要制度や事業に対するモニタリングと評価などを担当した。

ソウル市は市民熟議予算制を運営し、ソウル市の一般予算の5％に当たる約1兆ウォン（約1000億円）の範囲内で、市民が予算の使用方法を直接決定できるようにした。

さらに、既存の成果評価システムの中に協治の「プロセス」と「努力」の項目を包括的に取り入れるなど、協治に親和的な評価制度を導入した。また、民間委託事業や地方補助事業の成果評価など、市政の主要評価体制にも、社会的価値志向と協治遂行力の指標を追加し、計画策定、指標選定、フィードバック評価プロセスなど、市政の評価制度全般にわたって民間主体の参画を保障した。こうしたことを通じて、行政主導の閉鎖的で一方的な評価プロセスを全面的に改善し、民と官の協力を奨励する参画型評価プロセスを構築した。

最後に、行政や市民間におけるセクショナリズムを克服するため、ソウル民主主義委員会とは異なる別の組織として、問題解決の主体が協力し、必要な資源を統合するための専従組織である「社会的友情庁」を新設した。マウルと都市再生、社会的連帯経済、高齢者と若者など、イシューと主体を区別せずに各地域の問題に踏み込み、その問題の解決だけに集中できる問題解決型の実践組織（ワーキンググループ）を構成し、必要な人的・財政的資源を統合するなどの役割を担った。

図2　住民参加の体感度

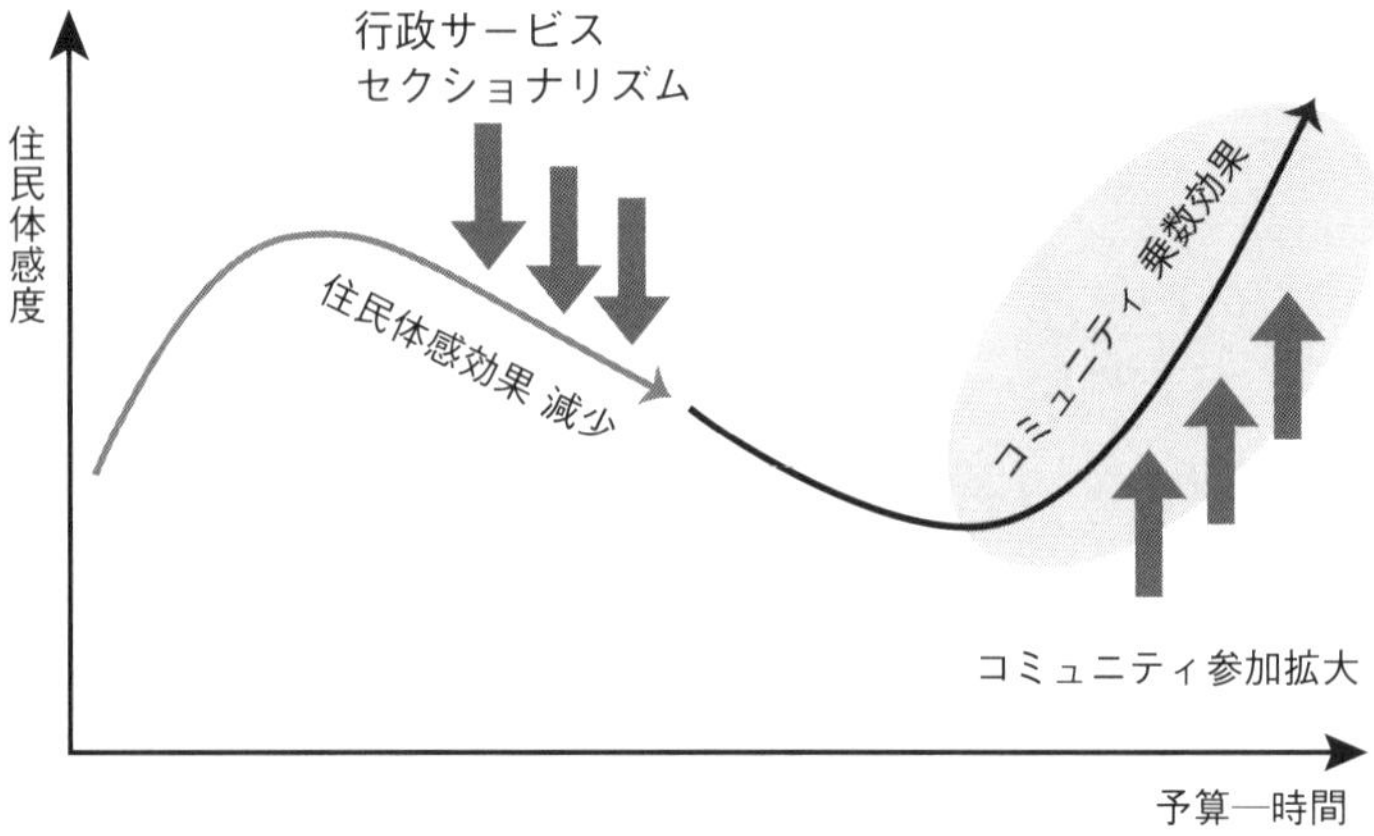

おわりに

マウル共同体政策からはじまったソウル市の革新政策は、社会的連帯経済、都市再生、青年への支援、50＋（50代以上世代の仕事や生活の支援）、マウル教育共同体、エネルギー転換など、すべての政策の分野に広がり、すべての政策プロセスにおいて実践されていた。

ソウル市における協治は、市民の自由な参加に基づき、近隣住民から隣のマウルを超え、まわりの町や市全体へとつながりが広がるとともに、公共性の範囲も拡大してきた。協治を進めていく際には権限とセクショナリズムが障害となったが、これらを避けることはできない。行政の本質はセクショナリズムにあるが、現場の問題を解決する際には多様な資源や関係者が統合していくことが必要となる。こうした根本的に異なる性格を持つ行政と地域の関係者が出会う際に、意見の対立や不一致が起きるのは不可避である。

協治を進めていく際に、より重要なのは、誰が主導権を持つのかである。これまでは財源を握る行政が主導権を持っていたが、協治の際にもっとも重要なのは、地域住民が主導権を行使することである。図2からわかるように、最初、参加にともなう予算と時間の拡大によって住民は「参加の効能」を体感するが、行政の介入にともなうセクショナリズムによって体感度は減少傾向を見せる。だが、コミュニティへの参加が拡大されると、住民参加の体感度はふたたび上昇傾向に変わる。このコミュニティへの参加が、主導権を持つ地域住民の参加を意味する。つまり、地域住民が主導権を持つようになると、住民参加の体感度が上昇することが期待できる。

どうすれば住民が主導権を持つようになるのか？　その答えは問題解決力にある。成功事例が増えれば人々が集まり、行政は成果を出したがるので、行政も変わっていく。つまり、地域の集まりが多くあればあるほど、住民参加による成果が出やすくなるし、成果が出ると行政も協働しやすくなり、市民に主導権が発生するのである。住民が主導権を行使して問題を解決し、公共の資源が住民主導で活用される。このとき、協治の目標が達成されたといえるだろう。

こうした近隣の人々、つまりコミュニティに基づく信頼関係の網は、気候危機や災害といった社会課題に対応していく際にも重要な基盤となると考える。

（抄訳＝桔川純子・金美珍）

【付記】２０２０年７月、朴元淳ソウル市長によるセクハラの告発と彼の自死が韓国の市民社会に与えた衝撃は大きかった。市民運動家として、またソウル市長としての彼の功績は、多くの市民団体とともに積み上げてきたものであり、社会運動全体に与えた衝撃は言うまでもない。社会運動内部では、もっぱら彼の死を哀悼する側と、セクハラ事件の真相究明を求める側に分かれ、葛藤と反目が生じた。そうした分断に対して多くの活動家は失望と挫折を経験した。団体内や同世代の中で、朴市長を擁護する市民活動家に不信感を抱いた活動家も多い。

女性運動団体は被害者側に立って真相解明と再発防止を求め、二次被害への対応でも先頭に立った（第３章参照）。積み上げてきた運動の成果が崩れたとしても、一人の被害者を救うことが大事であるというのが支援する側の姿勢である。温度差はありつつも、この姿勢を共有する社会運動団体は多い。前市長と密接に協力していた「参与連帯」などの市民団体も、当初から被害者の権利回復を重視し、客観的かつ徹底的な調査を求めてきた。最近では、これまでの市民運動の成果を公正に評価するためにも、彼の功績と過失をそのまま認めるべきだとする主張もあらわれている。青年団体からは、参加と革新を通じて変化を導いたソウル市長として彼の功労を評価する一方、セクハラに対しては「職場内性暴行事件の加害者」として記憶すべきと主張されている。反省と責任に向き合うことに基づき、若い世代を中心に、ジェンダー平等や多様性の尊重を含めた新たな社会ビジョンを市民社会は模索している。

（金美珍）

9章 市民運動の連帯とソーシャル・イノベーション

李承勳（イ・スンフン）

市民社会団体連帯会議事務所長、尚志大学校兼任教授。全国350の団体が所属する同会議の事務所長として、2016年総選挙市民ネットワーク、朴槿恵政権退陣非常国民行動、国民主導憲法改正全国ネットワークなどで要として活躍。文在寅政権では大統領直属3・1運動および大韓民国臨時政府樹立100周年記念事業推進委員会にも参加した。

はじめに

市民運動の力で政権交代を成し遂げた韓国に関しては、日本でも興味をもつ人々が少なくないであろう。実際これまでも日本で、韓国の市民運動を紹介する機会が多くあった。そのとき実感したのは、「日本の市民運動と韓国の市民運動はかなり違う」ということである。日本と異なる韓国の市民運動を理解するためには、韓国における市民運動のこれまでの経緯と、現在の状況を知ることが重要である。本章では主に、2016~17年に朴槿恵大統領の弾劾をもたらした「キャンドル市民革命」を中心に、市民運動を取り巻く環境の変化と課題について紹介したい。

写真１　ソウル市役所を取り巻くキャンドル集会

１　キャンドル市民革命

２０１６年から17年にかけてキャンドル市民革命が起きるが、まずそれ以前の朴槿恵政権期を振り返ってみたい。

２０１２年の大統領選挙で、韓国の情報機関である国家情報院(1)が選挙に介入する事件が起きた。これは民主主義を脅かす大きな犯罪であったが、その時点では捜査は十分におこなわれていなかった。そして、朴槿恵政権が成立した翌年の２０１４年にセウォル号事件（大型旅客船が転覆・沈没した事件）が起きた。しかし、責任者に厳正な処分をすべき政府側は、むしろ事実を隠蔽しようとした。マスコミも同じであった。事件が隠蔽されたことは、国民の目にも明らかであった。

また朴槿恵政権期には、歴史教科書の国定化がおこなわれた。韓国の歴史教科書は、もともと8種類から選ぶことができたが、これを1種類に限定したのである。国家が作った1種類の教科書だけの使用が義務化され、選択の自由が制限されたのである。

朴槿恵政権のずさんで怠慢な対応は、２０１５年に発生したＭＥＲＳ（中東呼吸器症候群）の発生時にもみられた。政府はＭＥＲＳについての正しい知識を国民に知らせ、対応をおこなうべきであったが、右往左往するばかりであった。それがセウォル号事件とオーバーラップすることで、国民のあいだでは、もはや国家は自分たちを守ってくれないという思いが広がった。

２０１６年には総選挙[(2)]がおこなわれた。国民は朴槿恵政権に対して、投票という手段で実際に懲罰を与えた。セウォル号事件、歴史教科書の国定化、ＭＥＲＳへの対応などを審判する気持ちから、野党に投票する市民が多く、選挙の結果、野党の勝利となった。当時、政権政党は保守政党であったが、国会は進歩系の野党議員が多数派を占める、いわゆるねじれ現象が起こり、議会政治自体が迷走する事態も頻繁にあらわれた。

やがて市民の怒りは、２０１６年に「民衆総決起」と呼ばれるデモを起こすことになった。このデモの中で、白南基《ペクナムギ》氏という農民が、警察の高圧放水砲を受けて死亡する事件が起こった。直接人に向けて発射することを禁止されているにもかかわらず、警察は実際に人に向けて発射し、それが直撃したので

（1）国家安全保障に関連する情報の収集や取り調べを担当する大統領直属の情報機関。民主化以前には安全企画本部の名称で、国内の政治家や民間人を監視するなど秘密警察として機能し民主化を抑圧していたが、金大中政権期の１９９９年に改編され現在に至る。

（2）韓国の国会は定数３００議席の一院制で解散はなく、任期4年ごとに総選挙がおこなわれる。選挙の時期は該当年度の4月である。一方、大統領は任期5年で、87年の民主化宣言以降は該当年度12月に選挙がおこなわれていた。だが、キャンドル市民革命によって、２０１７年3月に憲法裁判所が弾劾の判決を出し、その2か月後の5月に大統領選挙がおこなわれることになった。以後の大統領選挙は該当年度5月におこなわれている。

ある。これは国家暴力以外の何ものでもなかった。

この後1年も経たずに、朴槿恵政権退陣を要求する第1次行動（大統領弾劾集会）がはじまった。2016から17年にかけて、崔順実《チェスンシル》という人物が国政に介入していた事実が発覚したからである。崔順実は公務員でも政治家でもなく、単に大統領が昔から親しく付き合ってきた人に過ぎない。そのような人が国政に介入していた実態が明らかになったことを機に、国民の虚脱感は怒りへと変わり、キャンドル集会がおこなわれることとなった。

キャンドル市民革命に関しては、日本でもすでに映像や写真などで紹介されている。キャンドル集会は、市民が立ち上がり大統領を弾劾まで追い込んだことで、市民運動にとって非常に重要かつ貴重な経験であった。この後、韓国では市民運動に対する新たな期待が生まれたが、実際に市民運動が向き合ったのは厳しい現実であった。

2　市民運動を取り巻く環境の変化

キャンドル市民革命後、市民運動側には、韓国をより民主的な社会にしたい、とくに直接民主主義をより強化したいという考え方があらわれた。ただし、市民運動を取り巻く環境からみると、それはそれほど簡単なことではなかった。

大統領は弾劾されたが、保守政権の支持者や保守メディアおよび財閥企業など、既得権の力は依然として強かった。市民運動内部では、そういった状況を変えていくための運動の方向性やスピードにおいて意見が一致せず、さまざまな考え方の葛藤や対立がみられた。キャンドル市民革命を通じて社会問題に対する市民の関心や要求は高まったが、それに対応するには市民団体は力不足であった。キャンドル市民革命後、市民団体の会員や活動家が増加するかと思われたが、実際には減少していった。

実は、キャンドル市民革命後、市民運動の側では、市民運動の展望について「漠然とした期待」を抱いた人々が多かった。しかし、その期待は現実とは違っていた。それに気づくきっかけとなったのが、文在寅政権の脱原発政策の挫折であった。新しく成立した文在寅政権は、大統領選挙のあいだから主張してきた脱原発政策を推進すべく、新古里《シンゴリ》原子力発電所（5・6号機）の工事の中断を議論するための公論化委員会を設置した。当初、委員会の活動による公論化過程にはさまざまな市民が参加し、熟議民主主義の方式で意見を交わすことで、民主的な意思決定によって脱原発という結論にたどり着くと市民団体は考えていた。脱原発は市民団体が以前から主張してきたことでもあった。

しかしながら、公論化の結果は予想外であった。公論化委員会における投票の結果、文在寅政権の脱原発政策に賛成する市民は1割程度（13・3％）に過ぎず、市民団体の主張と一般市民の意見が異なることが明らかになったのである。この熟議民主主義によって、文在寅政権の脱原発政策は大きく修正されることとなった。市民運動側からすれば驚くべき結果であったに違いない。

文在寅政権においては、憲法改正も政策的焦点となった。韓国では1987年の民主化以降30年以上、憲法改正がおこなわれなかったこともあり、キャンドル市民革命の精神を継承するため、より直接民主主義的な「国民発案制」「国民投票制」「国民召喚制」の導入や、土地公概念（序章参照）の強化、大統領の任期を4年とし1回に限り再任可能とする連任制などについて、憲法改正を求める市民の声が高まっていた。また、これまでしばしば民主主義の後退をもたらした国家情報院や、権力による政治的な道具と化した司法機関や検察の改革も、キャンドル市民革命後にあらわれた市民の要求であった。重要なのは、そういった市民の要求が、市民団体を通じてではなく、政府に直接向けられるようになったことである。一般市民からすると、市民団体を通してよりも、各省庁のホームページやSNSを通じて政府に直接要求を伝えたほうが、より効果的であるとの考え方が広がったといえる。

以上のような状況の中で、これまで市民の声を代弁してきた市民団体を取り巻く環境が、大きく変わったことを実感することとなった。

3　市民運動内部の変化

市民団体の内部においても、かつてとは異なる状況がみられた。何よりアドボカシー能力の弱体化である。これまで市民団体は、政府などに対して問題提起をおこなう役割を果たしてきたが、今日ではYouTubeやSNSなどインターネットの発展により個人の発信が容易となり、政府や政治家もそれに耳を傾けるようになっている。

また、多様な意見が広がり、市民運動内部でも多様な価値観が共存するようになったことも指摘しなければならない。たとえば、李明博・朴槿恵政権の10年間は、若干の意見の違いがあっても、大きな連帯によって一緒にたたかっていこうという雰囲気が運動内部にもあった。それが（文在寅政権においては）多様化し、市民運動の内容や方法の面で、また方向や速度の面でも、多様な形で意見が提出され、それが時には葛藤や対立としてあらわれることもある。その多様化した声をどのように包摂するかということが、市民運動の大きな課題となっている。

それと関連して、新たな運動主体が登場したことにも注目に値する。それは韓国の世代交代、運動世代の交代ということでもある。そもそも韓国の市民運動は、80年代の民主化に根を置いている（序章参照）。市民団体で活動する多くの人は、80年代の民主化運動を経験してきた世代、あるいはその直後に、市民団体のさまざまな活動に影響を受けながら成長してきた人々である。

しかし、いまは状況が大きく変わっている。民主化を直接経験せず、個人としての自分の価値を重視する世代が登場したのである。現在の若い世代の中では、組織や社会とは距離を置きつつ、自分の人生を大切にし、堂々とワークライフバランスを強調する意識が浸透している。そのような世代が、80年代の民主化運動世代と同じ市民運動の空間の中にいる。つまり組織文化や労働・ジェンダー意識などにおいて、旧世代との違いが顕著にあらわれているのである。

他にも、市民運動の内部にはいくつかの問題がある。職業としての市民運動家のキャリアや、市民団体の活動家に対する賃金など労働問題がそれである。また、特定の専門家グループと市民運動が、市民全体を代表することができるか否かという問題もある。セウォル号事件、公営放送、脱原発、政治改革、#MeToo運動、気候危機、新型コロナウイルス対策等々、ひとつの市民運動あるいは市民団体では包括できない、多様なイシューが提起されていることも見逃せない。

そのような状況の中で近年、団体と団体がいかに連帯していくかが市民運動側の重大な課題となっている。ひとつの団体では対応しきれない複雑なイシューが増えており、それに対応するためには団体間の連帯がいっそう重要になってきた。上記のような市民運動を取り巻く環境の変化や市民運動内部の問題もあるが、そういった問題を解決および改善していくためにも、「連帯」をキーワードに市民が連携し活動を広げていくことが重要な課題として浮上している。

4 コロナ禍での「民官」協働

連帯という課題と関連して、コロナ禍における市民団体の問題意識についてふれておきたい。以下では、コロナ禍に際して、行政と協力してきた市民団体の対応、とりわけソウル市の「民官協力チーム」の取り組みを中心に述べる。

コロナ禍の当初においては、市民団体も当惑し、不安も大きかった。新型コロナウイルスのような感染症への対策にあたっては、いうまでもなく政府の迅速な対応が求められた。しかし、それだけで感染症から市民を完全に保護することはできない。政府にすべてを頼ることは危険だという考え方もある。国家の政策も重要であるが、市民が互いに見守り協力することも必要であろう。

国家の政策が及ばない、いわゆる死角地帯、たとえば家庭内暴力の被害者や、低賃金の労働者、またソーシャルディスタンスを取れない宅配業者などへの支援は、市民団体が積極的に対応しなければならない課題であったといえる。それに取り組むためにソウル市では、行政と市民が民官協力チームをつくった。それは、民官協力のもとで、ソウル市を含む行政の防疫体制を構築してくためのものであった。

コロナ禍は、これまでにない状況だったので、最初は市民にとってもわからないことだらけであり、それをわかりやすく市民に伝えていくことも必要であった。そのため民官協力チームは、在宅勤務が不可能なエッセンシャルワーカーや、介護を必要とする重度障がい者など、死角地帯に置かれた人々を、市民運動と行政の協力のもとに支援していくことを目標にしてきた。

　実際の活動としては、たとえば、非正規労働者との懇談会を通じてエッセンシャル・ワーカーの問題への対応に取り組んだり、また、移住民・難民支援の関係者との懇談会や、文化・芸術家、市民団体との懇談会も進めてきた。国の支援金が届かないところへの支援を重要な課題とし、さまざまな懇談会を行政とともにおこなってきたのである。また、新型コロナウイルスについての各種情報の共有にも取り組んできた。ソウル市のホームページで、「オン・ソウルキャンペーン」としてニュースレターを発行し、さまざまなシンポジウムの情報や問題提起、記者会見などの情報を迅速にアップしていった。それを通じて、多くの市民が新型コロナウイルスに関する情報を確認できるようにした。

　コロナ禍でのもっとも大きな成果としては、それまではできなかった「民」と「官」の協力がおこなわれたことである。ソウル市内に災害安全対策本部の「民官協力班」が設置されたことが、その代表的な例である。その活動を通じて、脆弱階層への支援の仲介や、医療従事者へのマスク普及などが実現した。市民団体が行政とともに初めて感染症の危機を克服するための実践をつくったということは、大きな意義があるといえよう。

　ソウルには梨泰院《イテウォン》という、外国人や若い世代が集まるクラブの多い地域がある。コロナ禍の初期にそこでクラスターが発生した。クラブにはＬＧＢＴＱの市民が多かったというデマ情報が流れ、それが性的マイノリティへの差別へとつながってしまった。事実無根であるにもかかわらず、「梨泰院ゲイクラブクラスター」という噂が広がり、性的マイノリティへの偏見という問題が起きてしまったのである。この事件に関して、コロナ禍における性的マイノリティ差別問題への対応が、市民団体を中心におこなわれることとなった。また、「不法」滞在者に関しても、これまでは政策的に排除されてきたが、コロナ禍では彼・彼女らに対する包摂的な対策の必要性を市民団体が主張してきた。人権関連団体からも、コロナ禍で人権が守られるように積極的な活動がおこなわれてきた。

5　今後の課題――連帯の想像力を高めるために

以上をふまえ、今後の課題をいくつかまとめておきたい。

何より、ポスト・コロナ時代を見据えて、「民」と「官」の日常的な災害ネットワークが必要であるという点である。感染症など何らかの災害が起こったときには、それに対応するネットワークが必要であり、そこにおいては「民」と「官」の協力体制が非常に重要である。コロナ禍では上記のソウル市の民官協力班がそのような役割をしてきたといえる。また、災害克服のためには市民運動や民間の活動家の協力が不可欠である。それをボランティアに任せるのではなく、予算を確保し権限を付与することが求められる。それによって「民」と「官」の協力が確実に確保できると思われる。

最後に、もっとも重要な課題として連帯について述べたい。まず第一に、連帯のあり方についてである。これまでの市民運動は、連帯を「民主化のために昔から自然にやってきたことで、いまも当たり前にすべきこと」と考え、「連帯のための連帯」をつくることが多かった。その中で、連帯を構成する人々のあいだで十分な同意がないまま連帯が形成されることも少なくなかった。今後は、連帯を望む当事者の要求を明確に把握することが求められる。当事者が何をしたいのか、その目的は何か、目的を達成するために何を優先すべきかなどといったことを正確に把握し、一貫した目的を達成していくための連帯を形成し、維持していくことが重要なポイントとなる。

関連して、連帯の目的が達成できたときに、あるいは達成できなかったと判断したときには、連帯を解散することも重要である。朴槿恵大統領弾劾運動の際には、目的の達成後に解団式・解散式をおこなった。それは、市民たちの連帯が党派的な目的からではなく、市民としての権利を行使するためであったことを確認するために「美しく締めくくる」という意味を持っていた。弾劾のために多くの人々が集まり連帯して目的を達成したのだから、この連帯を維持して他の運動にも取り組もうという提案もあった。しかし、朴槿恵大統領を弾劾するという目的のために集まった人々が、他の運動を一緒にすることになると葛藤や混乱が起きかねない。他の目的のためには、他の連帯が必要なのである。

第二に、連帯の原則についてである。「次を期することができる」連帯であることが重要だと考える。つまり、連帯のその続きを考えることである。そのためには、ある問題に介入する権限を参加者に同等に配分することが重要である。言いかえれば、特定の集団だけがある問題にアクセスすることができ、それを独占してしまう状況を避けるべきである。そして、役割分担の過程で排除されたり、取り残されたりする構成員がないように、また連帯の成果も共有できるようにすることが重要である。

第三に、連帯の成果を高めるための課題として、立体的な連帯の形成を挙げたい。これまでは点と点、あるいは線と線の連帯が主流であった。これからは面と面の連帯が求められる。わかりやすく言えば、ある問題に対して連帯をつくるのではなく、それぞれの団体がやってきたこと、やりたいことを常に共有し、討論する場を通じて連帯の可能性を拡張および強化していくことである。それは連帯の想像力を高めることでもある。マウル共同体、草の根運動、社会的経済組織、ボランティア、社会福祉関連団体等々、多様な連帯のあり方を常に考えなければならない。そのためには、潜在的な連帯当事者間の日常的な関係構築が重要となる。

連帯の成果を高めるために、行政とのガバナンス・システムの構築も必要である。そのためには法と制度を変えなければならない。つまりシステムそのものを変えることである。行政の中に入って、行政と協力しながら新しいことをつくっていかなければならない。同時に、市民個々人との出会いも重要な課題となる。協力するパートナーとしての市民とどのようにかかわっていくかを考えなければならない。

連帯の成果を高めるためには、活動そのものだけでなく、活動の結果をいかに評価するかも重要である。たとえば、キャンドル集会により朴槿恵大統領の弾劾を達成したことについて、単にそれを市民運動の成果として評価するのではなく、運動側の具体的な企画と結果とのあいだの因果関係を評価し総括する作業が必要なのである。

失敗をくりかえすなかで、さまざまなことを考えながら、より想像力を高め、新しい連帯をつくり上げていくことが重要ではないかという問題意識を込めて、最後にアルベルト・アインシュタインの言葉を引用して締めくくりたい。

「われわれがいま直面している重要な問題は、それがつくられたときと同じマインドセット（考え方の様式）では解決できない」

常に新しい連帯による、新しい問題解決の方法が求められるのである。

（抄訳＝桔川純子・金成垣）

第4部
コロナ禍とエッセンシャル・ワーカーの権利

２０２０年に新型コロナウイルスによるパンデミックが発生し、対人接触を最小にする生活様式が広がった。コロナ禍の中でも私たちの日常生活が維持できたのは、不可欠業務に従事する労働者のおかげであった。

韓国では２０２１年に、エッセンシャル・ワーカーを意味する「必須労働者」を保護する画期的な法律が制定された。この背景には、韓国で初めて「必須労働者保護条例」を制定したソウル市城東《ソンドン》区の取り組みがある。地方自治体が先行することで、国が大きな方針転換を成し遂げることになった。さらには、城東区の条例や国会における法制定に至るまでに、宅配などの運輸分野や介護分野などで労働者たちが声を上げ、対策強化を求めたことがある。こうした当事者中心の運動と、行政における迅速な反応がうまく噛み合い、エッセンシャル・ワーカーの権利獲得と待遇改善へとつながった。

同じコロナ禍を経験しながら、日本ではそのような展開にはなっていない。どうして日韓では異なる帰結がもたらされたのかを理解するために、自治体の政策決定者と労働運動家の双方の報告から、当時の経過をみていきたい。

10章

コロナ禍における排除に対抗してきたエッセンシャル・ワーカーの運動

金美珍（キム・ミジン）

はじめに

2020年1月以降、新型コロナウイルス感染症の世界的な流行（以下、コロナ禍）にともない、多くの国では感染を抑制するため渡航制限やロックダウン（都市封鎖）、外出制限などの防疫対策が取られた。これによって世界の人々は、人とモノの移動や経済活動を制限する生活を余儀なくされた。コロナ禍という災害のなかでも人々が日々の生活を維持できたのは、感染リスクにもかかわらず、街や職場に出て経済活動や社会機能の維持に必要なサービスと商品を提供してくれた労働者がいたからである。「フロントライン・ワーカー（frontline worker）」や「キー・ワーカー（key worker）」など、各国の状況や文化によって名称は多様であるが、これらの労働者は、いかなる状況のもとでも人々の生活維持に不可欠な業務（essential work）を担っているという意味で、本章ではエッセンシャル・ワーカーとする。

コロナ禍の初期、韓国では初動の防疫対策が功を奏し、パニックや買い占め、都市封鎖が生じなかったことから「K-防疫」と呼ばれ評価されていた。「K-防疫」が適切に機能した背景として、医療従事者をはじめ、介護、保育、販売、配達、運送、清掃などに従事するエッセンシャル・ワーカーの重要性が再認識され、これらの労働者に対する政策的な支援があったことが挙げられる。

にもかかわらず、エッセンシャル・ワーカーの労働環境は「不可欠な業務」という用語に相応しい水準ではなかった。コロナ禍の初期、病院で働く介護労働者が高い感染リスクのなか過重な労働に苦しんだり、宅配労働者の過労死や事故死、また、コールセンターや宅配の物流ターミナルで集団感染が発生するなど、エッセンシャル・ワーカーの労災事故・事件が相次いだ。一連の事故・事件によって、エッセンシャル・ワーカーが直面するリスクが人々の生活にも直接影響を与え、彼・彼女らの感染リスクをコントロールすることが、社会全体の安定と生活の維持に不可欠な条件と考えられるようになった。

エッセンシャル・ワーカーがおこなう仕事の意味や重要性が新たに注目されるなか、韓国では2021年、エッセンシャル・ワーカーを保護する政策を国や自治体が推進するための根拠となる法律が国会で可決された。この法律は、さまざまな現場で働くエッセンシャル・ワーカーを保護するために制定されたものであった。こうした法律および政策的支援が整備されたのは、当事者の運動と行政の取り組みに依るところが大きい。つまり、エッセンシャル・ワーカーが組織として集まり、行政に働きかけ、また、こうした当事者の意見を随時反映するプロセスの存在が、行政による速やかな対応の背景となったのである。

こうした当事者と行政の取り組みを明らかにするため、第4部では、韓国で初めてエッセンシャル・ワーカーに関する条例を制定したソウル市城東区の事例をはじめ、宅配など運輸分野と介護分野の現場でのさまざまな取り組みを取り上げていく。本章では、コロナ禍におけるエッセンシャル・ワーカーを保護する取り組みへの理解を深めるため、コロナ禍以前から韓国社会で深刻化していた労働市場の二重構造化の問題を、不安定就労を中心に説明し、コロナ禍が不安定就労に与えた影響を検討する。その後、続く各章での報告を理解するための背景として、韓国政府のコロナ禍への対応と、エッセンシャル・ワーカーをめぐる自治体と労働組合の取り組みを解説する。

1　コロナ禍以前——労働市場の二重構造化と不安定就労の増加

1987年6月の民主化抗争の後、7月から9月にかけて韓国各地では大規模なストライキ闘争が発生し、新たな労働組合が相次いで結成された。このときの労働争議を韓国では「労働者大闘争」と呼ぶ。これによって韓国の労働者は、国家による軍事的労働統制の抑圧から脱し、労働三権を確保した。その後は、大企業正規職を中心とする内部労働市場が形成され、大企業労働組合の主導のもと、雇用の安定、大幅な賃上げと労働条件の改善が実現した（ノ・ジュンギ 2008）。

だが、90年代後半以降、政府による労働の柔軟化政策（整理解雇制と派遣労働制など）、企業による新たな労働統制戦略（工場の自動化、下請け化、能力主義人事制度、職能職務給制度、年俸制への賃金体系改変など）の導入によって、期間制社員、パートタイム、派遣、請負といった非正規雇用が増加するなど、韓国の労働市場は大きく変化した。こうした傾向は、97年のアジア通貨危機を境にいっそう加速化し、大企業・正規雇用中心の安定的な内部労働市場が縮小すると同時に、中小企業・非正規雇用で構成される外部労働市場が拡大し、労働市場の二重構造化が進んだ（イ・ソンヒほか 2022）。

90年代後半以降、非正規雇用が韓国で深刻な社会問題として浮上したのは、単にその規模が拡大しただけではなく、雇用不安と低賃金のうえ、社会保障や労働組合の保護からも排除されるという不安定就労の性格が強いためである。その背景には、韓国の社会保障制度と労働市場の不適合の問題がある。韓国の社会保険制度や労働法の保護規定は、内部労働市場に属する大企業・正規雇用を主な対象とするため、外部労働市場に置かれる労働者はその適用から排除されていた（イ・ジャンウォンほか 2008；ジャン・ジョンほか 2011）。社会保障制度や労働法の保護から排除されたのは、中小零細企業の労働者だけでなく、派遣や請負といった間接雇用、またフリーランスや「特殊雇用」など、脆弱性の高い雇用形態を持つ労働者であった。とりわけ、「特殊雇用」と呼ばれる職種（保険販売、コンクリートミキサー・トラック運転手、学習誌家庭教師、キャディ、宅配配達員、バイク便配達員、クレジットカード募集員、信用貸出募集員、代行運転手等）は、労働法上の労働者性が認められず「個人事業主」として扱われ、脆弱性の程度が他の非正規雇用より高いとされている。こうした雇用形態が年々増えつづけ、韓国の労働市場における二重構造をより拡大させてきたのである（チェ・ヒョンスほか 2018）。

２０００年代以後に労働市場の二重構造が膠着化するなか、コロナ禍直前の韓国では、さらに脆弱性の高い新たな働き方が登場した。その代表例が、タクシー運転や代行運転、家事労働の業務において、デジタルプラットフォームを介して労務を提供する「ギグワーク」や「プラットフォーム労働」である。韓国ではプラットフォーム労働に50万人程度が従事しており、男性の場合、代行運転、貨物運送、タクシー運転、販売・営業の順で就業者が多い。女性の場合、飲食店、家事育児補助、介護、清掃、建物管理などの順に多いとされている。これらの働き方は単発・短時間の業務が多く、雇用の形をとらない場合が多い。労働法における労働者の概念に該当しないため、既存の雇用保険・労災保険制度が適用されない問題を抱えている（ジャン・ジヨン 2020）。

このように、韓国では労働基準法や既存の社会保障から排除されていた非正規労働者に加え、近年ではより脆弱で不安定な性格を増したプラットフォーム労働が急増したのである。不安定就労の増加は、経済の低成長と不平等をより深刻化させ、脆弱性の高い労働者を保護することを求める労働運動も出現させることになった。

2　不安定就労をめぐる「新しい労働運動」

97年のアジア通貨危機以降、不安定就労層の増加に対し、当時の労働組合は積極的に取り組んでこなかった。既存の労働組合が不安定就労層を組織化できずにいたことに対し、90年代末から四つの新たな取り組みがあらわれた。第一は、市民運動との連携である。87年の民主化以降、新たな社会運動勢力として登場した市民運動は、90年代に人権・民主化・環境など非経済的なイシューを中心に政治社会的な変化を主導してきたが、アジア通貨危機以後は、貧困、失業、セーフティネットなど福祉・経済の問題にもかかわりはじめた。この時期から、非正規雇用をめぐる政策過程においては労働運動、市民運動、女性運動など、さまざまな運動団体が参加するようになった。

第二は、女性のみの組織化である。韓国女性労働者会（ＫＷＷＡ、87年設立）というＮＧＯからの支援を得て、99年に女性労働者のみを組織化した韓国女性労働組合（ＫＷＴＵ）が結成された。この二つの団体は、職場だけでなく市民社会と生活空間の領域を行き来する女性非正規労働者の特性を活かした活動を通じて、女性労働者の組織化に成功し、労働条件の改善に取り組んだ。

第三は、女性以外の非正規雇用の組織化である。2000年代以降、韓国青年ユニオン（2010年）、韓国アルバイト連帯（2013年）など、若年層や外国人労働者といった多様な社会的属性や雇用形態を持つ労働者の問題を取り上げる新しい労働運動組織が登場した。これらは、「参与連帯」といった市民団体とともに生活賃金運動を主導するなど、労働運動と社会運動の垣根を超えた運動と連携活動に活発に取り組んだ（金美珍 2018）。

最後に、近年、新しい組織化の戦略として「共済」を取り入れた事例もあらわれている。バイク便配達員や代行運転手など「特殊雇用」労働者の場合、団体交渉を通じて得られるメリットが少なく、複数の職場を転々とするため、組織として結集するのが困難である。こうした困難を乗り越えるため、医療共済やマイクロファイナンス、緊急融資サービスなど、共済を通じて生活における基本的ニーズを提供する方法が新たに登場した。この動向は、労働共済では終わらず、近年、住宅や教育訓練など生活のセーフティネットをきめ細かく構築しながら、これに基づき社会保障制度の転換、労働者の生涯学習の土台を形成するなど、職場を超え、生活空間とつながりながら、他の市民社会との連帯の基盤を構築している（全泰壹財団事務総長ハン・ソクホ氏への2022年8月インタビュー調査より）。

地域の生活空間を中心に組織化してきた新しい労働運動は、2000年代以降、社会的企業や協同組合などの社会的連帯経済運動の戦略を取り入れ、不安定就労や脆弱階層を対象にした雇用・福祉政策を求め、地方自治体のガバナンスに参加したり、市民運動との連携を通じて公論化する方法（最低賃金キャンペーンなど）を通じて、中央政府に影響を与えてきたのである。

3　コロナ禍で露わになった社会保険制度の限界とエッセンシャル・ワーカーの脆弱性

(1) 韓国の社会保険制度の限界

朝鮮戦争以後、急速に経済成長を成し遂げた韓国は、金大中《キムデジュン》政権（1998―2003年）から、ようやく福祉国家としての骨格を整えるようになった。韓国の社会保険制度は「低負担・低福祉」の性格が強い。社会保険制度（雇用保険、労災保険、国民年金、健康保険）が適用されない死角地帯が大きいのである。コロナ禍以前から、制度設計上もともと適用対象とされない層、または、加入対象であるものの未加入や保険料未納によって各種社会保険制度から排除される層という二つの死角地帯が大きく存在していた。

まず雇用保険の場合、2020年8月の時点で、雇用保険から排除された労働者が全就業者中43・8%を占めていた（**表1**）。雇用保険から排除された理由は、①フリーランサーや「特殊雇用」といった個人事業主であるか、②賃金労働者であるものの雇用保険の適用範囲に含まれない（65歳以上、1か月の労働時間が60時間未満、1週間で15時間未満など）か、または③保険に加入していない場合の三つに分けられる。表1から、就労者のうち個人事業主は24・5%、雇用保険適用から除外された労働者は7・3%、雇用保険未加入の労働者は12・0%を占めていることが確認できる。

労災保険の場合にも、任意加入者に分類されている、農漁業・林業に従事する5人未満の事業場の労働者、中小企業の事業主、専属性のない「特殊雇用」労働者などは、設計当初から制度に含まれてこなかった。「特殊雇用」労働者の場合、主に一か所の事業場に恒常的に労務を提供する専属性が認められる場合は労災保険が適用される。だが、その多くは本人が適用例外を申請しているため、保険対象から排除されている。こうした「特殊雇用」労働者の実態について正確なデータはまだ存在しないものの、韓国の研究では「特殊雇用」労働者の中で労災保険が適用されるのは15・25%に過ぎないと推定されている（パク・ウンジョン 2020）。

国民年金の場合、制度上、稼得活動をする人はすべて義務的に加入しなければならないので、死角地帯はあってはならないはずだ。だが、失業や休職などによる納付免除者が約370万人、長期滞納者が約97万人存在し、実質的に国民年金が適用されていない。さらに、主婦、学生、進学・就職準備者、高齢者など非経済活動人口の場合も、国民年金から排除されている（**表3**）。

最後に、健康保険の場合、89年に政府が「全国民健康保障時代」を宣言して以降、医療扶助の対象者を除くすべての居住者（外国人含む）が健康保険の適用を受けるようになった。だが、2017年現在約360万人、人口の7%が6か月以上の長期滞納の状態にあり、健康保険の利用ができない状況にあった（ジョン・ホンウォンほか 2020）。

以上から、コロナ禍以前から韓国では社会保険制度が十分に機能していなかったことが確認できる。

（2）エッセンシャル・ワーカーと脆弱性

コロナ禍発生後の景気後退によって、多くの人々が所得の減少や失業など経済的困難を経験した。だが、コロナ禍による困難はすべての人々に同じ程度で及んだのではなかった。所得水準、雇用形態、産業、業種、ジェンダーなどによって、コロナ禍による困難の経験は大きく異なっていた。専門・管理・常勤職の労働者よりも、仕事が安定せず所得が相対的に不安定なサービス業種、中小零細の自営業者、

表１　雇用保険の死角地帯の現状（2020年８月現在）　（単位：千人）

<table>
<tr><td colspan="6"></td></tr>
<tr><td rowspan="2">個人事業主</td><td colspan="4">賃金労働者</td><td rowspan="2">就業者</td></tr>
<tr><td>雇用保険
適用除外</td><td>雇用保険
未加入</td><td>公務員など</td><td>雇用保険加入</td></tr>
<tr><td>6,639
（24.5％）</td><td>1,970
（7.3％）</td><td>3,247
（12.0％）</td><td rowspan="2">1,436
（5.3％）</td><td rowspan="2">13,793
（50.9％）</td><td rowspan="2">27,085
（100％）</td></tr>
<tr><td colspan="3">死角地帯</td></tr>
</table>

（出典）統計庁「2020年８月経済活動人口調査勤労形態別付加調査」。

表２　「特殊雇用」労働者の規模対比労災保険適用率（2019年12月現在）

職種	推定規模（人）	適用率（％）
保険販売	436,640	11.83
学習誌家庭教師	69,000	14.64
ゴルフ場キャディ	35,000	4.02
建設機械操縦	133,000	21.19
宅配	52,511	37.26
バイク便配達	170,000	77.69
信用貸出募集	11,596	18.20
クレジットカード募集	11,955	14.82
代行運転	110,000	22.20
合計	1,029,702	15.25

（出典）パク・ウンジョン（2020）pp.684-685。

表３　国民年金の死角地帯（2018年12月現在）

<table>
<tr><td colspan="5">18～59歳総人口（3,292.6万人）</td></tr>
<tr><td rowspan="4">非経済活動人口
（18～59歳）
（895.0万人）</td><td colspan="4">経済活動人口（18～59歳）（2,397.6万人）</td></tr>
<tr><td colspan="3">国民年金加入者（2,231.3万人）</td><td rowspan="3">特殊職域年金
（166.3万人）</td></tr>
<tr><td rowspan="2">納付免除者
（370.0万人）</td><td colspan="2">所得申告者（1,861.3万人）</td></tr>
<tr><td>長期滞納者
（96.8万人）</td><td>保険料納付者
（1,764.5万人）</td></tr>
<tr><td colspan="3">死角地帯（1361.8万人）</td><td colspan="2">潜在受給者（1,930.8万人）</td></tr>
</table>

（出典）国民年金公団「2018年国民年金統計年報」および統計庁「人口総調査」「経済活動人口調査」（2019年）より筆者作成。

非正規雇用（臨時職や日雇い、フリーランス、「特殊雇用」労働者、プラットフォーム従事者など）のほうが、コロナ禍による経済的困難の影響を大きく受けていた。

コロナ禍以前から、医療を除き、介護、保育、販売、配達、運送、清掃など、エッセンシャル・ワーカーのほとんどは低賃金・長時間労働、劣悪な労働環境、雇用不安といった困難を抱えていた。とりわけ宅配や配達、介護の業務は相対的に非熟練の業務とされ、賃金が低く、他の労働者に代替されやすいという不安定な性格が強かった。

介護労働者は、韓国では代表的な低賃金の仕事であり、Dirty・Dangerous・Difficultの頭文字をとった「3D」（日本でいう3K）職場ともいわれている。介護労働者の94・8％は女性で、60歳以上が全体の43・7％を占めている。月平均賃金は就業者全体の平均の57・5％に過ぎず、非正規雇用の割合は全体より1・9倍多い（キム・ウォンジョンほか 2020）。急速に高齢化が進む韓国では、介護施設の現場における担い手の確保が緊急の課題になっているにもかかわらず、こうした劣悪な労働条件によって介護現場はいつも担い手が不足している（チェ・ヒョンスほか 2018）。

宅配労働者の場合、賃金労働者と自営業者の中間に位置する「特殊雇用」労働者が多い。報酬は「宅配一件当たり単価×件数」で決められる。だが、2000年から2018年までのあいだに一件当たり平均単価が3500ウォンから2290ウォンへと大きく下落したため、既存の所得水準を維持するために宅配労働者はより多くの商品を配送しなければならず、週60時間前後の長時間労働を余儀なくされていた。また、宅配労働者の多くは個人事業主として扱われ、労働基準法の保護から外れているため、週当たり労働時間の規制からも除外されていた。このため、コロナ禍が発生した2020年には通年で15人の宅配労働者が過労死するなど、宅配労働者の労働問題がいっそう深刻化したのである。

また、配達や清掃労働者の場合、プラットフォームを介して労務を提供することが多い（ジャン・ジヨンほか 2020）。前述したように、プラットフォーム労働は雇用関係の形成自体が曖昧であることで、非正規雇用や外注・下請けといった既存の不安定就労とは根本的に異なる働き方である。プラットフォーム労働をめぐっては、既存の労働関係法制度を適用できるのか、労働組合による団体交渉の相手としての使用者は誰なのか、最低賃金を義務づけできるのか、雇用・労災保険の適用が可能なのか等が、大きな社会の争点となっていた。

4 エッセンシャル・ワーカー保護のための取り組み

90年代後半、韓国女性労働組合や韓国青年ユニオンなど、不安定就労を中心に展開されてきた新たな労働運動の取り組みを踏まえ、コロナ禍発生後はエッセンシャル・ワーカーの重要性が再認識され、これらの労働者を保護し労働条件を改善する取り組みが活発に展開された。本章に続く各章に関連する内容として、以下では自治体、宅配労働者、介護労働者をめぐる取り組みを紹介する。

(1) 自治体からの取り組み

韓国において、エッセンシャル・ワーカーの保護に初めて取り組んだ自治体はソウル市城東区である。城東区は生活政治において革新的な実践を多くおこなってきた基礎自治体のひとつである。たとえば、賃貸料の上昇のため長年地域で生活してきた住民や商店街の借家人が他の地域に移住すること（ジェントリフィケーションと呼ばれる）を防止する「ソウル特別市城東区地域共同体相互協力及び持続可能発展区域指定に関する条例」（通称「ジェントリフィケーション防止条例」２０１５年）の制定が挙げられる。

城東区が革新的実践を多くおこなうことができた背景には、鄭愿伍《チョンウォンオ》区長が学生運動を経験し、協同組合などの社会的連帯経済部門にかかわってきたことも大きく作用していたと考えられる。現在３期目の区長は、就任初期から住民に自分の電話番号を公開し、住民の「民願」（行政に政策要求を伝えること）を直接ＳＭＳで受けて応える仕組みを韓国で初めて導入した。このような姿勢が、住民の要求に速やかに対応できた要因となったといえる。

コロナ禍発生の初期、エッセンシャル・ワーカーを対象にした法律や制度が整えられていない時期から、地域内のエッセンシャル・ワーカーの「民願」に応えるため、海外事例の調査や実態調査を実施し、２０２０年９月に「ソウル特別市城東区必須労働者保護及び支援に関する条例」を制定した。同条例の制定によって、それまで一般的な用語として使われていた「エッセンシャル・ワーカー」が「必須労働者」という法律用語となり、その意味が、公共安全、介護、福祉、保育、物流、運送など「災難時にも住民の安全及び最低生活保障など、社会機能の維持のため、対面業務など勤労の継続性が維持されなければならない業種（必須業種）」に従事する者と定義された。

そして、城東区は「ありがとう！　必須労働者！」と題したキャンペーンをはじめ、さまざまな政策討論会を開催するなど、世論形成の活動も積極的におこなった。こうした城東区の働きかけによって、必須労働者の支援と保護の必要性に関する社会的な理解が広がり、必須労働者の支援と保護のための条例を制定した自治体が、２０２１年９月時点で74へと増えた（「ニューシス」２０２１年９月11日）。これらの自治体の取り組みは、のちに韓国政府が総合対策を準備し、国会において法制定を実現する背景ともなったといえる。

(2) 宅配労働者の組織化

前述したように、宅配労働者の中には個人事業者として扱われる「特殊雇用」労働者が多く、そのほとんどが労災保険や労使関係法から排除され、労働組合への組織化にも困難を抱えていた。こうしたなか、2017年「全国宅配連帯労働組合」が設立され、2019年に宅配労働者を労働組合法上の労働者と認める判決が出てからは、韓国の二大ナショナルセンター（民主労総と韓国労総）により宅配労働者を対象にした組織化が活発に展開された。

コロナ禍発生を境に、宅配労働者の問題が以前よりいっそう深刻化してからは、宅配労働者の労働組合は70の市民団体と連携し、宅配労働者の過労死問題を公論化しはじめた。たとえば2020年7月に「宅配労働者過労死対策委員会」（過労死対策委）をスタートさせ、過労死の実態調査や一般市民向けの啓発キャンペーン「遅くても大丈夫！」をおこなった。その一方で、長時間労働の問題を提起し、「生活物流サービス発展法」の制定など、法制度の改善を求めた。同委員会は2020年9月に政府与党と「宅配従事者保護措置現場点検懇談会」を開き、過労死を防ぐための社会的合意形成に向けた審議会を求めるなど、政府（国土交通部や雇用労働部）と国会に働きかけた。

この結果、2020年12月、政府（雇用労働部・国土交通部・公正取引委員会・産業資源部・中小ベンチャー企業部・郵政事業本部）と労働者側（過労死対策委）、事業者側（総合物流協会・代理店連合会）、大型荷主（韓国オンラインショッピング協会・韓国TVホームショッピング協会など）、消費者団体など、多様な主体が参加する「宅配労働者過労死対策のための社会的合意機構」が発足し、2021年1月と6月に、宅配業界の労働環境、取引構造改善などに関する合意文書を発表した。合意文書には、①ただ働き（拠点での荷降ろし、営業店分類など）を禁止し、②配送運転手が分類作業をおこなう際には最低賃金以上の適正な賃金を支給すること、③労働時間を1日最大12時間、週最大60時間に制限、さらに夜9時以降の深夜労働を制限するなどの内容が含まれた。

この合意によって宅配労働者の過労死は減り、一定程度労働条件が改善されたものの、構造的な問題として、労働基準法と労働組合法上における労働者性の適用という法制度の改善まで至らなかったことは限界として指摘されている（キム・ソンヒ 2021）。

第12章は、民主労総傘下最大の産別労組である全国公共・運輸・社会サービス労働組合（以下、公共・運輸労組）の事例である。公共・運輸労組は、中央と地方政府傘下の行政機関をはじめ、公共部門全体と関連民間部門および運輸部門で働く労働者を代表している。これには国民年金・国民健康保険などの社会保障、電力・ガスなどエネルギー、病院、学校、郵便、公共研究機関、経済社会団体、専門技術、文化芸術、清掃、施設管理などが含まれている。さらに鉄道・地下鉄、バスとタクシー、道路貨物・物流・宅配、航空部門（航空・空港）、港湾など運輸産業の全労働者が結集し、保育園、高齢者・障がい者ケアなど介護・社会サービス部門の多様な業種の労働者を組織化している。

（3）介護労働者の取り組み

介護労働は組織化が非常に困難な業種のひとつである。約36万人の介護労働者のうち約30万人がサービス利用者の家を訪問して仕事をしているため、孤立することが多く、労働者間の交流がほとんどないからである。韓国では、韓国介護士協会、韓国ケア協同組合協議会などが介護労働者を組織化しているものの、その範囲は限定的であった。

　２００８年以降、韓国女性労働組合（ＫＷＴＵ）が地域や生活空間での交流や労働相談を通じて、孤立していた介護労働者の組織化に成功してから、地域別の組織化が展開されてきた。こうしたなか、ソウル市が設立した高齢者ケア従事者総合支援センターは、介護労働者に必要な知識と専門的な訓練を提供するとともに、労働相談や地域別の集まりを運営してきた。この集まりで労働組合に関する情報を得たことをきっかけに組合に加入するなど、同センターが介護労働者の組織化にも役立ったとの評価もある（ハンギョレ新聞、２０１８年3月12日）。そのほか、２０２０年頃からは民主労総と韓国労総が、介護労働を含む社会サービスを提供する職種（介護、保育など）の組織化に積極的に取り組んできている。

5　コロナ禍に対する韓国政府の対応――エッセンシャル・ワーカーを中心に

(1)　文政権の雇用政策

　コロナ禍への対応は、２０１７年に政権を取った進歩勢力の文在寅《ムンジェイン》政権が担った。文政権は就任当初から、福祉分野において不十分な社会保険制度の充実、ケアや高齢化などの新たな社会的リスクへの対応などの課題に取り組んでいた。文政権は初期に「みんなに利用される包容的福祉国家」と「革新的包容国家」を提示したが、コロナ禍が発生した２０２０年からは、福祉国家の根幹を整備し、経済および社会政策の根本的な転換を試みるなど、社会政策をいっそう強化した。

　また文政権は、雇用保険における死角地帯に置かれていた低所得求職者、未就業青年、閉業した自営業者など、就業脆弱層を支援する「国民就業支援制度」を導入した。雇用保険と国民基礎生活保障の隙間を埋める同制度の導入によって、雇用保険―国民就業支援制度―国民基礎生活保障という形での重層的な雇用安全網が構築された（雇用労働部 2022）。

また、雇用保険の死角地帯を解消するため、すべての就業者に雇用保険を適用した。たとえば、超短時間労働者を除外する法的規制を削除し、フリーランス等に対しても雇用保険を段階的に提供し、２０２０年12月からは芸術家に対しても雇用保険が適用された。そして、12の職種（保険販売員、学習誌家庭教師、宅配労働者、信用貸出募集員、クレジットカード募集員、訪問販売員、レンタル商品の訪問点検員、家電製品の配送・設置技師、放課後学校講師〔小・中等学校〕、建設機械操縦士、貨物車の持ち主）の「特殊雇用」労働者（２０２１年７月）やバイク便配達員と代行運転手（２０２２年１月）に雇用保険が適用された（キム・ギテほか 2022）。さらに、試験事業ではあるが、一部地域の労働者と住民を対象に傷病手当の支給（２０２２年）など、社会保険の死角地帯を解消する政策を進めた。

(2) 政府による必須労働者の保護支援対策

コロナ禍発生後、必須労働者の保護を求める世論を背景に、２０２０年10月、韓国政府は「コロナ社会の必須労働者安全及び保護強化対策」、12月に「コロナ対応のための必須労働者の保護支援対策」を発表した。これらの対策では、災害が発生した場合でも、国民の生命を保護し社会の機能を維持するために欠かせない必須業務として五つの分野を特定し、各分野において困難（感染リスク、所得減少、失業の危機など）に直面している労働者を保護・支援する措置が定められた。**表４**は２０２０年12月の韓国政府の対策をまとめたものである。

表4　韓国政府の「コロナ対応のための必須労働者の保護支援対策」の概要

目標		必須労働者の保護および必須業務の継続的遂行
指針		コロナによるリスク：労働力確保、感染・労災からの保護 脆弱な労働条件：処遇改善、セーフティネットなど制度改善
総合対策		防疫支援、健康診断支援、雇用・労災保険拡大および労災保険の専属性廃止
分野別	保健医療	医療職に対する人権保護および教育の強化、教育専担看護師への支援拡大、防疫消毒担当に対する保護指針の準備など
	ケア	社会サービス院の拡大、民間のケアサービス・システムの制度化、訪問ケア従事者への支援金支給など
	運輸	代行運転手・バイク配達員に対する過度な費用負担（保険料、事故の自己責任など）を改善、「宅配従事者過労防止対策」など
	清掃	大容量ゴミ袋の使用制限、医療廃棄物およびリサイクルの回収・支援金の引き上げ、古い施設の改善、健康診断拡大など
	その他	コールセンターなど脆弱な労働環境の職場を対象に労働基準および産業安全の監督

（出典）雇用労働部「コロナ対応のための必須労働者の保護支援対策」（2020年）に基づき筆者作成。

（3）「必須業務指定及び従事者保護・支援に関する法律」の制定

一方、国会では２０２１年５月、「必須業務指定及び従事者保護・支援に関する法律」（以下「必須労働者保護法」）が制定された。同法は必須業務と必須労働者について定義し、必須業務の指定、従事者支援委員会の設置など、基本的な枠組みを定めた法律である。同法で注目すべきは、必須労働者の範囲を労働基準法が定める労働者に限定せず、「労務を提供する者」とすることで、これまで雇用保険や労災保険といったセーフティネットから排除されていた個人事業主やフリーランスなど「特殊雇用」労働者を適用範囲に含めたことである（脇田 2021）。さらに、必須労働者の安全と健康の保護を国や自治体の責任として明記したことも注目される。

だが同法は、適用できる条件が「災害、災難の時」に限定されている点、必須労働者の範囲を定める地域委員会に労働者代表の参加が十分に保障されていない点、必須労働者の困難を生み出す労働市場の二重構造の解消には至らなかった点は、限界として指摘されている（民主労総 2021）。

おわりに――ポスト・コロナ時代における労働運動

韓国における不平等を深刻化させ、社会の危機をもたらす主な要因とも言われる不安定就労の増加に対し、市民社会では新たな労働運動が登場し、不安定就労層の問題に市民運動が連携するなど多様な取り組みが試みられてきた。こうした試みは、キャンドル市民革命以後、労働運動に好意的に変わった社会の雰囲気の中で、民主労総や韓国労総など労働組合が不安定就労層を組織化する土台となった。

また、２０００年代以降本格化した地方分権を背景に、協同組合など社会的連帯経済運動が韓国各地で成長したが、こうした動きは２０１０年以降、障がい者支援、保育・教育、介護、地域福祉サービスなどの分野において各地域自治体のガバナンスへの住民参加につながった。コロナ禍では、城東区が先んじてエッセンシャル・ワーカーの問題に取り組み、ソウル市が介護労働者を組織化したのは、こうした社会的連帯経済運動の流れを背景にしている。

アジア通貨危機以降、不安定就労層をめぐる労働および福祉政策にかかわってきた市民運動は、とりわけコロナ禍のなか、エッセンシャル・ワーカーの保護に対する社会的なコンセンサスを形成し、社会サービスに対する国の責任を拡大していく際に大きな影響力をもったといえる。だが、ポスト・コロナ段階に入る時期に登場した尹錫悦《ユンソンニョル》政権は、社会サービス政策において民営化を積極的に進めるとともに、非正規雇用を拡大し、ケアに対する国の責任を縮小する政策を進めている。何より、労働者の団結権だけでなく既存の労働組合の団体行動権をも否定する発言や政策を進めることで、労働運動全体からの反発を引き起こしている。今後、これまで勝ち取った権利を守り、安心して働き、安定して生活できる労働環境をつくるため、韓国の労働者たちがどのように団結し行動するかに注目してほしい。

参考文献

日本語

金美珍（2018）『「周辺部」労働者の利害代表』晃洋書房

脇田滋（2021）「第63回　コロナ禍とエッセンシャル・ワーカー保護の課題を考える（2）韓国で『必須労働者保護法』制定」『脇田滋の連続エッセイ』https://hatarakikata.net/15739/（２０２３年12月15日最終確認）

韓国語

イ・ジャンウォン、ムン・ジンヨン（2008）『福祉システムと労働システムの整合性』韓国労働研究院

イ・ソンヒ、ジョン・ジンホ、キム・ドンベ（2022）『労働市場の二重構造改善と労使関係の革新方案』韓国労働研究院

キム・ウォンジョン、イム・ヨンギュ（2020）「Covid-19をきっかけに振り返ってみたケア労働の現住所：２００８〜２０１９——介護労働者の規模と賃金変化を中心に」『KWDI Brief』第57号

キム・ソンヒ（2021）「宅配労働者過労死対策社会的合意の意味と限界」『イウムコラム』政策研究所イウム

キム・ギテ、リュ・ジンア、カン・ジウォン、ノ・ヒョンジュ、チョ・ソンウン、ヨナグン、イ・ウォンジン、オ・ウクチャン、アン・ヨン、ヨ・ユジン（2022）『文在寅政府と福祉国家』韓国保健社会研究院

ジャン・ジヨン（2020）「すべての国民に雇用保険か、基本所得か——デジタル資本主義時代の選択は？」『ピレンチェの食卓』２０２０年６月４日　https://firenzedt.com/7144（２０２３年12月15日最終確認）

ジャン・ジヨン、ファン・ドクスン、ウン・スミ、イ・ビョンフン、パク・ジェソン、ジョン・ビョンユ（2011）『労働市場構造と社会保障制度の整合性』韓国労働研究院

ジャン・ジヨン、イ・ホグン、チョ・イムヨン、パク・ウンジョン、キム・グンジュ、Enzo Weber（2020）『デジタル時代における雇用安全網――プラットフォーム労働拡散への対応を中心に』韓国労働研究院

ジョン・ホンウォン、イ・ウンソル、キム・ウンテ、シン・ドンミョン、イ・テス、ジョン・ヘジュ（2020）『ポスト・コロナ時代における社会保障政策の方向と課題』韓国保健社会研究院

チェ・ヒョンス、ペク・スンホ、ジン・ジェヒョン、コ・グンジ（2018）『第四次産業革命対応のためのデータ主導の革新的包容社会安全網改編方案』韓国保健社会研究院

ノ・ジュンギ（2008）『韓国の労働体制と社会的合意』フマニタス

パク・ウンジョン（2020）「プラットフォーム労働者と雇用・労災保険制度」『法学論集』第25巻2号

統計庁（2020）「２０２０年8月付加調査経済活動人口調査勤労形態別付加調査」

韓国政府関係部署合同（2020）『コロナ社会の必須労働者安全及び保護強化対策』２０２０年10月

雇用労働部（2020）「コロナ対応のための必須労働者の保護支援対策」２０２０年12月

雇用労働部（2022）「施行2年目の『国民就業支援制度』確実に定着させ成果を出します」２０２２年1月4日、雇用労働部報道資料　https://moel.go.kr/news/enews/report/enewsView.do?news_seq=13138

民主労総（2021）「[論評] 必須労働者保護支援法の国会本会議通過に対する民主労総の立場」２０２１年4月30日

ソウル市城東区「ソウル特別市城東区必須労働者保護及び支援に関する条例」２０２０年9月10日

ニューシス「[城東区ＮＯＷ] 一年を迎えた必須労働者条例――労働者の権益保護の先頭」２０２１年9月11日

ハンギョレ新聞「ほとんど『一人仕事』、介護労働者、組織化して自分の声を」２０１８年3月12日

11章 なぜソウル市城東区はエッセンシャル・ワーカー条例を制定したのか

鄭愿伍（チョン・ウォンオ）

ソウル特別市城東区区長（2014年〜現在）。麗水《ヨス》出身。学生時代に民主化運動で活躍。国会議員補佐官などを経て2014年に城東区区長に当選。2020年10月に全国初の「必須労働者保護条例」を制定。「共に民主党」必須労働者タスクフォース地方政府推進団長を務め、「必須労働者保護法」制定に尽力した。

1　コロナ禍における労働者の現実

ソウル市城東区で推進されたエッセンシャル・ワーカーの保護および支援政策について、区長の立場から述べたい。

2020年1月から広がりはじめた新型コロナウイルスは、3月から5月までのあいだ、より急激に拡大した。韓国は「K-防疫」と言われるほど、新型コロナウイルス感染拡大に初期段階で適切に対応したと評価されている。「K-防疫」の核心は「恐慌（パニック）」「買い占め」「封鎖（ロックダウン）」がない（三無）なかで防疫が進められたことに意味がある。

韓国で買い占めや封鎖などがなく、社会活動が停止せず維持できた理由とは何か。これに対する答えには、まず医療従事者の献身的な努力が挙げられるだろう。だが、私たちが気づくべきは、医療従事者だけでなく、宅配、介護、公共交通といった分野の労働者たちが、見えないところで業務を止めず努力してくれたおかげで、私たちの社会活動が維持できたことである。

買い占めが起きなかったのは、生活用品を各家庭まで届けてくれる配送システムがあったからであり、これは宅配労働者がいたからこそ可能となった。また、家に子どもや高齢者、あるいは障がい者や認知症など心身の不自由な方々がいる場合は、この方々をケアするシステムがあったからこそ、私たちが家でケアに従事することなく職場に通えた。それはケア労働者がいたから可能になったのだ。さらに公共交通を利用して通勤できるのも、タクシー、バス、コミュニティバスなど公共交通機関に従事する労働者がいたからこそである。こうした人々の労働によって、私たちは日常生活を停止せずに過ごすことができた。

上記のように、「K-防疫」の隠れた英雄として、社会システムを維持する必須の業務を続け、高い社会的価値を創出していたにもかかわらず、これらの労働者の現実は劣悪であった。医療従事者、社会福祉および介護労働者、宅配・物流従事者らは、感染の危険にさらされながらも働かなければならなかった。そして、医療従事者を除き、大部分の労働者は最低賃金レベルの賃金や不安定な雇用形態といった労働市場における低い地位によって、経済的にも困難な状況に置かれていた。これらの労働者は、コロナ禍という危険の中で働いていることに比して、経済的補償も身体的保護もないうえに、防疫のもっとも基本であるマスクや防護服についても差別を受けていた。たとえば、コロナ陽性患者がいる隔離病室を主に清掃し週6日働いていた病院の清掃労働者に対して、コロナ禍初期には最低限の保護装具であるマスクすら1週間に3枚しか配布されなかったなど、必須的な業務に従事する労働者を社会的に差別するケースも起きていた。

2 城東区の取り組み

こうした状況に対し城東区は、これまで社会に貢献してきたエッセンシャル・ワーカーに対する恩返しをし、またこれからのコロナ危機を解決するためにも、エッセンシャル・ワーカーの処遇の改善と保護および支援をおこなう必要があると判断し、その政策を模索しはじめた。だが当時はまだエッセンシャル・ワーカーに関連した法律がなかった。関連した法律がない状況で、地方自治体が何らかの対策をおこなおうとする場合には条例が必要になる。ということで城東区は条例の制定に着手した。

その第一歩として、まず海外事例を調査した。これは、当時まだ韓国では必須業務に従事する労働者の名称や概念が整理されていなかったからである。海外の事例調査を通じて、イギリス、カナダ、米国などでは「エッセンシャル・ワーカー」または「キー・ワーカー」という名称で、これらの労働者に対するキャンペーンや業務支援事業などがおこなわれたり計画されたりしていることがわかった。

こうした海外調査の内容を踏まえ、城東区はエッセンシャル・ワーカーやキー・ワーカーの概念を整理し、韓国語で「必須労働者」という名称を初めて定めた。そして約4か月間の研究と準備過程を経て、9月に「必須労働者保護及び支援に関する条例」を制定した。条例は、その目的とともに、必須労働者に関する概念の定義と条例の適用範囲、実態調査の実施、基本計画策定（5年ごと）、支援事業、調査計画を推進する委員会の構成と、中央政府と地方自治体との協力体系を構築するなど、15の条文で構成された。

城東区の条例では「必須労働者」を公共の安全と管理、介護、福祉、保育、物流運送などが災害時に

表1　城東区における必須労働者の現状

分野（業種）		職種	人員数	管理部署
保育	保育園、地域児童センター等	園長、担任教師、延長保育教師、調理師、3～5歳課程補助教師、補助教師、保育助手、シッター	1,723	女性家族課
介護	老人福祉センター等	代表者、管理職、運転手、調理師、栄養士、介護士、理学療法士、看護師、生活支援士、障がい者活動支援士、社会福祉士、リハビリ教師、通訳士、作業療法士、その他	2,652	高齢障がい者福祉課
	介護センター	代表者、生活福祉士、介護士、調理師、事務員	149	児童青年課
福祉	自立支援センター等	代表者、管理職、相談員、栄養士、生活福祉士、生活指導員、事務員、管理人、調理員、設備技師、介護士	131	基礎福祉課
	福祉館等	社会福祉士等従事者	69	福祉政策課
保健医療	中小規模病院・医院	清掃員、管理員、調理師、その他	96	保健医療課
運輸	コミュニティバス	運転手	131	交通行政課
共同住宅	共同住宅	清掃員、管理員（警備員）	1,757	共同住宅課
総　計			6,708	雇用課（総括）

も社会機能を維持できるよう、国民の生命と安全を守るための労務に従事する者と定義している。そして、これに該当する分野として保育、介護、福祉、保健・医療、運輸、共同住宅を指定した。条例制定後、城東区は区内における実態調査をおこない、区が定めた定義と分類に該当する必須労働者が約６７００人働いていることを明らかにした（**表1**）。

実態調査に基づき城東区は、必須労働者の健康と安全保護ための支援事業をはじめた。まず、必須労働者約６５００名に対し優先的に感染防止用安全装備を配布した。一人当たり一日一枚程度の使い捨てマスクを１３５万５６０枚、手指消毒剤７万５９９２個など、感染保護具を４回に分けて配布した。さらに、必須労働者が安全に働けるよう迅速なワクチン接種を中央政府に提案した。具体的には、ワクチン優先接種対象者の拡大指定を政府に建議し、自治体の３回目の任意接種の際に、共同住宅管理員（警備員）と清掃労働者が優先的に接種できるようにした。また、ワクチン優先接種対象者の接種時期を早めるよう政府に建議したことが反映され、第３四半期予定であった教育・保育施設従事者が第２四半期へと変更された。ワクチンの優先接種にあたり、一次と二次の接種間隔を狭めるために、一次接種と異なるワクチン種への変更を建議し、反映されたこともその成果として挙げられる。

中央政府に対する取り組みだけでなく、城東区内の必須労働者を誰ひとり取り残さないための努力として、城東区内の体制を総括部署（雇用課）—必須業種管理７部署（高齢障がい者福祉課ほか）のように整備し、必須労働者に常時対応できるようにした。これらの部署で必須労働者の現状を詳細に把握し分析することで、ワクチン接種の死角地帯を発見し、優先接種対象者として反映することができた。

さらに、必須労働者に対する認識の改善と、必須労働者が一般の人よりワクチンを優先的に接種できるようにするため、「ありがとう！　必須労働者！」キャンペーンを展開した。こうしたキャンペーンを展開した背景には、区のレベルですべての必須労働者をカバーできない現実があった。たとえば電車や市内バスは広域市を範囲としており、宅配便や物流は全国を単位としていたため、広域自治体や政府との協力がかならず必要であった。そこで、私たちがキャンペーンを展開し、他の自治体とともに協力しようと提案したのである。その結果、水原《スウォン》市長、全羅北道《チョルラブクド》知事、論山《ノンサン》市長等、全国約４００名の自治体首長および機関長がキャンペーンに参加した。そのほか、駐韓米国商工会議所会長をはじめ駐韓米国大使代理、駐韓ＥＵ大使、駐韓オーストラリア大使、駐韓ニュージーランド大使など世界各地の外交官らも参加した。そして、地域社会で住民も互いに応援し自発的に参加することで、「ありがとう！　必須労働者！」キャンペーンのブームを巻き起こしたのである。

　キャンペーンの一環として、積極的な言論活動をおこなった。マスコミを通じた活動と新聞や雑誌への寄稿、討論会やカンファレンスなどを開いて、一般の人々の関心を喚起するために努力しつづけた。具体的には、「牧民官クラブ」10周年記念国際フォーラムオンライン討論会（２０２０年9月11日）、全国社会連帯経済地方政府協議会「コロナ時代の労働と社会的経済トークコンサート」（9月16日）、国会「必須労働者のための政策および制度づくり」討論会（10月6日）、大統領府社会サービス院介護労働者懇談会（10月8日）、ソウル市人権カンファレンス「必須労働者支援条例事例発表」（12月7日）などのシンポジウムを開催し、積極的に参加した。その結果、中央政府と広域市をはじめ全国の各自治体の参加を引き出すことができた。

　必須労働者のための城東区の取り組みは、現行法では対応できない社会問題が地域社会で発生した際に、中央政府と国会の決定をただ待つのではなく、自治体が率先してその対策を模索したことで注目される。とりわけ、行政現場に責任を持つ基礎自治体が、地域住民とのコミュニケーションを通じて解決

図1　城東区の条例から法制定まで

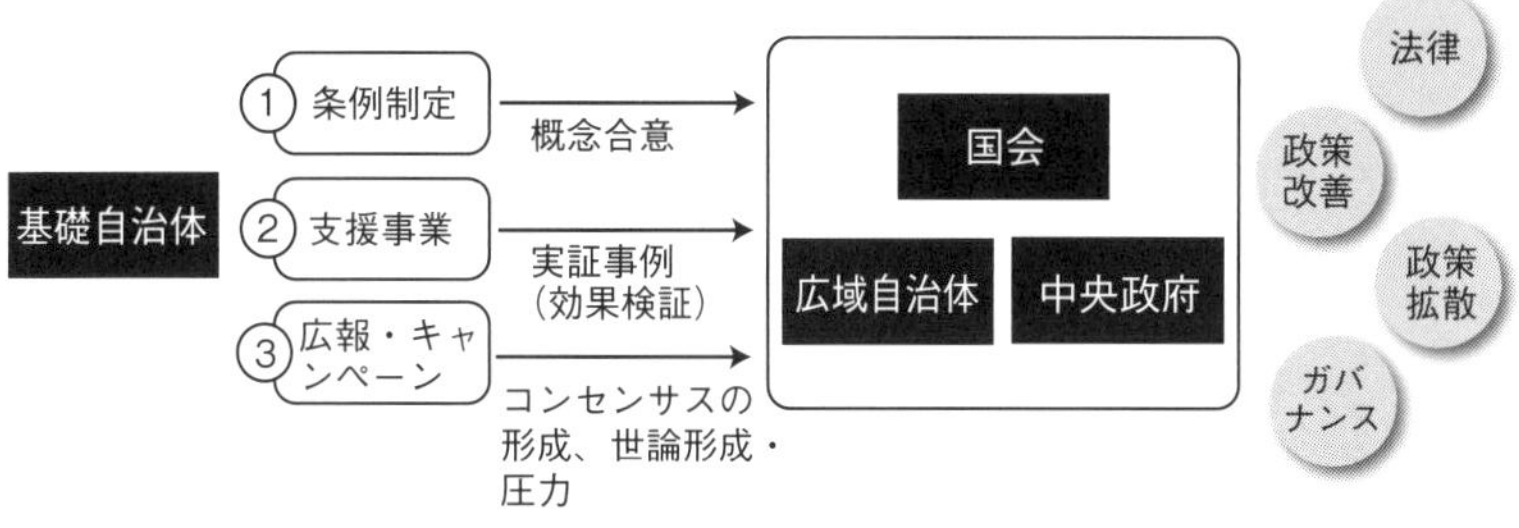

策を決定し、これを反映した条例を制定することは、新たな取り組みとして注目された。こうした取り組みのシグナルを受け止め、広域自治体や中央政府および国会が、現実に合わせて現行法と制度の改正をした経験は、今後の社会問題への対応にも活用されていくと思われる。

3　城東区条例の成果

こうした城東区の取り組みによって、韓国では必須労働者に対する認識が変わり、これらの労働者を保護し支援するための政策が全国的に展開されるようになった。その具体例として、当時の与党（共に民主党）代表と文在寅大統領が、城東区の必須労働者政策に深く共感し、同様の政策が全国的に実施されることを望むと意見を公表したことが挙げられる。大統領制の韓国では、ある政策が全国に拡大するためには「党・政・青」間の会議体がとても重要である。「党」は与党、「政」は政府、「青」は青瓦台（大統領府）を指す。こうした重要な会議体で、必須労働者の保護および支援について検討されるとともに、立法化を進め、政府の政策として推進することが決議された。この決議に支えられ、城東区条例が制定された8か月後の2021年5月末に、国会で必須労働者を保護する政策が法制化され、全国的に施行されるようになった。

法制化の過程において、政府は必須労働者のための省庁横断タスクフォースを構成し、政策が全国の自治体と合同でおこなわれるように、合同相談会や会議を開催した。その際、城東区はタスクフォースに参加したり、多くの必須労働者の権利保護に関する議論に参加したりし、全国の地方自治体による必須労働者保護の法制化のための推進団の中で団長を務めるなど、城東区の経験を他の自治体と共有した。

こうした取り組みの結果として、必須労働者のための一次支援金と、前述した必須労働者に対するワクチンの優先接種が決定された。そして、必須労働者保護法が制定され２０２１年11月19日から施行された後は、必須労働者のための安全手当の新設と、労働条件および労働環境の改善という課題に取り組んでいる。私たちは、エッセンシャル・ワーカーが創出している高い社会経済的価値に報いることが必須労働者政策の核心であると考えており、今後はよりいっそう努力していきたい。

4　コロナ収束以降、最近の状況

城東区が「必須労働者保護及び支援に関する条例」を制定した後、全国の多くの基礎・広域地方自治体でも同じ内容の条例が制定された。国会でも「必須業務指定及び従事者保護・支援に関する法律」が制定されたことは、地方自治体ではじまった政策が国の法律として法制化された初の事例といえる。

２０２３年現在、城東区は必須労働者の保護と支援のための事業を続けている。城東区は２０２３年3月から7月まで、必須労働者の権利保護および公共サービス強化のための持続可能な政策を準備するために、城東区内の必須労働者の賃金実態調査および賃金体系改正に向けた研究を実施した。同年4月、基礎自治体としては初めて必須労働者の賃金実態について全数調査を実施した。城東区における402の事業場、約6400人の賃金実態と雇用形態などを調査し、アンケート調査および深層面接調査（FGI）などを実施した。

そして5月には、必須労働者の労働環境だけでなく、政策に対する認識調査も進めた。これは、前回に続き、新たな必須労働者の保護支援政策を準備する事前作業である。また、労働環境が劣悪な必須労働者や、プラットフォーム労働のように移動しながら勤務する労働者など、誰もが勤務中に休める「城東区の必須・プラットフォーム労働者のための休憩所」を7月に開所した。ここには冷暖房、マッサージ機、ソファ、一人掛けの椅子、コンピュータおよびプリンター、デジタル掲示板、飲料冷蔵庫、コーヒーメーカーと流し台などの設備がある。そして月4回、労務・税務・健康などについての相談会も用意している。必須労働者が社会の機能を維持する大切な労働を担っているという認識を、これらの労働者が尊重される空間をつくることを通じて表したかったのである。

何より励みになるのは、城東区からはじまった必須労働者を尊重するための政策が全国的に広がっていることである。京畿道《キョンギド》でも2021年に制定された「京畿道必須労働者支援に関する条例」の改正作業を推進し、副知事を委員長としていた既存条例を、道知事が引き受けるよう格上げし、必須労働者を持続的に支援する方向への改正案を推進している。仁川東区議会でも「必須労働者政策研究会」を2023年8月に発足させ、本格的な活動を開始した。全国の広域・基礎自治体と議会が中心となって、地域の特色と条件に合わせ、必須労働者の保護と支援のための活動に取り組んだことは、変化の重要な土台になると期待できる。

ただし、ひとつ懸念されることは、大統領選挙が終わって尹錫悦政権がスタートしてから1年半が過ぎたものの、中央政府と労働の主務部署である雇用労働部では、これまでの必須労働者の保護と支援の政策が持続されていないことである。広域・基礎自治体の側から良い変化のための土台を形成することも重要だが、中央政府がその流れを受け継ぎ、より良い段階へとつなげていくことも重要である。2024年4月の国会議員総選挙が近づいている。城東区が提起した労働者尊重政策、必須労働者の保護と支援のための政策など、暮らしの変化をつくる政策競争で、有権者に評価される「効能感のある政治」「有能な行政」が一日も早く戻ってくることを期待する。

（抄訳＝金美珍）

12章 運輸分野におけるエッセンシャル・ワーカーの実態と労働組合

スヨル

全国公共・運輸・社会サービス労働組合政策企画局長。貨物運送労働者の労働組合である貨物連帯本部で活動をはじめ、政府委員会や対政府交渉に参加し制度改善や政策提言に力を入れてきた。公共・運輸労組でも運輸部門の政策を担当し、14の市民労働団体で構成する「公共交通ネットワーク」の政策委員としても活動している。

本章では韓国の運輸分野における必須労働者の実態と対応について述べる。まず、新型コロナウイルス感染症が必須労働者、とりわけ運輸分野の労働者にどのような影響を及ぼしたのか、そして労働組合はこれにどのように対応したのかについて述べていく。その後、運輸分野で生じた問題を検討し、最後に韓国の「必須労働者保護法」について労働組合の立場から評価する。

1 運輸分野におけるコロナ禍の影響

コロナ禍によって旅客需要が急減し、物流量が急増した。これは交通部門の労働者には深刻な雇用危機を、物流部門の労働者には安全と健康上のリスクをもたらした。たとえば、２０２０年に19人の宅配労働者が過労死した。その原因として、宅配物を仕分けするスタッフの不足、配送荷物の増加、重い荷物の押し付け、残業のプレッシャーなどが指摘された。そして宅配労働者の場合、オンラインショッピングの爆発的な増加により、一時間あたりの処理すべき件数が増加した。これによって宅配労働者の一件当たり配達時間は非常に短くなり、長くても十数分以内に配達を終えなければいけなくなった。深夜や早朝に配達をすることで有名な韓国のオンラインショッピング企業「クーパン」の配達員の場合、早朝宅配時間の間隔は平均5分以内といわれていた。

さらにコロナ禍の長期化によって、障がい者や地域住民などが交通手段を利用し移動する際に不便が生じたり、自由に利用できないといった不均衡の問題と、物流部門における質の低い雇用という構造的な問題が浮上した。当時、労働組合の調査では、仁川空港の若手労働者が離職を考える理由として、低賃金（36・4％）、長時間労働（21・2％）、上司のパワハラ（18・6％）などが指摘され、低賃金が離職を考える理由のトップであることが明らかになった。こうした一連のできごとの影響を受け、韓国では、普遍的権利として平等で安全な移動権を保障するには、安全と労働権を保障する良質な雇用が必要であることへの認識が高まった。

2　コロナ初期の韓国政府の対策と労働組合の対応

(1)　初期の混乱と宅配労働者からの問題提起

コロナ発生後、韓国政府は運輸部門に従事する労働者に向け「事業場における新型コロナウイルス対

写真1　宅配労働者の特性を反映した防疫対策を求めるオンライン記者会見（2020年2月27日）。当時、韓国初のオンライン記者会見であった

策ガイドライン」など、多様なコロナ対策を発表した。ガイドラインの主な内容は、工場や会社など、物理的に限られた建物の中といった一定の空間での感染を予防し抑止することに焦点が当てられていた。そのため、複数の場所を巡回し不特定多数と接触する宅配労働者は、その射程に含まれていなかった。結果的に、宅配労働者には感染予防のための物品が支給されないまま、対面での配送が続いた。宅配労働者は多様な場所に行き、多くの人々と接触した。ＤＨＬ、ＦｅｄＥｘ、ＵＰＳなどの国際輸送労働者たちは、医薬品と医療用品を運ぶため、感染リスクの高い病院を訪問していた。だが、きちんとした感染対策がとれなかった初期の頃には、誰も防護具を着用せず、感染の危険がある病院の中に入ったりもしていた。料理を配達する労働者は、マスクがないまま対面でお店やお客と継続して接触していた。郵便配達には「書留」があり、これはかならず受取人に直接渡さなければならないと法律で定められている。そのため配達中に配達員と受取人が接触し、確

認のために端末機やペンなどで頻繁にやりとりすることになり、接触がくりかえし起きていた。

こうした危険な状況について、宅配労働者らが自ら声をあげ、問題を提起しはじめた。2020年2月、宅配労働に特化したコロナ対策を求める記者会見を開いたのである（**写真1**）。この記者会見は、オートバイ・ライダー・ユニオンと全国公共・運輸・社会サービス労働組合（以下、公共・運輸労組）が共同で主催した。宅配労働者らは、自分たちの感染リスクも心配であったが、多様な場所で多様な人に会うので、自分がコロナウイルスを運んでしまうのではないか、地域社会に感染症を広げるのではないかと心配していた。そのため記者会見では、宅配労働の特性を踏まえたガイドラインを策定すること、感染予防物品を支給し、非接触型配達を拡大すること、感染対策措置を実施すること、自主隔離の対象となった労働者に対し生計支援策を実施することを主に求めた。こうした要求に対し、国土交通部は2020年4月、宅配労働者の安全と待遇の改善についての勧告を発表した。また郵政事業本部は、書留郵便を非対面配達ができるように郵便法の施行令を改正した。

(2) 宅配労働者の問題と労働組合の対応

政府の対策にもかかわらず、宅配労働者が多く働く物流センターで集団感染が発生した。コロナ禍に対する政府規制が拡大していくなか、オンラインなど非対面での取引の増加にともない配達商品を取り扱う物流センターで働く労働者も増えていた。2020年5月、前出のオンラインショッピング企業クーパンの物流センターでクラスターが発生した。そこは密集・密接・密閉の「三密」の環境にあり、当時約3600人の労働者のうち152人が感染した。このケースは当時まだ珍しい規模の集団感染であった。

図1　給食調理員を対象に実施したアンケート調査の結果（2020年6月30日）

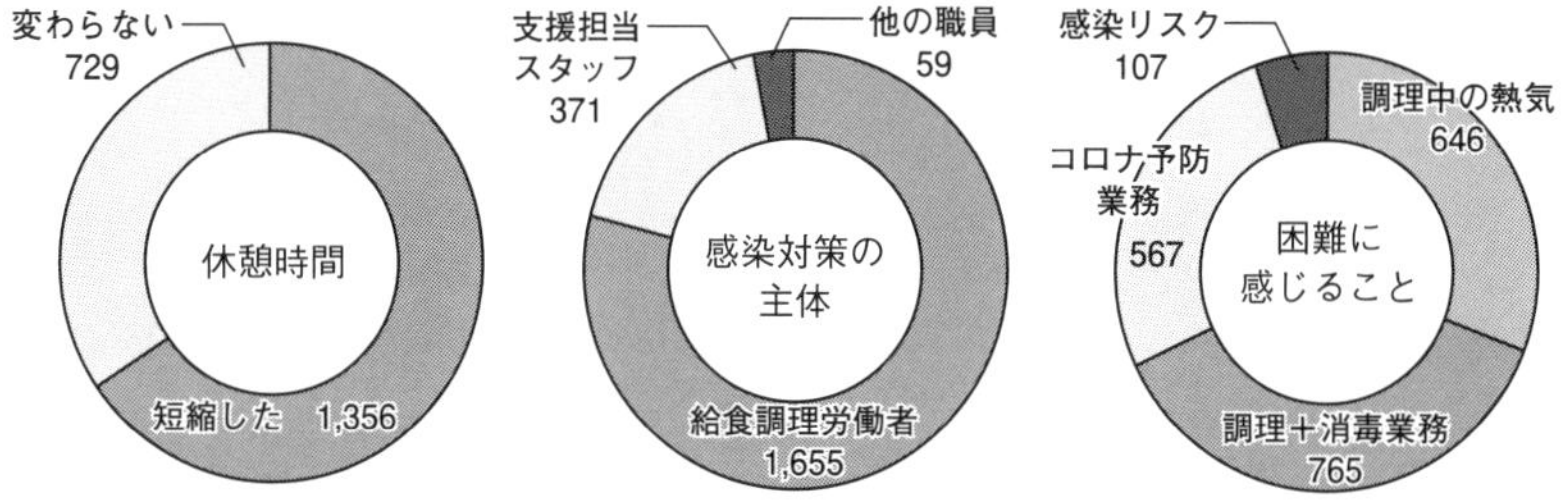

コロナ禍で宅配労働者が抱える問題は、クラスターの発生に終わらず、死亡事故にまでつながっていた。先述のクーパンという一企業だけで２０２０年3月からの1年間に8人の労働者が死亡した。クーパンは夜間配送サービスをおこなっており、消費者がサイトで購入した商品を翌日の午前7時までに配送する。物流の商品が増えれば、同じ時間内で処理すべく仕事量も増加し、時間当たりの労働強度が非常に高くなる。さらに、夜間労働が健康に深刻な悪影響を及ぼすので、安全面でも危険性がある。

ちなみに、クーパンの物流センターで起きた3件目の死亡事故は、物流と直接関連する業務に従事する労働者ではなく調理補助員であった。配送量が増えると物流センターの業務が増加し、食堂の業務も増えるうえ、消毒の必要から仕事量が激増していたのである。**図1**は２０２０年6月に、労働組合に所属する調理業務の担当者を対象に実施したアンケート調査の結果である。休憩時間は短くなり、消毒はほとんど調理員が責任を担わなければならず、調理以外の業務が増えたことがわかる。亡くなった調理補助員も、このような状況にいたのである。

コロナ禍の中で労働が強化された問題は、民間の宅配部門だけでなく郵便局でも発生した。コロナ禍発生後、郵便局でも配達量が増えていた。量だけでなく大型で重い荷物が増え、法律違反ではないかと思われるほ

写真２　クーパン物流センターでの労働者死亡事件に対する記者会見

写真３　クーパン労働組合結成記者会見

ど多くの荷物を積んで回るバイクが頻繁に見かけられた。配達を担う人手も足りなかったので、現場の配達員の労働時間は当然長くなった。２０２０年の１年間だけで19人の配達員が死亡した（勤務中の交通事故１人、他の事故２人、脳心疾患６人、がん５人、他の疾患２人、自殺３人）。原因はさまざまであるが、スタッフの不足、重い配達物の増加、過度な荷物量、残業のプレッシャーなど、そのほとんどが人手不足と劣悪な労働条件に深く関連していた。

こうした問題に対し、私たちの労働組合は市民社会団体とともに、物流センターの労働現場と人権状況に関して実態調査を実施した。その結果に基づいて、シンポジウムを開催し、死亡事故に対し企業が責任を負うことを求める記者会見を開き、その企業を告発した。また、物流センター労働者を組織化して新しく労働組合を結成し、労働者が現場で感じる問題に対し直接会社と交渉を進めた（**写真２・３**）。さらに政府に対しても、過重労働を防ぐためのスタッフ増員と適正な基準づくりなどの制度改善を求めた。物流労働者が長時間、危険な状況のもとで働かなくてもいいよう、配送量の見直しを求めるデモもおこなった。

（３）運輸労働者の問題と労働組合の対応

コロナ発生後に業務が急増した物流や配達部門とは異なり、交通部門では旅客需要が大幅に減り、雇用が危機にさらされていた。交通部門の利用量は２０１９年と２０２０年のあいだで大きな差があった（**図２**）。韓国では公共交通機関の封鎖はなかったものの、感染の危険があるとして、バスや電車を使う人が急激に減った。運賃収入が減ったため、事業者や自治体の財政は悪化し、解雇される労働者が続出した。航空業界の状況はさらに深刻で、国際線は壊滅的ともいえる打撃を受けていた。感染拡大のために運行

図2　2020年の公共交通機関の利用量の推移

（単位：万件／日）

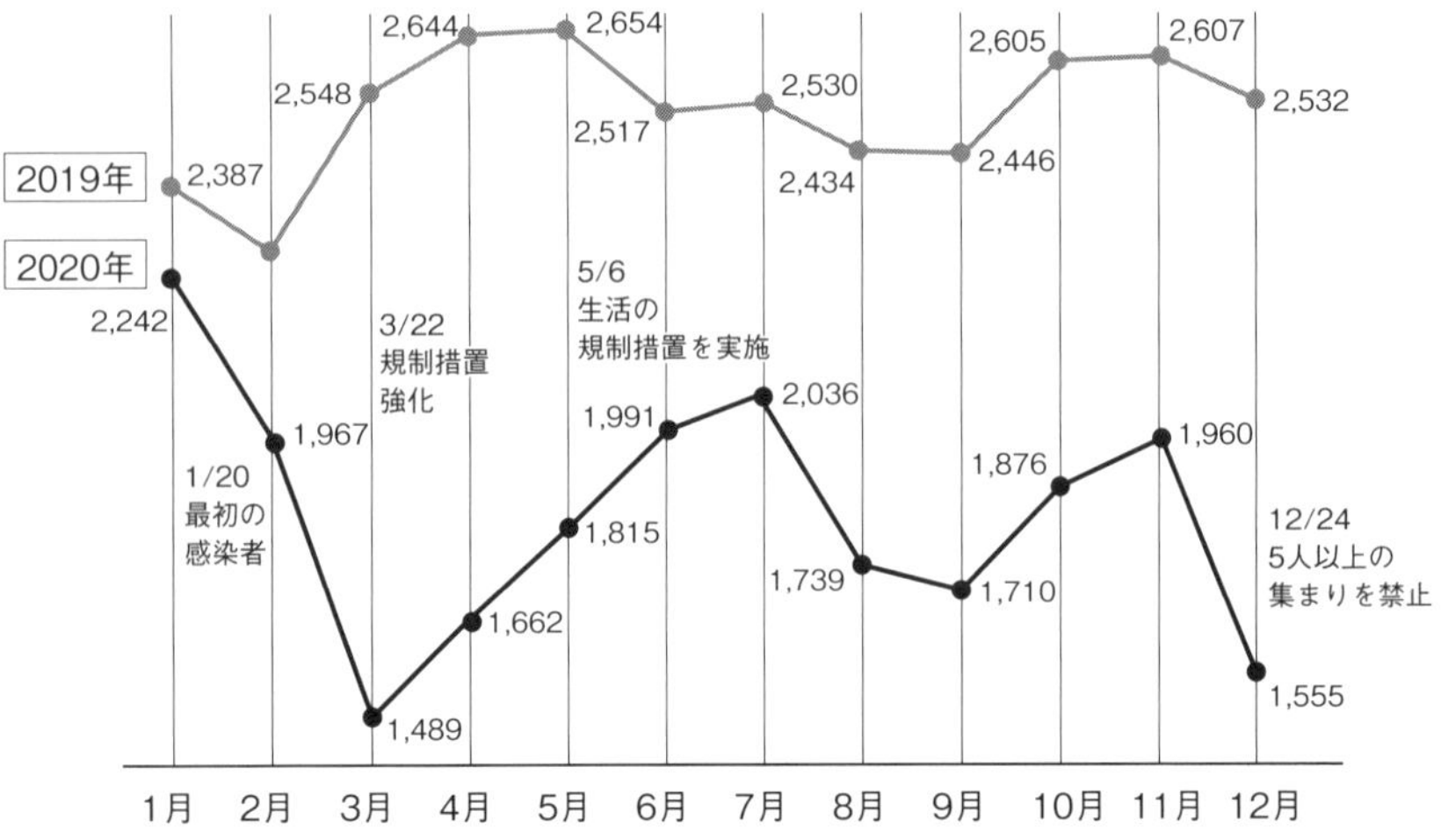

（出典）国土交通部「交通カードビッグデータ分析結果」2021年3月23日報道資料。

図3　航空旅客需要の推移

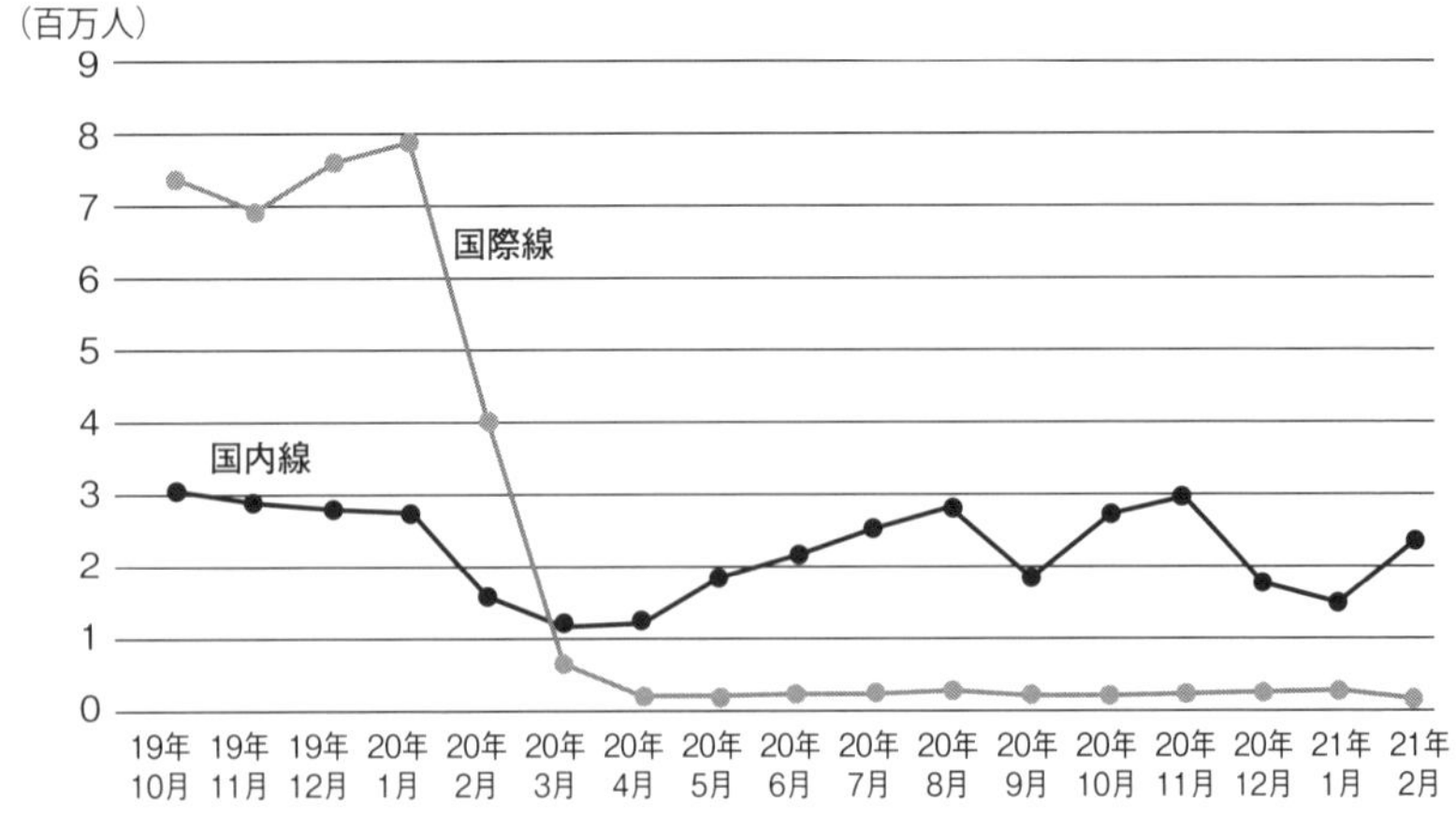

（出典）国土交通部『航空統計』。

を停止する直前の2020年1月とその1年後を比較すると、旅客需要は98％減少した（**図3**）。

旅客需要の急減により、労働者は雇用危機に直面した。整理解雇や契約解除される労働者が増えてきた。こうした問題に対し、労働組合はリストラを阻止するための闘争をおこなった。公共・運輸労組に「空港航空の雇用安定を勝ち取るための闘争本部」、民主労総に「仁川空港・航空・免税店の労働者の雇用危機対策会議」を立ち上げて活動した。そして、航空会社と政府に対し、雇用維持支援制度・基幹産業安定基金の改善と雇用危機地域の指定を求めるとともに、航空労働者の現実を知らせるためのデモや記者会見、集会などを開き、今後の航空産業の政策転換において政府と国会の役割を要求するシンポジウムを民主労総とともに開催した。

3　運輸部門の労働者が抱える構造的な問題

運輸産業における構造的な労働問題として、以下の点が指摘できる。

第一に、低い運賃と一件あたりの低収入である。宅配労働者の場合、そのほとんどが事実上、個人事業主として扱われ、労働法から排除されている。これらの労働者は固定賃金ではなく、宅配一件当たりの手数料を受け取っている。問題は、その手数料が非常に低いため、長時間かつ多くの荷物を運ばなければ到底生計を立てることができない点にある。**図4**のように、多くの労働者は昼食をとる時間もなく、昼食を抜いたり、10分以内といった短時間で食べている。

第二の問題として、スピード配送に向かう競争が指摘できる。具体的な例として、前述のオンライン

図4　宅配労働者が昼食をとる時間

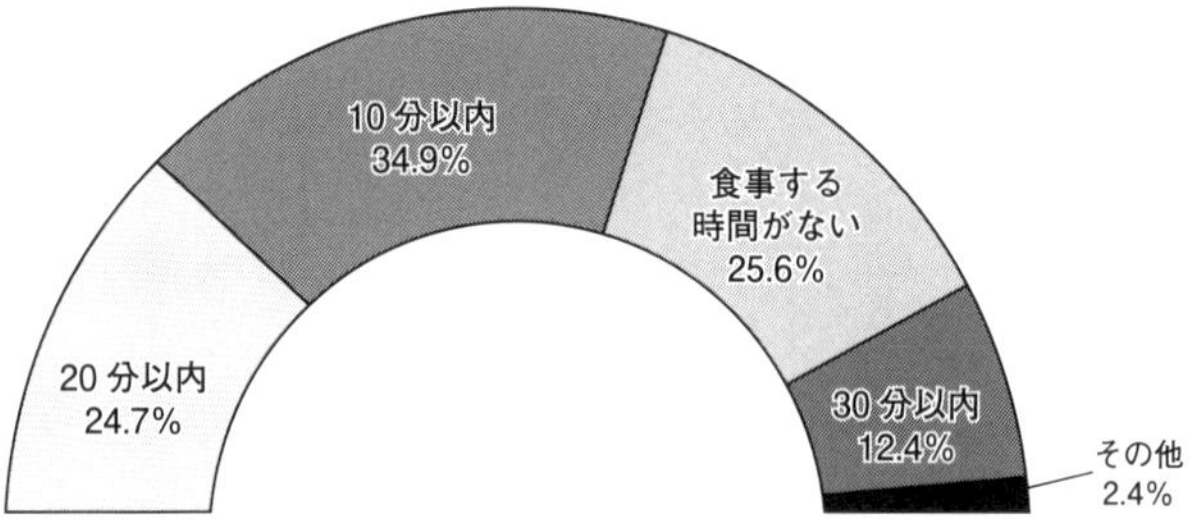

表1　夜間労働者の労働記録

配送順	配達完了時刻	配達間隔	配送順	配達完了時刻	配達間隔	配送順	配達完了時刻	配達間隔	配送順	配達完了時刻	配達間隔
1	23：22	0：00	41	1：26	0：02	81	3：11	0：03	121	5：08	0：00
	23：22	0：00	42	1：28	0：02		3：11	0：00	122	5：12	0：04
2	23：24	0：02		1：28	0：00	82	3：16	0：04	123	5：13	0：00
3	23：26	0：01	43	1：32	0：03	83	3：18	0：02		5：13	0：00
4	23：30	0：04	44	1：33	0：01	84	3：26	0：08		5：13	0：00
5	23：37	0：06	45	1：34	0：00	85	3：27	0：00	124	5：14	0：01
6	23：37	0：00	46	1：46	0：11	86	3：31	0：04	125	5：18	0：03
7	23：42	0：05	47	1：48	0：01		3：31	0：00		5：18	0：00
8	23：47	0：04	48	1：51	0：03		3：31	0：00	126	5：18	0：00
9	23：48	0：01		1：51	0：00	87	3：35	0：03	127	5：21	0：02
10	23：52	0：04	49		0：02	88	3：38	0：03	128	5：23	0：02
	23：52	0：00	50	1：56	0：02		3：38	0：00		5：23	0：00
11	23：54	0：02	51	1：58	0：01		3：38	0：00	129	5：29	0：05
12	23：55	0：01	52	1：59	0：01	89	3：42	0：03	130	5：33	0：03
13	23：58	0：03	53	2：03	0：03	90	3：51	0：09		5：33	0：00
14	0：01	0：02	54	2：03	0：00	91	3：55	0：04	131	5：37	0：04
15	0：04	0：03	55	2：06	0：02		3：55	0：00	132	5：39	0：02
16	0：07	0：02		2：06	0：00	92	4：01	0：05	133	5：43	0：04
17	0：24	0：17	56	2：08	0：01	93	4：02	0：01	134	5：47	0：03
	0：24	0：00		2：08	0：00	94	4：03	0：00	135	5：56	0：08
	0：24	0：00	57	2：10	0：02	95	4：04	0：00	136	5：58	0：02
18	0：29	0：04	58	2：12	0：02	96	4：10	0：05		5：58	0：00
19	0：31	0：02	59	2：12	0：00	97	4：10	0：00	137	5：59	0：01
	0：31	0：00	60	2：15	0：02	98	4：13	0：02	138	6：01	0：01
20	0：33	0：03	61	2：17	0：02		4：13	0：00		6：01	0：00
21	0：37	0：03	62	2：19	0：02	99	4：14	0：00	139	6：01	0：00
22	0：40	0：03	63	2：22	0：02	100	4：15	0：01	140	6：03	0：01
	0：40	0：00		2：22	0：00		4：15	0：00		6：03	0：00

（注）クーパンマンＡさん（非組合員、夜勤）の2019年4月25日勤務時間記録より。

ショッピング企業クーパンの事例が挙げられる。**表1**は２０１９年の夜間配送労働者の労働時間の記録である。最初の配達完了時刻が23時22分で、最後の完了時刻が午前6時3分と記録されている。この記録から、7時間のあいだに１４０か所を回っており、一件当たりの平均配達時間が5分以内であることがわかる。10分を超えたのは2回しかなく、長いもので17分であった。クーパンの配達員は、一般の宅配のように特殊雇用ではなく直接雇用されているが、配送時間が決まっているため労働強度が非常に高い。コロナ禍によって荷物の数と量が増えたため、状況はさらに深刻化したのである。

第三は、企業によるコスト削減方針である。先述したクラスターが発生した企業では、食堂に長い列ができたり、ロッカールームが狭く密集を強いられるなど、労働者の人権実態は悲惨なものであった。クラスターが発生した企業の多くは、コストを節減するため、ほとんどの労働者を日雇いや期間制など期限を定めて雇っていた。労働者のための施設投資はほとんどなく、作業着や靴などを使い回し、防護具も配布しなかった。労働組合の実態調査では、労働者たちは「本当に狭い空間」「密集した状況」であったこと、また、感染者が出たときも「マスクがあれば問題ないから仕事をしろ」と言われたことを明らかにした。そして、建物の他の階で感染者が出た場合も、その事実を知らせもしなかったこともあったという。このように、コスト削減のため労働者を感染リスクにさらす環境に置き、政府の感染対策も無視していたので、感染抑止に失敗したのである。

第四に、こうした状況の根本的な原因は、これらの労働者の雇用が不安定であることにある。事故があった物流センターで働く約４０００人の労働者のうち正規職は2・5％に過ぎず、労働契約を延長したり、正規職になるためには、自らを顧みずがむしゃらに働かなくてはならなかった。だが、会社は業務量を強力にコントロールすることで労働者を統制していた。物流センターで働く労働者は、さまざまな空間にわたって他の人々と密集・接触する形で仕事をしていた。この場合、マスクは汗で役に立たなかった。短期契約の労働者が多かったので、その日どこで働いたかの記録はあるものの、どこに移動したという動線は把握されず、移動の確認は難しかった。随時、労働者の入れ替えが多いため、隣で働いていた人が誰なのかもわからなかったという。それゆえに感染経路を追跡することも、範囲を推測することもできなかった。

第五に、労働権の制約である。運輸労働者は長いあいだ長時間労働に苦しんできた。長時間労働の背景には労働時間特例、つまり、労働者のほとんどが法定労働時間規制の適用から外されていることがある。労働基準法第59条によれば、特定の産業では、労働者の代表者と合意があれば労働時間の延長と休憩時間の短縮が可能である。その対象産業には、陸上運送（路線バスを除く）・パイプライン運送業、水上運送業、航空輸送業、その他運送関連サービス業、保険業が含まれる。こうした制度的な制約によって、アシアナ航空の地上操業労働者といった運送業に従事する労働者の場合、平均労働時間ではなく超過労働時間が月に100時間を超えていた。同じ時期の他の賃金労働者の労働時間と比較すると、年間1000時間以上の差がある非常に長時間の労働である。

4 「必須労働者保護法」に対する評価

最後に「必須労働者保護法」について労働組合の立場から評価する。まず、韓国で「必須労働」という概念が定められる以前に「必須維持業務」という制度があったことに言及したい。韓国では「必須維持業務」に従事する労働者の場合、団体行動が制限されている。鉄道、地下鉄、航空分野の業務のほとんどが必須維持業務として規定されているため、これらに従事する労働者はストライキができず、労働組合が力を持つことが難しかった。そのため必須維持業務の労働条件は悪化していく。

コロナ禍以降に定められた「必須労働者保護法」について評価すると、城東区の必須労働者キャンペーンは多くの地方自治体と政治家がこれに参加し、必須労働の価値を社会的に認識させる契機になったといえる。これまで低い評価を受けてきた配達や運転、ケアなどの労働が、感染爆発状況でも、社会的に人流が規制されるなかでも、社会を維持するためにかならず必要だということを知る契機となった。

だが、必須労働者保護法は、労働者の権利や労働分野に必要な制度改善を直接扱う法ではない。どのような業務を必須業務に指定し、どのように計画を立てるかということが主な内容である。こうした労働を支援することを、国や地方自治体の責任として規定した面は肯定的に評価できる。その一方、コロナ禍で多くの労働者が仕事を失い、雇用危機に直面した際にも、雇用の安定を目標に設定したり、労働条件を改善したりするための具体的な内容は含まれていない。２０２１年３月、必須労働者の現場実態を証言する記者会見で私たちは、今日の問題は構造的な問題であり、劣悪な労働条件を改善しなければ現実は変わらないと主張した。多くのメディアからも劣悪な労働条件が指摘されており、これの解決策を含まない対策にはあまり意味がないと言ってもいいだろう。政府も、劣悪な労働条件が問題であると認識し、低賃金や労災リスク、長時間労働を問題点として挙げている。

コロナ禍は韓国社会を根本的に見直す契機となった。ポストコロナの社会は、過去に戻るのではなく、いまよりもっと良い社会を再建することでなければならない。現在に満足せず、みんなで現実を見直し改善するために努力していきたい。

5　近年の状況

2023年9月現在、残念ながら韓国の必須労働者の現実はそれほど大きく変わっていない。コロナ禍の中で必須労働者保護法が通過し、一部の地方自治体が必須労働者を支援する条例を制定するなどの成果があった。だが、そのほとんどは、どのような業務の労働者を必須労働者と規定するかについて議論し、こうした労働者に対する支援が必要であると宣言する程度にとどまり、一部の地方自治体を除いて具体的な支援まではおこなわれなかった。宅配、郵便配達、物流センターで働く労働者らは、未だ長時間・高強度の労働に苦しんでおり、過労死もくりかえされている。公共交通部門では、人手不足と劣悪な労働環境が依然として残っている。さらに、コロナ禍が収束してからは、必須労働者を支援しなければならないという議論そのものが姿を消している。

現在、韓国の保守政権は、労働組合を既得権勢力と規定し弾圧している。対話と妥協を拒否する現政権の態度から見ると、必須労働者の労働条件の改善など根本的な変化は遠のいたように見える。

（抄訳＝金美珍）

13章 コロナ禍が照らし出す介護労働の公共性

崔炅淑（チェ・ギョンスク）

ソウル市高齢者ケア従事者総合支援センター長、保健福祉資源研究院理事。2004年から介護労働者支援のための教育相談、現場組織の支援、政策活動に力を注いできた。24の市民社会団体が参加する「高齢者長期療養公共性強化のための共同対策委員会」の共同代表も務める。

本章では、韓国における高齢者ケア、介護労働の現況と支援のあり方、とりわけコロナ禍における介護の公共性を中心に概説する。具体的には、コロナ禍以降の韓国における介護労働者への支援政策の現状とその成果、今後の課題について説明する。

最近、エッセンシャル・ワーカーについて多く議論されている。介護労働はこれまでシャドウ・ワークと呼ばれ、重要性が評価されてこなかったが、コロナ禍によってその社会的な価値が水面に浮上した。社会全体がソーシャルディスタンスという措置をとっている状況にもかかわらず、介護労働者は高い感染リスクにさらされながら黙々と働くことで、高齢者の生存と生活の質を支えてきた。感染症などの災害発生時において、介護労働は、社会的に脆弱な階層のために中断できず、むしろいっそう必要とならざるを得ないエッセンシャル・ワークなのである。

図1　韓国のエッセンシャル・ワーカーの内訳

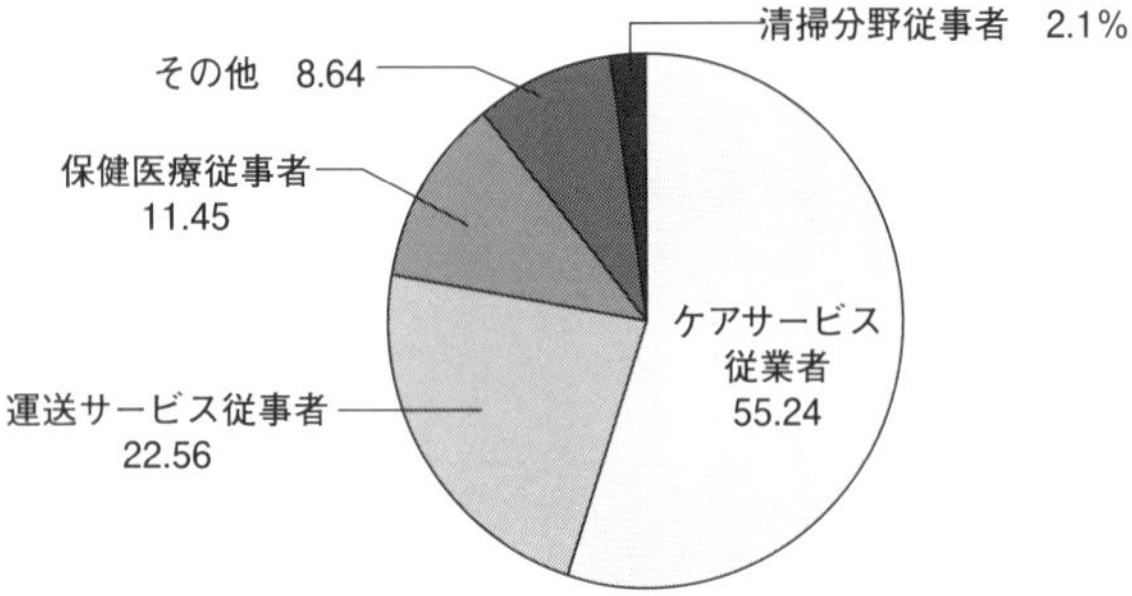

（出典）雇用労働部「新型コロナ対応のための必須労働者保護支援対策」2020年12月24日。

1　エッセンシャル・ワーカーの実態
――介護労働者を中心に

まず、韓国におけるエッセンシャル・ワーカーの内訳を見る。**図1**のように、エッセンシャル・ワーカーの中でもっとも多い割合を占めているのは、ケアサービスに従事する労働者（約55％）である。その次に運送サービス、保健医療などに従事する労働者の順になっている。ケアサービス労働者の現状を詳細に見ると、2021年現在、ケアサービス分野に従事する労働者は全部で約109万人である。そのうち介護労働者（韓国では療養保護士と呼ぶ）約45万人（訪問介護労働者が約38万人、施設介護労働者が約7万人）、保育士が24万人、家事育児支援者が15・6万人、障がい者活動支援士が8・4万人、社会福祉施設従事者が8・3万人、老人生活支援士（介護を必要としない高齢者の日常生活をケアする仕事）が2・9万人という順になっている（**表1**参照）。

次に、高齢者介護に従事する労働者に焦点を当ててみる。介護労働者が働く介護施設は、健康に問題を抱える高齢者が集合して居住する点で感染リスクの高い空間である。また、訪問介護の場合も、介護労働者が安全にケアサービスを提供できる環境をいか

表1　ケアサービス分野別従事者の現況

	区分	人数		区分	人数
1	介護労働者（療養保護士）[1]	45万人	6	社会福祉施設従事者	8.3万人
2	障がい者活動支援士[2]	8.4万人	7	保育士	24万人
3	障がい児ケア支援者	0.3万人	8	老人生活支援士	2.9万人
4	家事・育児支援者	15.6万人	9	家事・看病サービス従事者[4]	0.4万人
5	ベビーシッター[3]	2.4万人	10	産婦新生児サービス従事者[4]	1.8万人

（出典）
1）国家統計ポータル「市・郡・区別介護機関専門人員現況」（2021年12月10日）
2）韓国障がい者開発院「2021年障がい統計年報」
3）ベビーシッターサービスホームページ
4）社会サービス電子バウチャーホームページ、主要統計資料（2020年）
https://www.socialservice.or.kr:444/user/htmlEditor/statistic/view.do?p_sn=15

に保障するのか、感染者や自主隔離の利用者に対しては誰が介護するのかという点が問題となる。

こうしたなか、介護労働者は感染の危険を甘受し、介護サービスを提供しなければならない。介護を受ける側が感染リスクの高い高齢者なので、介護労働者にはより重い責任が求められているにもかかわらず、特別な保護措置もないまま、感染リスクの高い介護の現場で働いている。

介護労働者の劣悪な労働条件は、労働実態からも確認できる（**図2**）。介護労働者の月あたり労働時間は平均約114時間（訪問介護85時間）であり、平均賃金は約122万ウォン（訪問介護90万ウォン）である。正規職が38・1％（訪問介護20・2％）で、ほとんどが非正規職として雇用されている。このことから介護労働者の多くが低賃金の不安定な雇用形態であることがわかる。介護労働に従事するのは女性が約95％、50歳以上が約88％と、中高年の女性労働者が大部分を占めている（**図3**）。「女性の労働」ということで介護労働が低く評価される一方で、高い感染リスクにもかかわらず、中高年の女性労働者は介護に対する責任を持って、集団感染リスクが高い施設や訪問介護の現場でサービスを提供している。

図2　介護労働者の労働状況

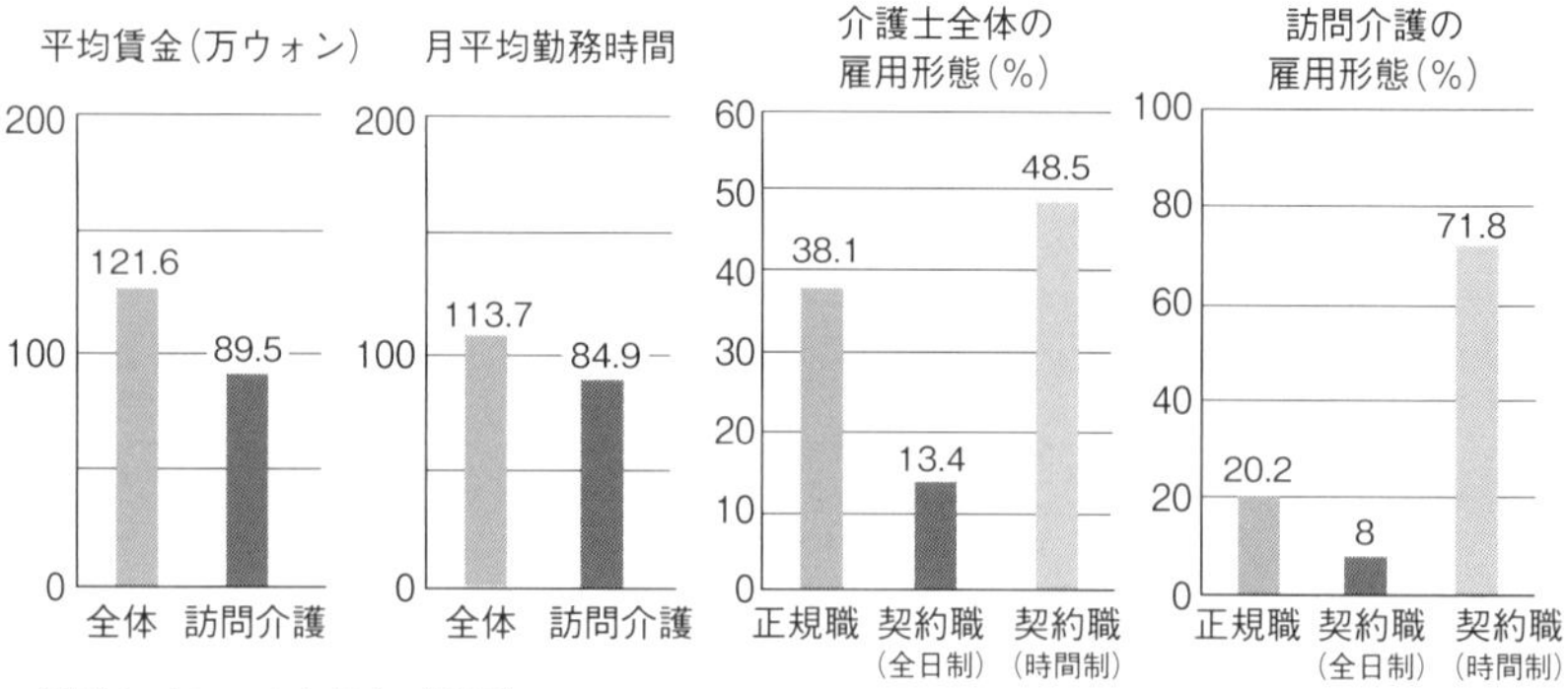

（出典）カン・ウナほか（2019）。

図3　高齢者介護従事者の男女比と年齢別割合

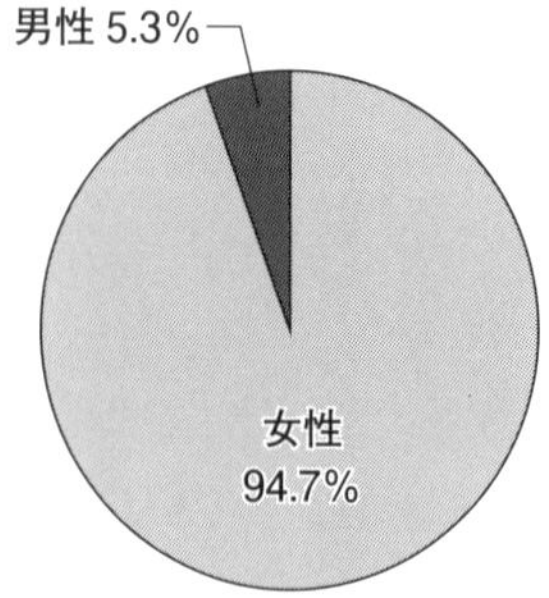

（出典）カン・ウナほか（2019）。

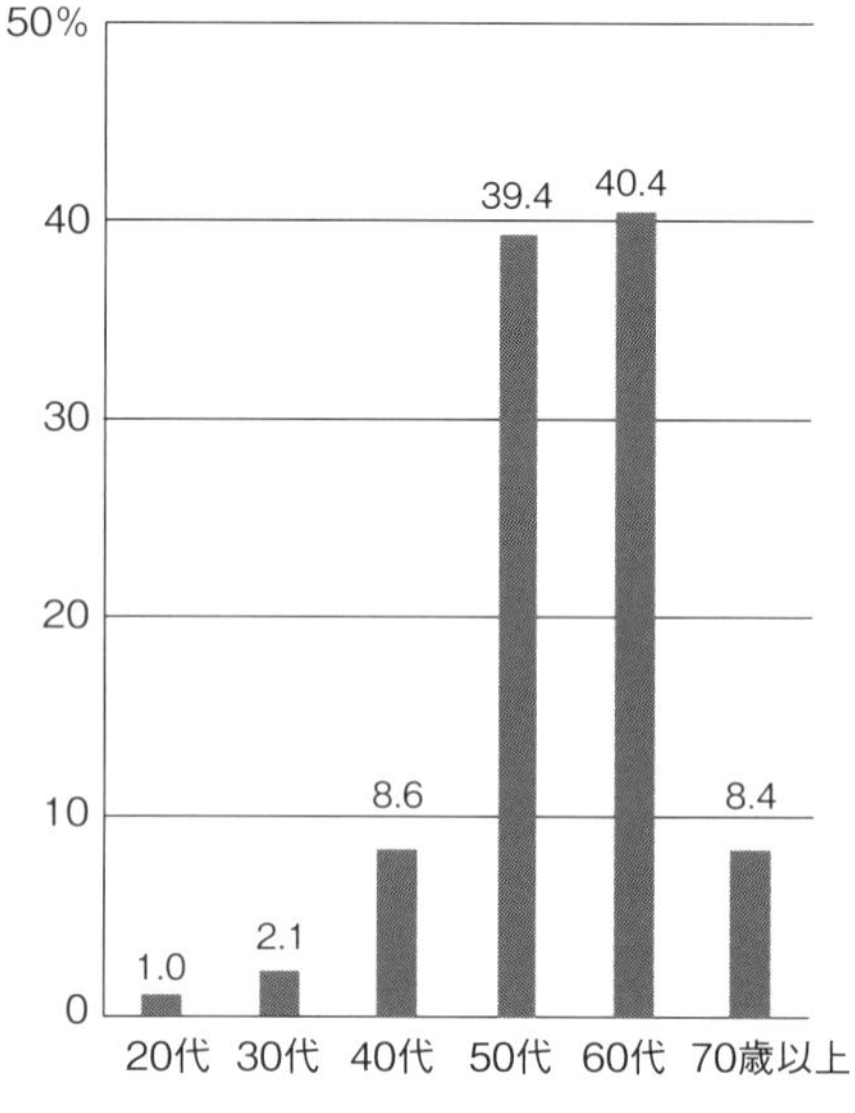

2　コロナ禍による介護労働者の被害実態アンケート調査

コロナ禍によって介護労働者はどのような被害を受けたのか。これについて、ソウル市高齢者ケア従事者総合支援センターが、ソウル市の介護労働者３４５６人を対象にアンケート調査を実施した（図４）。結果から言うと、コロナ禍は社会的弱者に対してより大きく、深刻な被害を与えた。

まず大きな被害として、雇用中断が挙げられる。同センターの調査の中で、コロナ禍によって雇用が中断された経験があるかとの質問に対し、約20％（７１４人）が「経験がある」と答えた。雇用中断の期間については、１か月以上が44・５％でもっとも多かった。雇用中断の理由としては「コロナで感染リスクにさらされた」ということで、介護サービスの利用者やその家族から一方的に「もう来ないでくれ」と言われるケースがもっとも多かった。また、雇用中断の際に約72％の労働者が無給で待機していた。さらに一部では、施設や会社から一方的に解雇されたり、自発的な退社を強要されたことがあると答えた。この調査から、コロナ禍がもたらした雇用中断によって、多くの介護労働者が生計に困難を抱えたことがわかる。

調査からは、感染の恐れや防疫物品の不備といった、介護労働者の健康を守る権利が保障されていない防疫体制のほころびも明らかになった。調査に協力した介護労働者の一人は、「コロナ禍で私たちも不安で、お年寄りも不安に思っているところに、介護労働者に対するマスク支援はなくて……最低賃金の時給をもらう私たちは、個人費用でマスクを買うのが、とても大きな負担です」と話していた。

さらに、介護施設での同一集団すべてを感染者と一緒に隔離する「コーホート隔離」による権利侵害

図4　コロナ禍による介護労働者のリスク（アンケート結果より）

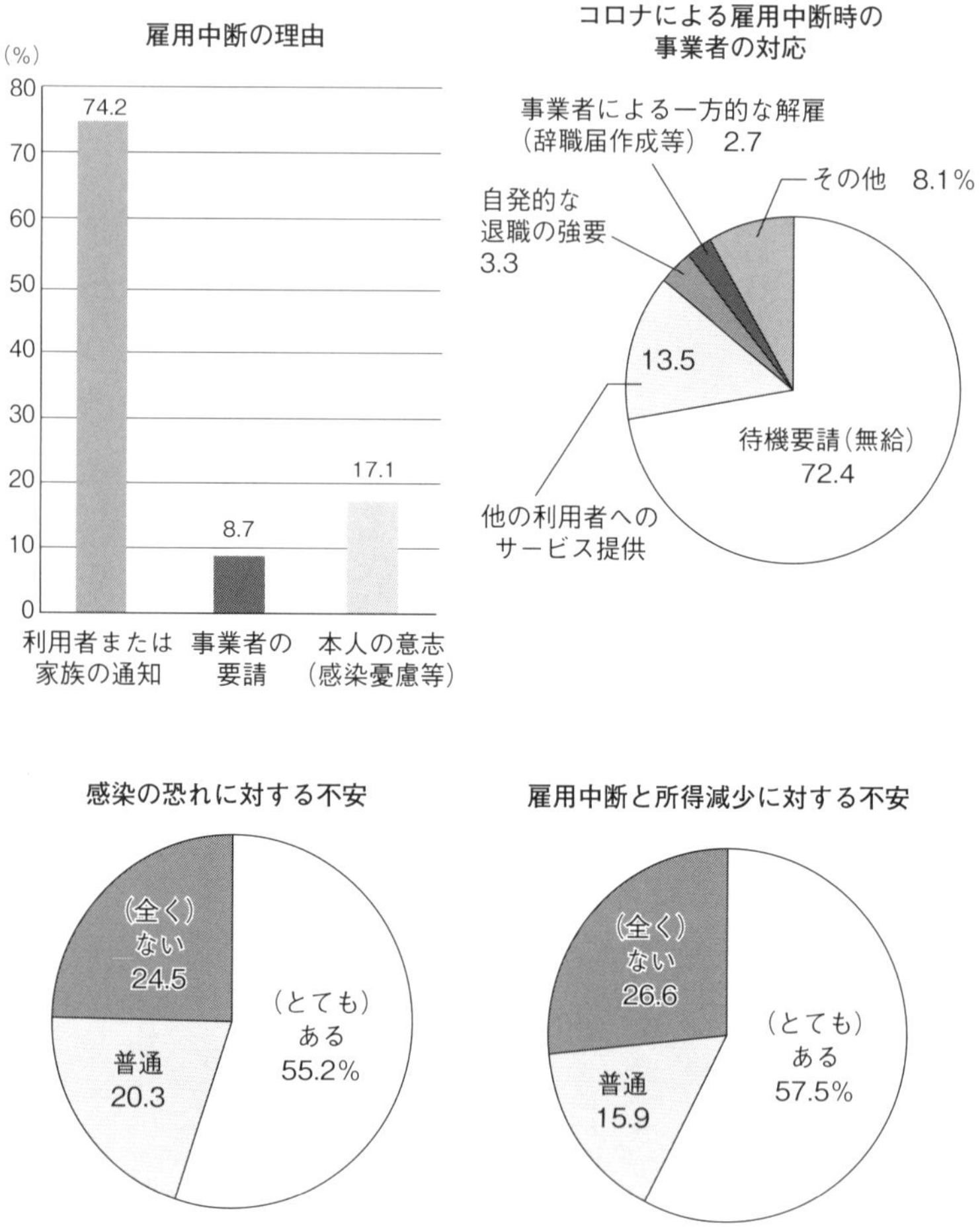

問題があったことがわかった。ある介護労働者は、勤務する施設に感染が広がった際に、介護施設で隔離された事例について語った。その際に「施設内に休憩室がないので休むこともできず、夜間にも利用者に介護を提供したのに、夜間手当ももらえなかった」と語った。こうした事例から、コロナ禍の際、介護労働者は高い感染リスクと雇用中断という二つのリスクを同時に経験していたことがわかる。

そして調査では、もっとも困難な経験として、訪問介護労働者の孤立感が挙げられていた。訪問介護労働者は、ソーシャルディスタンスによって孤立感が深まったり、高リスク・高ストレス業務の苦労をどこでも共有できず、支援を受けられなかった。何よりも、介護がエッセンシャル・ワークだということは認められていながらも、介護労働者が全般的に低く評価されることを困難な経験として挙げていた。

前述のように、韓国では介護労働が低賃金の未熟練労働として評価されることが多い。つまり、介護は代表的な女性の仕事であるが、低賃金と不安定雇用等の劣悪な仕事として放置されている。実際に、介護労働に関する現在の教育課程と体系では、力量のある現場専門家として成長することは困難であり、未熟練労働者としてのイメージが再生産されている。介護労働者はキャリア展望を持つのが難しく、これによって力量ある介護労働の人材が不足している。

3 コロナ以降の介護労働者支援政策の現況

（1）中央政府とソウル市の支援策

介護労働者に対する韓国の支援政策について、中央政府とソウル市に分けて説明する。まず、韓国政府のエッセンシャル・ワーカーに対する政策は主に二つの方法で実施された。ひとつは生活支援金の支給であり、もうひとつは「合わせ型」と呼ばれる、個々の労働者の事情を考慮した支援策である。政府は２０２０年3月から新型コロナの拡大に迅速に対応し、２０２１年12月までに9回にわたり新型コロナ感染症流行に向けた社会福祉施設の対応指針を発表した。だが、介護労働者というもっとも脆弱な部門の労働者は、残念なことに政府の対策から抜けている場合が多かったので、私たちはその補完策を求めてきた。これまで政府が発表した必須労働者への支援の中で、２０２０年12月の対策は、介護を必須業務と指定し、訪問介護労働者に対する支援を具体化することを含めた点で意味があったと思う。

この対策の中には、1年以内に業務に従事した訪問介護従事者（全国43万人規模）を対象に、一人当たり50万ウォン（約5万円）を支給する一時生計支援が含まれていた。また、施設で従事する介護労働者を対象に、防疫管理者を指定配置することを義務づけ、週52時間制を定着させるために、２０２０年には50～２９９人規模の施設に７９５人を、２０２１年には5～49人規模の施設に３１２７人の交代勤務人員を追加確保する対策を発表した。そして、介護施設における安全管理実務マニュアル、ストレス管理教育およびバーンアウト予防のための特別講義などを提供する内容が含まれていた。

次はソウル市の政策について見てみよう。コロナ禍に対応するため、ソウル市は5年ごとに策定するソウル市の基本政策（第二次ソウル市労働政策基本計画２０２０―２０２４、２０２０年12月）において、保健・医療、介護、交通・運輸、清掃、宅配・配達を必須業種に指定した。そして各々の分野の事情に合わせた支援をすることを決定し、その支援のために「必須労働支援チーム」という専門チームを新設した。２０２１年1月には「ソウル特別市必須労働者保護及び支援に関する条例」を制定した。また、必須労働者に対する「合わせ型」支援のあり方として、条例の制定、担当部署の新設、実態調査、防疫および健康保護、介護サービス、心理相談および治療、啓発キャンペーンなどを進めた。さらに、介護労働者の処遇改善のために、ソウル市介護労働者処遇改善総合計画を体系的に推進し、高齢者ケア従事者支援センターおよび「休憩所」を拡充するほか、社会サービス院を中心に置く公共基盤の基本政策を策定した。

(2) 社会サービス院

ここで社会サービス院というシステムについて紹介したい。現在、韓国の介護システムは民間中心の市場化が進んでおり、その中で低賃金労働者が増えている。介護労働の条件は、そのサービスを受ける高齢者たち、つまり利用者側のサービスの質に直結する。こうしたことから、高齢者の介護に対しては公共性を強化していく必要がある。

こうした現状に対し、社会サービスの公共性を強化し、良質の仕事を創出することを推進する代表的な政策が社会サービス院である。地方自治体の市・道知事は「地方自治体出資・出捐機関の運営に関する法律」に基づき、公益法人として社会サービス院を設立することができる。２０２２年1月現在、ソウル市など全国14の市・道に設置されており、２０２２年中に全国17市・道で設立を予定している。

社会サービス院の設立目的は三つある。第一は、病気や事故により緊急にケアが必要になった児童や高齢者・障がい者にサービスを提供したり、民間施設に対して安全点検や労務・財政コンサルティングなどの面で支援したりすることである。第二は、総合訪問サービスの提供や、国公立施設を自治体から受託し直接運営することを通じて、社会サービスにおける公共性の向上を図ることである。第三は、社会サービス分野に従事する人々の処遇の改善を通じて、社会サービスの質を向上させることである。ソウル市社会サービス院の場合、不安定に雇用されている施設介護労働者や訪問介護労働者を、社会サービス院が直接雇用して月給制を実施してきた。その際、最低賃金ではなく、それより高いソウル市の生活賃金を「模範賃金」として支給するなど、公共部門におけるディーセントワーク創出に寄与している。

社会サービス院では、新型コロナによって発生した介護の空白を解消するため、２０２１年1月から家庭、福祉施設および医療機関を対象に、ケア人員および介護サービスを支援する緊急ケア事業を実施してきた。具体的には、新型コロナに感染または濃厚接触者として自宅隔離された児童・高齢者・障がい者などの脆弱階層に対し、24時間ケアサービスを提供したり、家族が感染ないし入院したことにより一人で家庭に残されケアする人がいない児童・高齢者などに対してケア人員等を支援した。また、新型コロナ感染で人手が不足した社会福祉施設などの機関に向けてケア人員を支援した。

このように社会サービス院は、民間機関への支援、国公立施設の受託運営、緊急ケア事業などに対応しながら、社会サービスの公共性を強化してきた。社会サービス全体の質を向上するとともに、質の良い介護を利用者に提供してきている。社会サービス院の取り組みは、初年度には量的にも質的にも計画通りには拡大されなかったものの、次年度から公共性を強化するため国の保健福祉部が支援を強化し、さらに14の広域自治体で社会サービス院が新たに開設され、介護労働者に対する支援を拡大してきた。

（3）介護労働者支援事業――ソウル市高齢者ケア従事者支援センターを中心に

次に、ソウル市高齢者ケア従事者支援センターについて紹介したい。ソウル市は5年間の基本計画に、高齢者をケアする介護労働者を支援する政策を盛り込み、２０１3年から、長期療養要員支援センターや高齢者ケア労働者支援センターをつくりはじめた。２０２1年現在、ソウル市には総合支援センター

（広域と西北圏）と三つの圏域センターがある。また、六つの基礎自治体に圏域センターが設置されており、それぞれが高齢者の居場所になっている。これらのセンターは、コロナ禍の中で介護労働者を支援する基礎となっている。ソウル市には現在８万人の介護労働者と社会福祉士、看護師など関連従事者がいる。

ソウル市は２０１６年に条例を制定し、長期療養保険法（日本の介護保険法にあたる）に基づく長期療養支援センターを設立した。このセンターは、介護労働が尊重される社会をビジョンに定め、①介護労働者の訓練・専門性向上のための研修、②介護労働者のリフレッシュのための健康支援および自主研修、③介護労働者の労働条件改善のための支援、④相互に尊重し配慮する良い介護文化の啓発支援、⑤介護労働ネットワークのハブおよび介護労働支援プラットフォームの役割、⑥家族介護者支援を主なミッションと定めている。主に、介護労働に関連する従事者の権利を拡大し、技能を強化するため、とくに現場の意見を代弁し支援する政策プラットフォームの役割を果たしている。

コロナ発生後は、ソウル市高齢者ケア従事者総合支援センターの中に「コロナ禍における介護労働者への対策タスクフォース（ＴＦ）」が新設された。このＴＦは、コロナ禍における介護労働者の実態調査および政策提案、政府の対策などの情報提供、新型コロナと関連する困難や労災に関する相談等をおこなった。また、バーンアウトを予防するため介護労働者を対象に心理相談を実施したり、デジタルやオンラインを通じた訓練および専門性向上のための教育を提供したりした。

さらにソウル市は、介護施設やデイケアを提供する施設の介護労働者を対象に、公的にマスクを配布した。だが、全国の介護労働者45万人の大部分を占める訪問介護労働者に対しては、こうした公的マスクの支援が届かなかった。こうした支援の空白を埋めるため、ソウル市は訪問介護労働者に直接マスクを配布するなどして支援した。

災害が起きた際には一時的な支援も必要であるものの、平時から労働条件を改善し、良い仕事、良い職場をつくることも、質の良い介護をめざすひとつの方法である。そのため、ソウル市は介護労働者の処遇改善のための総合計画（3か年）を立て、122億ウォン（約12億円）の予算で、労働基本権、質の良い介護健康保険、事業者への管理監督の強化、介護労働者とのコミュニケーションの強化という目標を設定した。こうした政策が、現場の介護労働者たちが声を上げることでつくりだされたということを強調したい。

4 評価と今後の課題

コロナ禍発生以後、介護労働者などエッセンシャル・ワーカーは深刻な困難に直面してきた。こうした状況に対し、行政が率先してエッセンシャル・ワーカーに対する社会的な認知を改善し、支援の必要性を提起するなど迅速に対応したことは非常に意味があるといえる。訪問介護労働者のための一時的な支援や、介護施設で従事する介護労働者の処遇改善も、ある程度推進されたといえる。こうした一連の政策的対応が、介護労働を重要な必須業務であると社会に認識させるきっかけになった。

その一方で、コロナ禍という災害の中で見えてきた介護労働の脆弱性をどのように改善していくのかについては、今後検討していく必要がある。第一の支援策は、災害の際にもっとも不安定になる介護労働者に対する、普段からの「所得保障および雇用安定支援」である。米国など海外では、すでにコロナ禍発生直後から、医療および介護労働者などのエッセンシャル・ワーカーへの賃金引き上げなど労働条件の改善がおこなわれている。訪問介護労働者の場合、特別支援職種に選定して処遇を改善する必要がある。介護労働者の処遇改善の必要性についての社会的共感が拡大されるべきだ。所得支援と雇用の安定は、社会的弱者を守る介護労働者にとって非常に必要なことである。したがって、これらの労働者を支援する際には次の点がとくに考慮されるべきである。

第一に、介護労働は中高年の女性労働者が中心であること。第二に、コロナ禍によって致命的な被害を受けざるを得ない脆弱階層のためのケア事業であること。第三に、長期療養施設は公共性が非常に高いことから、医療や介護を商品としてではなく国の公共サービスとして提供し、より質の良い職場にすることで、質の良い介護ができるようにその水準を高めていくこと。これらがもっとも重要な政策の方向にならなければならない。その際とくに重要なこととして、現場の介護労働者が参加するガバナンスを通じて、民主的な方法で公共性を強化していくことを強調したい。

次に、社会的価値の認定と尊重が必要である。エッセンシャル・ワーカーに対する社会的認識は以前より良くなってきている。現場では「ありがとう!」「お疲れ様!」「ご苦労様!」といった声がけもよくされている。だがその一方で、介護労働に対する再評価と、労働者としての権利保護も必要である。持続可能な社会において何よりも重要なのは、介護業務に従事する人々が、より安定し安全な環境で介護を提供していくことである。これによって高齢者も良い介護サービスを受けることができる。

いま、もっとも問題になっているのは訪問介護である。訪問介護労働者は低賃金で、さらに一人で孤立していることが多い。訪問介護労働者に常勤と同様の月給制を適用することによって、こうした不安定労働の問題はある程度解消されると考える。また、介護施設で従事する労働者に対しても、施設の配置基準をもっと強化し、労働力を増やして一人ひとりの労働強度を減らすことで、安全で安定した介護サービスを提供できるようにすることが重要である。長期療養要員支援センターや高齢者ケア労働者支援センターなどを中心に、多角的に支援する政策が必要である。

最後に、とくに高齢者介護の場合、介護労働者の健康を守ることは、高齢者の感染を予防することでもある。労働者とサービス利用者を守っていくために、防護具の支給および安全衛生管理が急務である。さらに、感染症予防のためには、介護現場に合わせたマニュアルの提供が必要である。

介護労働が尊重される社会になってこそ、より持続可能な社会をつくることができる。必須労働者に対する支援をきっかけに、今後はより構造的な問題を改善し、これがさらに介護の公共性を強化する方向へと進むきっかけになってほしい。

参考文献（韓国語）

カン・ウナ、イ・ユンギョン、イム・ジョンミ、ジュ・ボヘ、ベ・ヘウォン（2019）「２０１９年度長期療養実態調査」保健福祉部

雇用労働部（2020）「新型コロナ対応のための必須労働者保護支援対策」２０２０年12月24日

第5部

活発化する ベーシックインカム論争

映画「パラサイト　半地下の家族」が描いたように、今日、韓国社会が抱える不平等や格差問題は非常に深刻である。その解決に役に立っていない社会保障制度への失望感が人々のあいだで広がっている。そのようななか、従来型の社会保障制度に取って代わる新しい政策としてベーシックインカム（BI）が注目され、賛否それぞれの論者が激しく論争を繰り広げている。

理念的な議論にとどまる日本に比べ、韓国では選挙の公約にBIが登場したり、地方自治体で部分的に実践されたりなど、人々の関心が高く、また実際に導入される可能性を秘めたアクチュアルな論争となっている。

社会保障制度をめぐる政策論は、財源や実現可能性をめぐって双方の見解が嚙み合わず、市民に開かれた議論となりにくい。政府内の閉ざされた議論に終始するのではなく、市民を巻き込んだ議論が社会的合意形成には不可欠だ。日韓がともに抱える格差問題と貧困に対して、韓国ではどのような議論がなされているのか、内容はもとより、社会的対話の観点からも学ぶことができるだろう。

14章

なぜ韓国ではベーシックインカム論争が盛り上がるのか

金成垣（キム・ソンウォン）

1　ベーシックインカムの導入か、社会保障制度の機能強化か

ベーシックインカム（Basic Income　以下ＢＩと略）は、「政府がすべての国民に対して個人を単位として、最低限の生活を送るのに必要とされる額の現金を無条件で支給する制度」（山森 2009：21-23；キム・キョソンほか 2018＝2021：68-73）であると定義される。

のちに詳しくみるように、韓国では２０１０年代半ばからＢＩに関する関心が急速に高まった。その主な要因として指摘されるのが、従来の社会保障制度における排除の問題である。何より、労働市場の柔軟化や雇用の流動化などを背景に安定した雇用が激減するなか、社会保険にも公的扶助にもカバーされず、多くの人々が生活困窮におちいってしまうことが重大な問題として指摘される。この問題はパートやアルバイト、派遣などの非正規労働者の増加との関連で以前から指摘されつづけてきているが、最

近では、従来型の自営業者に加え、ギグワーカーやフリーランス等の個人事業主など、不安定な状況で働く人々が急増していることが問題を増幅させている。急増する不安定就労層のために、従来の社会保障制度に取って代わる新しい政策として、雇用を前提とせず、すべての人々に無条件に給付をおこなうBIが有力な改革案として登場したのである（ユン・ホンシク 2016；キム・キョソンほか 2018：40など）。

こういった背景のもとで、アカデミズムの世界ではもちろん、政治の現場においてもBIに関する議論が盛んとなり、BIの実験的実施をおこなう自治体もあらわれた。2020年初頭からのコロナ禍を受けておこなわれた数回にわたる給付金の実施によって、一般の人々のあいだでもBIに関する関心が高まった。こうした状況を受け、コロナ禍のもとでおこなわれた2022年3月の大統領選挙においては、BIが重大な争点のひとつとなる場面もあらわれた。

もちろん、BIの導入に賛成する人々だけでなく、反対する人々も多く存在する（ヤン・ジェジン 2020；イ・サンイ 2021など）。従来の社会保障制度の問題点に関してはBI賛成論者と意見を共有しながらも、たとえば「BIは子どものいない世帯に児童手当を支給するのと同じぐらいの政策ミスである」（「女性消費者新聞」2020年4月27日）とし、BIではなく社会保険および公的扶助の拡充と、その補完のための社会手当や社会サービスの充実など、従来の社会保障制度の機能強化を求めるのがBI反対論者の主な主張である。BI賛成論者と反対論者の主張を図式化してみると**図1**のようになる。

日本でも近年、社会保障制度改革が大きな課題となり、それをめぐる多様な議論がおこなわれている。韓国に比べると少数ではあるが、改革案のひとつとしてBIへの期待もみられる。BIをめぐる賛否両論から韓国の状況を検討することで、日本への示唆を見出すことができるのではないか。そこで第5部では、本章に続く2章において、BI賛成論と反対論の主な内容を紹介する。それに先立つ本章では、

図1　ベーシックインカムの導入vs. 社会保障制度の機能強化

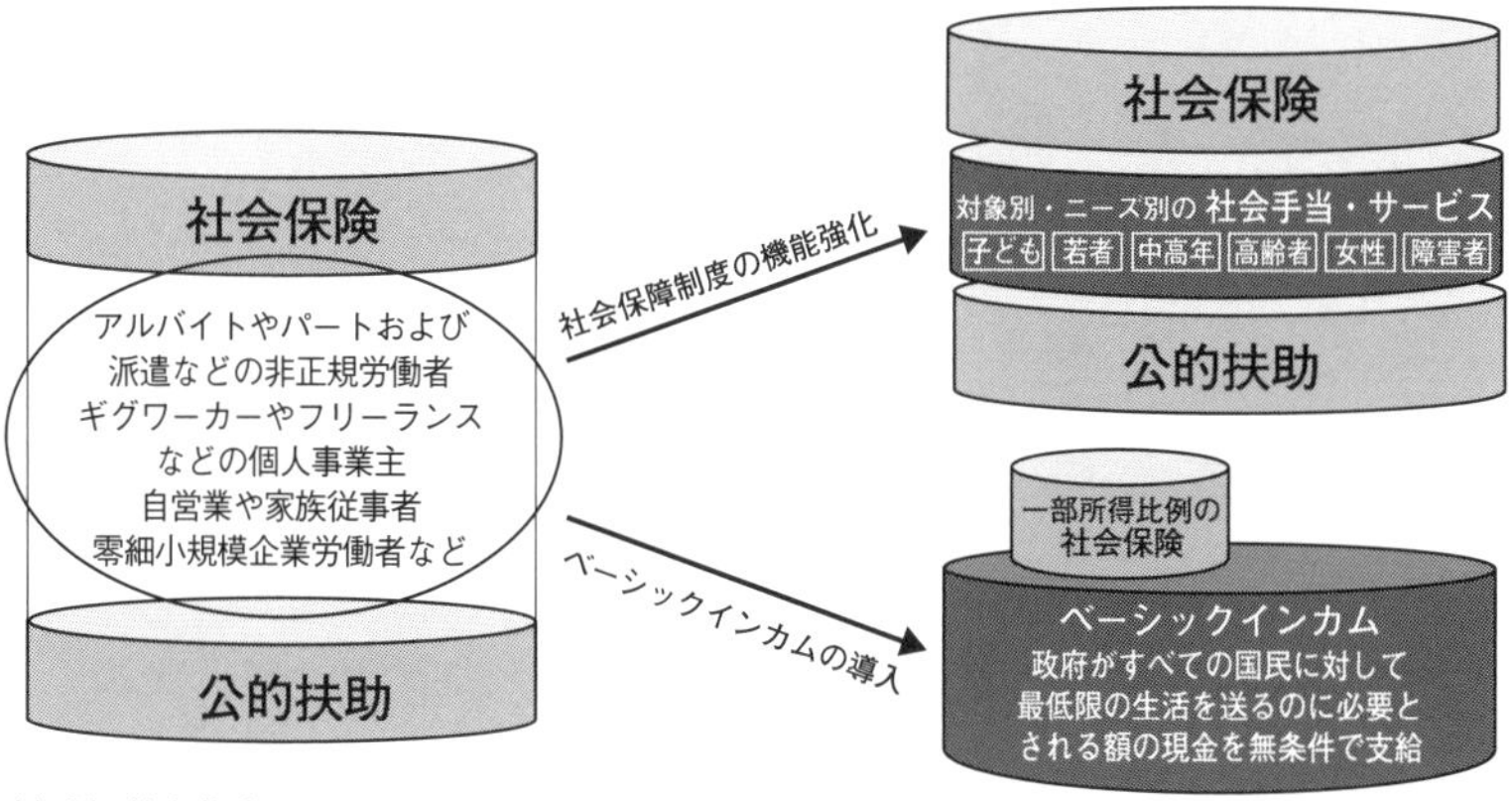

（出典）筆者作成。

ＢＩをめぐる労働および市民運動の展開にも言及しながら、韓国におけるＢＩ構想の全体的な展開と、その背景およびそこに見られる特徴について解説したい。

2　ベーシックインカム論争の展開

(1)　ＢＩをめぐる議論のはじまり——２０００年代

ＢＩが韓国ではじめて紹介されたのは、２００２年の論文「新しい社会的権利としてのベーシックインカム——不安定労働と社会福祉」（ソン・ウンミ 2002）である。同論文では主に、90年代末のアジア通貨危機以降にみられた労働市場の変化、とくに非正規雇用など不安定就労の拡大に対して、従来の社会保障制度がうまく対応できていないことを指摘し、その改革案としてＢＩの導入を主張していた。

ただし当時は、アジア通貨危機をきっかけとして整備されはじめた社会保障制度をいかに充実したものにするかが現実的な課題となっており、それに取って代わる新しい政策としてのＢＩには多く注目されることがなかった。その後、いくつかＢＩに関する研究論文が発表されるが（イ・ミョンヒョン 2006 : 2007 : クァク・ノワン 2007など）、ＢＩに関する概念や西欧での議論の紹介が主な内容であり、韓国の現実に合わせた議論は少なかった。

２００７年の大統領選挙では、韓国で初めて政治の現場でＢＩに関する議論が登場した。韓国社会党のクン・ミン候補が「国民ＢＩ」を公約として提示したのである。政治の現場での初の試みという意味はあったものの、少数政党という限界もあり、それによってＢＩへの関心が広がることはなかった。

（2）理論的論争の広がり――2010年前後

２００９年になると、韓国のナショナルセンターである全国民主労働組合総連盟（民主労総）の政策研究所から「即時的で無条件的なベーシックインカムのために」（カン・ナムフンほか 2009）という報告書が出された。同報告書では、ＢＩに関する理論を整理し「韓国型ＢＩ」を提案した。同報告書をきっかけに、その後いくつか注目すべき動きがあらわれた。

同年、同報告書の執筆に参加した研究者を中心に、ＢＩ運動を展開するための組織として「ＢＩ韓国ネットワーク」が創立された。翌２０１０年には、同組織が主催して「ＢＩ国際学術大会」が開催された。この時期を前後して、同組織のメンバーによるＢＩに関する報告書や研究書、論文などが多数発表された（カン・ナムフンほか 2009 : カン・ナムフン 2010a : 2010b : 2013 : クァク・ノワン 2013 : 2015など）。

ＢＩ国際学術大会とそれに前後したＢＩ韓国ネットワークのメンバーによる論文発表は、それに対する反論を呼び起こし、論争として展開されることとなった。大会や論文の内容が、ＢＩの歴史とともにその理念や哲学、また規範的な意味などと関連する理論的な議論が中心であったこともあり、当時の論争は主に資本主義社会における生産関係や賃労働、また階級闘争や労働運動などとのかかわりでＢＩの是非を理論的に検証するものであった。当時の論争は、具体的な政策提言やその賛否をめぐる政策論的なものには至らなかったといえる。

(3) 政策論的論争と政策的実験――2010年代半ば以降

2010年代半ば以降になると、ＢＩが理論的な議論を超え、政策論的な議論へと展開することとなった。ＡＩ（人工知能）がプロ棋士との囲碁対局で勝利したことが話題となり、「雇用なき将来」との関連でＢＩが議論されるようになったことや、スイスでおこなわれたＢＩの賛否をめぐる国民投票がメディアで大きく報道されたことなどを背景に、「韓国社会福祉学会」や「批判社会福祉学会」また「社会政策連合共同学術大会」など、社会保障制度関連のメイン学会でＢＩ関連のテーマが取り上げられた。ＢＩに関する世界的な学術大会である「ＢＩＥＮ世界大会」の第16回大会が、アジア初として韓国で開催されたことや、それをきっかけにＢＩに関する翻訳書が多数出版されたこともＢＩへの関心の高まりに大きく貢献した。このすべてが、2016〜17年のできごとである。

この時期以降のＢＩに関する議論をみると、単にＢＩへの関心が量的に拡大しただけでなく、その内容に関して大きな変化がみられたことが注目に値する。理論的な論争が中心であった以前の議論とは異なり、ＢＩが従来の社会保障制度の現実的な改革案として登場し、それをめぐる政策論的な論争がはじまったのである。

前記の「社会政策連合共同学術大会」では、まさに「ＢＩが、韓国社会が直面した問題を解決するための有力な代案」（ユン・ホンシク 2016：996）として注目されるようになったことを背景に、「ＢＩ、福祉国家の代案になりうるか」が大会全体の企画テーマとされ、韓国におけるＢＩ導入の賛否をめぐる議論が活発におこなわれた。そうした議論をふまえて、その後アカデミズムの世界では、それまでの歴史や理念および哲学や規範などをめぐる議論を土台に、従来の社会保障制度との関連でＢＩの政策的有用性や実現可能性についての議論、またそれを超えて、韓国における実際の導入のための政治的戦略や具体的な制度論的課題までもが、積極的に検討されるようになった。日本でも翻訳された『ベーシックインカムを実現する』（キム・キョソンほか 2018 = 2021）が、その代表的な研究成果のひとつである。

この時期、アカデミズムの世界での議論にとどまらず、ソウル市や城南《ソンナム》市など、ＢＩの政策実験をおこなう自治体があらわれたことも興味深い。その詳しい展開過程や内容は別稿を参照されたい（キム・キョソンほか 2018 = 2021：第６・７章；金成垣 2022：第６章）。ここでは、自治体におけるＢＩの政策実験が、ＢＩに関する政策論的な議論をさらに盛り上げる役割を果たしたことを強調しておきたい。実際に、それらの自治体におけるＢＩの政策実験の際に、ＢＩ導入を主張する研究者が多くかかわり、ＢＩに関する学問的な議論が現実の政策に反映される場面があらわれたといえる。

（4）コロナ禍での展開——２０２０年以降

ＢＩが社会保障制度の現実的な改革案としてより注目されるきっかけとなったのが、２０２０年初頭にはじまったコロナ禍であった。感染症の拡大とその防止策の実施によって、パートやアルバイトなどの非正規労働者および自営業、また個人事業主が圧倒的に多い小売や宿泊・飲食など対面サービスを中心とした業種が、厳しい規制の対象になったからである。彼・彼女らは仕事を失ったり、収入が急激に減ったりしたにもかかわらず、従来の社会保障制度にはほとんど頼ることができず、深刻な生活困窮に直面した。それに対応するために実際に「災難基本所得」や「緊急災難支援金」および「国民支援金」など、ＢＩ的性格をもつ給付金が、各自治体や政府により矢継ぎ早に実施された。応急的かつ臨時的とはいえ、それらの給付金の実施によって、これまでアカデミックな研究対象あるいは政策実験の対象にとどまっていたＢＩが、一般の人々のあいだでも関心の対象となり現実味を帯びてきた。

たとえば、上記の給付金の実施後間もない時期に、それに触発されて、地上波テレビの有名な討論番組で「ＢＩの時代、果たして来るのか」と題し、政治家や研究者による激しい討論がおこなわれた（２０２０年６月）。他のテレビやラジオ番組、全国紙や地方紙を含む多くの新聞、またインターネット動画サイトでも、給付金の実施によってその可能性をみたＢＩの導入をめぐり、賛否両論を含む多様な情報や意見の交換がおこなわれた。その後、コロナ禍の長期化と数回にわたる給付金の延長実施のなかで、ＢＩに関する関心はさらに高まっていった。

（5）２０２２年の大統領選挙とその後

ＢＩをめぐる議論が一時的ブームに終わらず持続的におこなわれたことには、政治的な状況が絡み合っていることも指摘しなければならない。政治の現場で、もっとも精力的にＢＩ導入論を展開したのが、京畿道《キョンギド》知事の李在明《イジェミョン》である。彼は市長を務めた京畿道城南市でＢＩを実験的に実施した経験があり、その経験をふまえて「一人あたり月50万ウォン」のＢＩ給付を主張してきた。李在明は、コロナ禍のさなかで各種給付金の実施を主導してきた張本人でもある。彼が２０２２年３月の大統領選挙で有力な候補の一人となったことで、ＢＩ実現への期待はさらに高まっていった。

結果的に大統領選挙で李在明が落選し、ＢＩの導入は将来の課題となった。しかしながら、ここで重要なのは、それによって韓国におけるBI導入の必要性が消えたわけではないことである。不安定就労層が増加しつづけるなか、社会保障制度が従来の機能を果たすことができていない問題は依然として深刻であり、それに対応するためには、BIの導入であれ、社会保障制度の機能強化であれ、なんらかの改革の推進が喫緊の課題になっている状況は変わっていないからである。近年、BIへの関心は以前に比べ弱くなったとはいえ、アカデミズムの世界でも政治の現場でも、社会保障制度改革、とくに不安定就労層の生活保障のための制度改革に向けた議論が活発になされているのが現状である。

3　ベーシックインカム論争の韓国的文脈

以上みてきたように、韓国でBIへの関心が高まった背景には、従来の社会保障制度の限界、つまり社会保険でも公的扶助でもカバーされない不安定就労層が増加している現状がある。そこで、従来の社会保障制度に取って代わる新しい政策としてBIの導入を主張する側と、従来の社会保障制度の枠内で、社会保険と公的扶助の充実とともに新しい社会手当や社会サービスの導入を主張する側のあいだで論争が起こっているのである。

ここで強調したいのは、韓国では、BIの導入に関して反対論があるものの、賛成論が劣勢にはならず、現実的な改革案としてBIが積極的に議論されていることである。先に言及したように、日本の社会保障制度改革においてもBIが取り上げられることはある。しかし日本では、どちらかといえば、BIの導入よりも、従来の社会保障制度の枠内で社会保険と公的扶助の拡充を図り、同時に両制度のあいだに対象別・ニーズ別の社会手当や社会サービスの充実を求める、つまり社会保障制度の機能強化論が優勢であるようにみえる（埋橋 2011；佐々木・志賀編 2019；宮本 2021）。

たとえば宮本太郎は、従来の社会保障制度のもつ限界を認めつつも、現金給付を重視するＢＩが従来の社会保障制度に取って代わることに対しては、明確な反対の立場をとっている。すなわち、包括的な就労支援サービスの提供によって就労の可能性を高めつつ、従来の社会保障制度を強化する形で補完的な所得保障をおこなうことを求めているのである（宮本 2021：第5章）。このような日本の状況に照らしてみると、韓国ではＢＩ賛成論者の主張が、アカデミズムの世界でも政治の現場でも非常に強く、また政策実験もおこなわれるほど現実味をもっていることは注目に値する。そこには主に次の二つの要因があると思われる。

第一に、不安定就労層の多さである。非正規労働者や自営業者および個人事業主などの不安定就労層が、社会保障制度によってカバーされないという問題は、韓国だけではなく日本を含む多くの先進諸国でも多かれ少なかれみられる。ただし重要なのは、以下にみるように韓国では、それら不安定就労層が他の国に比べて非常に多く、社会全体でみてもむしろ多数派になっていることである。

韓国で不安定就労層が数多く存在していることは、さまざまなデータから確認できる。国際比較可能な形で示してみると、たとえば雇用の時限性を基準とした臨時雇用者の割合は、２０１９年において韓国は24・４％と、ＯＥＣＤ平均（12・２％）の２倍を超えトップレベルである（日本は15・７％）。また、就業者に占める自営業の割合は24・９％で、ＯＥＣＤ平均（15・３％）の１・６倍を超えＯＥＣＤ諸国でもっとも高いグループに属している（日本は10・０％）。

このような国際比較データとは異なり、韓国国内でそれら臨時雇用者や自営業を含む不安定就労層の

図2　就業形態別の規模（2019年，万人）

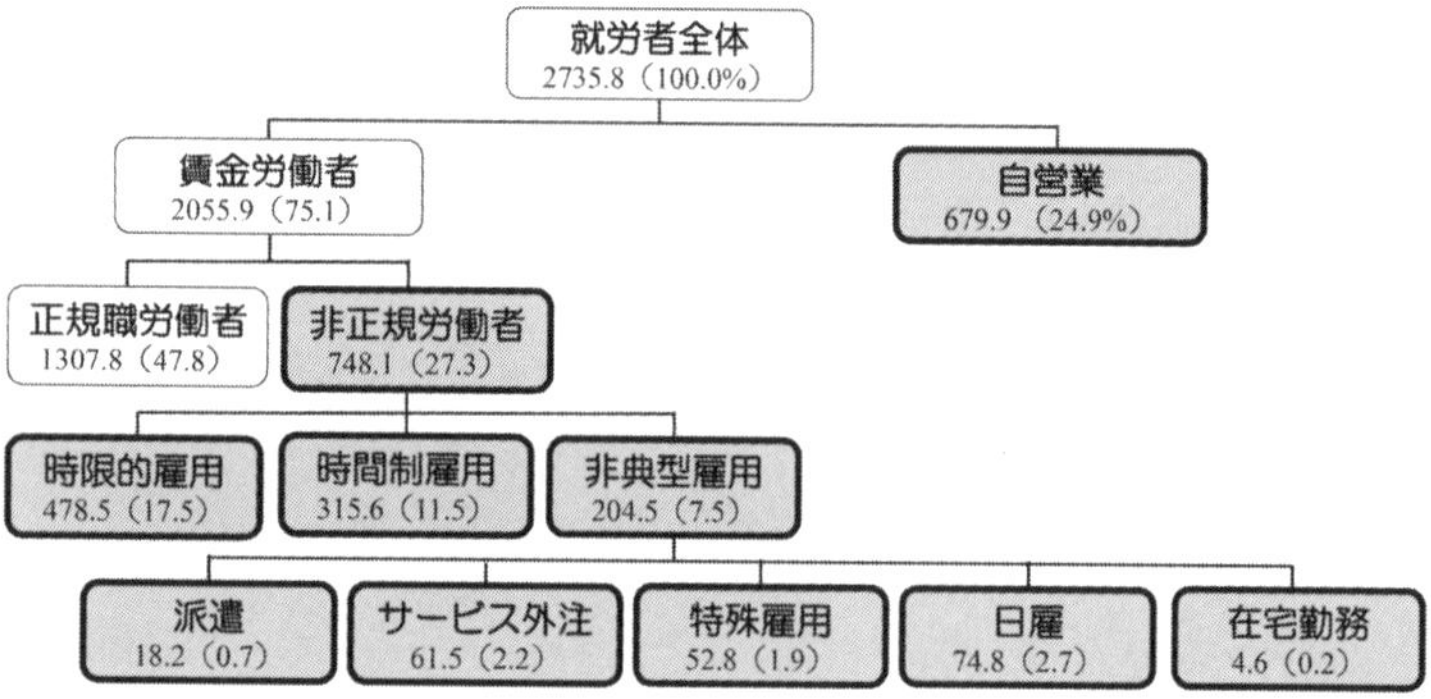

（出典）統計庁（2019a；2019b）より筆者作成。

多さを示すためにしばしば取り上げられるのが、**図2**の就業形態別の割合である。太枠で示している「非正規労働者」とその下位分類および「自営業」が不安定就労層とみなされる。それらを合わせると２０１９年現在、就業者全体に占める割合は５割を超え（52・２％）多数派となっていることがわかる。

このように不安定就労層が多数派になっている韓国の状況は長年変わっていない。詳しくは別稿を参照されたいが（金成垣 2022：第1章）、むしろそれは、20世紀の第４四半世紀からの韓国特有の経済発展過程の中で形づくられ、21世紀に入ってからは経済のサービス化やＩＴ化といった産業構造の変化の中でより強固なものとなった、言うなれば「常態」ともいうべき状況なのである。

不安定就労層が少数派であれば、社会保障制度が抱える問題も相対的に小さく、従来の制度枠組みの中で社会保険と公的扶助の拡充、つまり社会保障制度の機能強化による対応が期待できるかもしれない。しかし韓国では、以上のように不安定就労層が多数派となっているがゆえに、社会保障制度の機能強化に比べて「ＢＩ導入のコストが相対的に低い」（ユン・ホンシク 2016：1005）、またＢＩを導入することで「社会保険、社会手当、公的扶助などさまざまな制度運営に必要なコストが節約できる」（ウォン・ヨンヒ 2017：144–145）といった見解が多くみられている。不安定就労層が多数派を占めるなかで、従来の社会保障制度で対応するためには高いコストがかかることが予想され、そこで新しい政策としてのＢＩが現実的な改革案として注目されているのである。

ちなみに、それら不安定就労層は、多数派を占めているとはいえ、労働市場における地位や立場が多様であり、それゆえ利害関係がかならずしも一致しているわけではないため、労働組合の結成など組織化した労働運動を通じて自らの要求を表出するまでには至っていない。そうした状況の中で、研究者が不安定就労層の要求を代弁する形でＢＩ構想が広がっているといえよう。

第二に、従来の社会保障制度における給付水準の低さである。すなわち、韓国の場合、日本を含む他の先進諸国に比べて社会保障制度の給付水準が低いがゆえに、低い水準のＢＩであっても、従来の社会保障制度とのコンフリクトが少なく、そのため受け入れられやすい環境にあるといえる。

従来の社会保障制度に取って代わる政策としてＢＩの導入を試みる際、その給付水準が従来の社会保障制度のそれに比べて低いとなれば、強い抵抗に直面することになる。わかりやすい例を挙げてみよう。日本でＢＩを論じる研究書や論文をみると、月５～７万円といった提案がしばしばみられる（萱野編 2012：原田 2015など）。その場合、当然ながら従来の年金制度とのコンフリクトが生じる。つまり、月当たりの平均年金額14万７０００円（２０１７年、厚生年金保険第1号）が月５～７万円のＢＩに代替されるとなれば、年金受給者にはとうてい受け入れられない。それに対して韓国では現在、平均年金額が39万ウォン（約３万５０００円、２０１７年）であり、そのような状況では、たとえば前記の李在明が提案する「月50万ウォン」のＢＩ導入が、年金受給者に歓迎されることは容易に想像できる。

年金だけではない。雇用保険をみても、失業給付の給付水準が他の先進国に比べて非常に低く、ＯＥＣＤ平均の３分の１程度である（大統領直属政策企画委員会・関係部署合同 2018）。また、最後のセーフティネットとされる公的扶助の生計給付（日本の生活保護に相当）は、一般的な相対的貧困率（中位所得の50％）よりはるかに低い中位所得の30％以下が給付の基準となっている。これらは、従来の社会保障制度が、それに取って代わる政策としてのＢＩの導入に対して大きな妨げにならないことを意味する。

一般的に考えて、社会保障制度改革においては、すでに導入済みの制度に関して、それをめぐる利害関係や経路依存的制約があるため、新しい政策の導入よりも、従来の制度の枠内での改革がおこなわれやすい。しかしながら韓国の場合、社会保障制度の低い給付水準のもとで、新しい政策としてのＢＩ導入のハードルが相対的に低いのが現状である。

以上でみてきたように、多数派を占める不安定就労層の存在と、従来の社会保障制度の低い給付水準といった状況の中で、韓国では、他の国に比べ、新しい政策としてのＢＩが現実味をもって議論され、またそれをめぐる論争も活発におこなわれているのである。以上のような韓国の状況をふまえて、続く二つの章で、韓国におけるＢＩ論争の具体的な中身を確認してみよう。

第15章では、ＢＩ韓国ネットワークの理事として、これまでＢＩのアイディアを学術的に研究し、政策化のための改革ロードマップを提示してきた白承浩《ペクスンホ》氏が、ＢＩをめぐる理論的および実践的論点をまとめつつ、その導入の必要性を論じている。

それに対して第16章では、延世《ヨンセ》大学校福祉国家研究センターの所長であり、これまで韓国におけるＢＩ構想に対して批判的な論考を数多く発表してきた梁在振《ヤンジェジン》氏が、ＢＩの理論的および実践的欠陥を明らかにするとともに、従来の社会保障制度の機能強化による福祉国家再建のための改革論を展開している。

韓国では、ベーシックインカムを含む社会保障制度をめぐる学術的論争が、実際の制度改革の方向性およびその具体的な内容を決めるケースが少なくない。それは、80年代の民主化運動や民主化以降の市民社会運動の展開に研究者が多く参加してきたことや、その過程でそれらの研究者が政治家として、あるいは行政部の一員として政策決定に直接かかわってきたことによる。その意味において、韓国における研究者の研究活動は社会運動としての役割を果たしているとみることができよう。

参考文献

日本語

埋橋孝文（2011）『福祉政策の国際動向と日本の選択――ポスト「三つの世界」論』法律文化社
萱野稔人編（2012）『ベーシックインカムは究極の社会保障か――「競争」と「平等」のセーフティネット』堀之内出版
金成垣（2022）『韓国福祉国家の挑戦』明石書店
佐々木隆治・志賀信夫編（2019）『ベーシックインカムを問いなおす』法律文化社
原田泰（2015）『ベーシックインカム――国家は貧困問題を解決できるか』中公新書
宮本太郎（2021）『貧困・介護・育児の政治――ベーシックアセットの福祉国家へ』毎日新聞出版
山森亮（2009）『ベーシック・インカム入門』光文社新書

韓国語

カン・ナムフン（2010a）「ベーシックインカムの経済的効果」『ベーシックインカム国際学術大会資料集』
カン・ナムフン（2010b）『すべての国民にベーシックインカムを』民主労総
カン・ナムフン（2013）「不安定労働者とベーシックインカム」『マルクス研究』第10巻2号
カン・ナムフン、クァク・ノワン、イ・スボン（2009）「即時的で無条件的なベーシックインカムのために」民主労総

クァク・ノワン（2007）「ベーシックインカムと社会連帯所得の経済哲学」『時代と哲学』第18巻2号
クァク・ノワン（2010）「分配正義と持続可能な最大のベーシックインカム」『時代と哲学』第24巻2号
クァク・ノワン（2013）「良い生活とベーシックインカム」『都市人文学研究』第7巻1号
クァク・ノワン（2015）「搾取および収奪の時空間とベーシックインカム」『韓国哲学思想研究会』第21巻3号
キム・キョソン、ベク・スンホ、ソ・ジョンヒ、イ・スンユン（2018＝2021）『ベーシックインカムが来る』社会評論アカデミー（＝金教誠・白承浩・徐貞姫・李承潤『ベーシックインカムを実現する――問題意識から導入ステップ、運動論まで』白桃書房）
大統領直属政策企画委員会・関係部署合同（2018）「文在寅政府の『包容国家』ビジョンと戦略――国民の生活を変える包容と革新の社会政策」大統領直属政策企画委員会・関係部署合同
ソン・ウンミ（2002）「新しい社会的権利としてのベーシックインカム」『社会福祉と労働』第5号
ヤン・ジェジン（2020）『福祉の原理――韓国の福祉を貫通する10のお話』ハンギョレ出版
ウォン・ヨンヒ（2017）『生存不安時代、第四次産業革命とベーシックインカム』ノワナメディア
ユン・ホンシク（2016）「ベーシックインカム、福祉国家の代案になりうるのか？」２０１６年社会政策連合共同学術大会発表資料
イ・ミョンヒョン（2006）「福祉国家再編を取り巻く新しい対立軸――ワークフェア改革とベーシックインカム構想」『社会保障研究』第22巻3号
イ・ミョンヒョン（2007）「ヨーロッパでのベーシックインカム構想の展開動向と課題――勤労安息年と市民年金を中心に」『社会保障研究』第23巻3号
イ・サンイ（2021）『ベーシックインカム批判』ミム
統計庁（2019a）「２０１９年８月　勤労形態別付加調査結果」
統計庁（2019b）「２０１９年８月　非賃金勤労および非経済活動人口付加調査結果」

15章 韓国でベーシックインカム導入が現実的な選択肢である理由

白承浩（ペク・スンホ）
カトリック大学校社会福祉学科教授。「ベーシックインカム韓国ネットワーク」理事および『季刊基本所得』編集委員長として、ベーシックインカムのアイディアを学術的に研究し、政策化のための実践ロードマップを提示することにおいて主導的な役割を果たしている。

1 ベーシックインカムの多様なスペクトラム

ベーシックインカム（以下ＢＩ）は、左派バージョンから右派バージョンまで多様なスペクトラムをもっている。右派は、財政面を重視しながら、既存の社会保障制度に取って代わるＢＩを志向する。韓国でみると、この右派バージョンのＢＩ構想は存在しておらず、既存の社会保障制度のうち現金給付の一部をＢＩに代替しながら、公的扶助を負の所得税方式で転換しようという主張が一般的である（パク・キソンほか 2017；パク・キソン 2020など）。

一方、左派バージョンにおいてもさまざまながＢＩが存在する。チョン・スンヒョン（2020）は、韓国社会の左派版ＢＩを二つに分けている。第一に、（旧）社会党、緑の党、労働党など左派を中心として、資本主義の変革を試みる変革的ＢＩ論、第二に、社会保障研究者を中心として、ＢＩ中心の福祉国家改革を試みる進歩的ＢＩ論である。

韓国のＢＩ論争は２０１０年ごろからはじまっており、当初の論争は、変革的ＢＩ論をめぐる左派内部での論争であった。しかしその後、主に２０１６年以降の論争では、社会保障研究者を中心とした進歩的ＢＩ論が主流を占めている。こういった状況を背景にしながら、本章では韓国におけるＢＩ論争の主な争点を紹介し、その限界と課題を検討する。

2　ベーシックインカム論争の主要論点

(1)　ベーシックインカムの必要性

韓国においてＢＩ賛成論者は、大きく三つの立場に分けられる。

第一は、デジタル資本主義への転換に注目する立場である。この立場は、第四次産業革命と呼ばれる、主にデジタル化による働く場の減少および需要不足の問題に注目する立場と、ビッグデータ・コモンウェルス（後述）の独占による不平等の加速化に注目する立場に分かれる。進歩的ＢＩ論は、主に後者の立場に重きをおく。

第二は、従来の社会保障制度の問題点に着目する立場である。この立場は、主に製造業中心の工業社会を基盤として設計された社会保険制度が、デジタル資本主義社会における労働市場の環境に適応できないことを指摘し、社会保険制度の改革とともに、普遍的な所得保障としてのＢＩを追加することを主張する。

第三に、コモンウェルス（共有富）の配当としてのＢＩという、社会正義の実現に注目する立場もある。この第三の主張は、進歩的ＢＩ論がもっとも重視している部分である。「ＢＩ韓国ネットワーク」の主なメンバーたちは、ＢＩを「コモンウェルスに対する定期的現金配当」と定義している。ここでコモンウェルスとは、もともとは皆のものであったか、あるいは皆の協力によって発生した利益を意味し、誰がどれほど貢献したのかを決めることが難しく、特定の個人や法人の成果として帰属することのできない利益を意味する（クン・ミン 2020a）。土地のような自然的共有資産、知識のような歴史的共有資産、ビッグデータのような人工的共有資産を活用したビジネスからの利益が、その代表的なものである（ペク・スンホ 2020a；2020b）。

従来の議論において、コモンウェルスの財源となる伝統的共有資産として多く言及されてきた土地からの利益（ジョン・カンス 2019）や、原油と比較されるビッグデータからの利益（Srnicek 2019）が注目されているが、実は、コモンウェルスの多くの部分は、人々の経済活動を通した所得にも含まれているといえる。私的所有は土地などの源泉的共有資産からはじまったものであり（クン・ミン 2020a）、人々の所得は、知識や情報、社会的信頼など、歴史的に蓄積されてきた共有資産から生み出されたものであるからである。

（２）ニーズに基づく権利論 vs. 普遍的権利論

一般的に、福祉国家における社会保障制度は、なんらかの理由で働くことができず所得が得られない状況など、社会的リスクに直面した状況に対して所得を保障する制度と定義されてきた（Pieters 2006：25）。そして多くの国で、制度が対応すべき社会的リスクの範囲を法的に規定している。韓国においても、社会保障基本法において、社会保障制度を「出産、育児、失業、老齢、障がい、疾病、貧困および死亡などの社会的リスクに対する保護」であると規定している。

このような論理に基づいて、ＢＩ反対論では、社会権は抽象的な権利であるため、国に対する給付請求権が存在せず、ニーズが認められる場合に限って国が介入することが妥当であると主張する。福祉国家の原理をニーズに基づいた権利として規定する、このような考え方を根底とするＢＩ反対論は、社会保障研究者のあいだで多くみられる（オ・ゴンホ 2020）。ＢＩはリスクとニーズに関係なく、無差別にすべての国民に給付をおこなうものであるため、社会保障制度として機能することが難しいというのである（ヤン・ジェジン 2020a；2020b）。

それに対して、ＢＩ賛成論者は、社会保障の原理をニーズに基づいた権利と限定する立場は、社会保障制度をあまりにも狭く捉えていると批判する。社会保障制度は、すべての人々の経済的および社会的権利の実現を理念的目標として設定している（世界人権宣言、１９４８年）。このような理念的目標のもとで、現実世界における社会保障制度には、公的扶助のような資産調査に基づく権利、社会保険のような貢献に対する補償としての権利だけではなく、すべての子どもに（親の所得にかかわらず）一律に給付される児童手当のような、普遍的権利を保障する制度もある。ＢＩ賛成論者は、ニーズや貢献に対する補償としての権利ではなく、コモンウェルスに対する経済的および社会的権利の普遍的保障という観点からＢＩ導入を主張している。

ＢＩ賛成論者は、ＢＩを人権の下位規範である社会権として規定する。とくに「すべての人々は、社会の一員として社会保障を受ける権利をもつ」とする１９４８年の国連世界人権宣言（22条）を根拠に、社会保障制度の適用が、ニーズがある場合や貢献が確認された場合に限定されることはないというのが、

ＢＩ賛成論者の主な主張である。

（３）財政保守主義論 vs. 財政拡張論

ＢＩ反対論の核心は、財政に対する保守的な立場である予算制約論に帰結する。これは前述した社会権を抽象的権利として捉える観点を根拠としており、ニーズのある者にのみ給付をおこなうのが効率的であると主張する。

> 韓国では急速な高齢化により年金支出と医療費の支出が増えており、いまの水準の社会保障制度を維持するだけでも、社会支出の規模が２０４０年にはＯＥＣＤ平均水準に達すると予想される。このような状況の中で、増税によって確保可能な予算をＢＩに使うと、社会保障制度のこれ以上の発展は期待しにくい。（ヤン・ジェジン 2020b：142）

ＢＩは、その普遍性のため、財政負担が非常に大きい。一人当たり月10万ウォン（約1万円）のＢＩでも年間60兆ウォン、月30万ウォン（約3万円）のＢＩになると年間１８０兆ウォンの予算が必要となる。これは韓国の一年間の社会保障予算（１６２兆ウォン）をはるかに上回る金額である。ＢＩは、いかなる社会保障制度よりも財源調達が難しい制度である（チェ・ハンス 2021）。

ＢＩ賛成論者は、財政拡張論を基本的立場として提示しながらも、その一方で、ＢＩの段階的実現のため、年間２回の最低生活保障費水準のＢＩを提案したり（李在明・京畿道知事〔当時〕）、既存の税支出構造の調整と一部の現金給付型福祉制度の転換などを通して、実質的に増税なしで実現可能な月30万ウォンのＢＩを提案したり（イ・ウォンジェほか 2019）している。

また、ＢＩのための積極的財政拡張の方法に関しても、さまざまな提案がおこなわれている。たとえばカン・ナムフン（2019）は目的税方式で税率10％の市民ＢＩ税の導入と結合した月30万ウォンのＢＩを提案しており、クン・ミン（2020b）は炭素配当ＢＩ（炭素税を財源としたＢＩ）およびビッグデータ税を基盤とするＢＩを提案している。またナム・ギオプ（2014）は、土地保有税と結合した土地配当型ＢＩを提案している。

コロナ禍で実施された全国民緊急災難支援金の給付は、増税の同意を前提とし、国の信頼度を高めたと評価される。２０１７年のある調査において、税金が正しく使用されていると答えた回答者の割合は４・２％に過ぎなかったが、２０２０年の緊急災難支援金が支給された後でみると、この割合が43％まで増加した。韓国社会においてしばしば「税金爆弾」といわれるようなネガティブなイメージではなく、増税によって国民が受ける恩恵が増えるということを市民に納得させることができたといえる。これは、韓国における積極的増税の可能性をみせたという意味でも重要であった。

（4）ロビンフッド理論 vs. 再分配の逆説論

ＢＩ反対論では、ターゲットを明確にして給付をおこなうという「ロビンフッド理論」に基づいて、もっともニーズが多い者に給付を集中することで、高い再分配効果を得ることができると主張する。

ＢＩには所得再分配効果がまったくない。所得の有無に関係なくおこなわれる給付であるため、所得再分配が起こるはずがない。高所得層に対しても低所得層に対しても、同じ金額の給付がおこなわれるため、格差の解消効果ももちろんない。もし既存の社会保障制度の給付をＢＩ化し、所得のある者に対しても、それも高所得層に対しても１／ｎ方式で分けて給付をおこなうことになると、逆所得再分配が起こり、格差は深刻化するだろう。（ヤン・ジェジン 2020a : 7）

これに対してＢＩ賛成論者は、再分配の逆説論（Korpi and Palme 1998）に基づき、究極的にはＢＩの再分配効果が高い可能性があることを主張する。再分配の逆説とは、「普遍的で統合的に構成された社会保障制度のほうが、選別的（targeting）で分節的に構成された社会保障制度に比べて所得再分配の効果が大きい」（*ibid.*）という命題である。コルピとパルメ（*ibid.* : 661）は、福祉国家の所得再分配効果に関する議論において見逃されてきたのが、再分配の予算規模の大きさであることを指摘しながら、社会保障制度が選別的で分節的であるほど、再分配に必要な予算規模が大きくなることを示している。

この再分配の逆説論の観点からして、普遍的で統合的なＢＩが必要とされる理由は、韓国の労働市場の変化と社会的保護の二重構造論の観点からも説明することができる。たとえば、現在の韓国の公的年金には、労働市場の二重構造がそのまま反映されている。ある研究によると（イ・スンユンほか 2019）現行の年金制度における年金格差は、正規職を１００とした場合、非正規職は30程度になる。したがって、このような労働市場の状況を考慮せずに既存の年金制度を強化しても、結局、格差はむしろ広がる。現在、韓国の福祉国家が抱えている課題は、年金を含む社会保険の改革だけでなく、普遍的所得保障であるＢＩを新しく追加することである（ペク・スンホほか 2019）。この両方がなければ韓国福祉国家の発展は難しい。

3　より生産的なBI論争のために

韓国のＢＩ論争は、現在の福祉国家の問題を明らかにし、その代案を議論する有益な場である。しかし、その論争の展開が政策工学的レベルで終わったことは否めない。ライト（Wright 2010：41）は、社会科学の知識は開放的であるべきだと述べている。また、開放的知識に基づいた代案は「人間に対する抑圧と社会的不平等を取り除き、人間の生活を豊かにするための物質的な社会的手段に対する平等なアプローチを保障するものであるべき」であることを強調している。そして、開放的知識に基づく代案は、望ましさ（Desirability）、実行可能性（Viability）、持続可能性（Sustainability）を基準として、精緻化され評価される必要があると述べている。

代案論争において、もっとも優先的に検討されるべきは望ましさであり、適切な代案は社会および政治的定義を含む必要がある。にもかかわらず、韓国におけるＢＩ論争では、望ましさに関する論争をスキップして、実行可能性と持続可能性に関する論争だけが注目されている。この点を踏まえつつ、次のステップとして、今後のＢＩ論争ではより生産的な形で議論をおこなっていく必要があるといえる（イ・ダへ 2020）。

ＢＩ論争がより生産的な議論へと進むために、第一に必要なのは、社会保障制度に関する真剣な議論である。現代の政治哲学としてもっとも影響力をもち、社会保障制度のあり方をめぐっても重要と思われるジョン・ロールズの正義論に関する再解釈は、すでに政治哲学の分野では提起されてきたが（モク・グァンス 2019：チェ・グァンウン 2019など）、社会保障制度をめぐる議論では未だに大きく注目されていない。土地コモンウェルスの正義論（ナム・ギオプ 2014；ジョン・カンス 2019）、人工的コモンウェルスの正義論（クン・ミン 2020a）、実質的自由論（Van Parijs 1995）、共和主義的自由論（Casassas 2018）などは、現在の社会保障制度に対する診断と評価および新しい社会保障制度の正当性、制度設計の方向と密接な関連があるにもかかわらず、真剣に議論されることはなかった。未来の韓国の福祉国家の姿がどのようなものであるべきかという議論において、政策工学的論争を超え、どのような社会正義を社会保障制度に反映するべきなのかという省察から問い直していく必要があると思われる。

第二の課題は、資本主義の質的変化に関する正確な診断と批判である。福祉国家の社会保障制度は、資本主義の変化と密接な関連性がある。中世から近代に移行する過程で、資本の本源的蓄積過程において発生した大量貧困への対応として、公的扶助が制度化された。それ以降、産業資本主義が発展し、労働者階級が中間層へと変容することで、彼・彼女らの失業・貧困リスクへの対応として社会保険が生まれた。その社会保険は、正規職男性労働者の労働力の再生産という機能を忠実に果たしてきた。１９７0年代末の「福祉国家の危機」以降、標準的雇用関係の解体、職場と労働の亀裂（Weil 2015）は、社会保険の持続可能性を脅かした。プラットフォーム資本主義と命名される現代資本主義は、労働力による価値創出に加え、知識と情報、ビッグデータを活用する方式へと価値創出の領域を拡大している（Srnicek 2019）。このような資本主義の変化は、社会保険中心の社会保障制度に対する、もうひとつの危機としてあらわれている（ソ・ジョンヒほか 2017）。

韓国においては、賃金労働者の保護のための社会保険にみられる死角地帯の問題がその代表例といえる。正義党のチャン・ヘヨン議員の「２０１４—２０１８年国税庁による人的用役の業種別事業所得の源泉徴収」の分析資料によると、「特殊形態雇用従事者」として分類される代行運転、キャディ、保険販売員、バイク便、物品配達業者などを除いても、2014年に比べ、雇用関係の曖昧な雇用従事者がおよそ162万人増加したことが明らかになっている。これは2018年の就業者2682万人の6％に当たる数値である。イ・ジュヒほか（2015）の研究で、雇用関係の曖昧な雇用従事者が2015年当時の就業者の32％を占めていることが明らかになっていることを参考にすると、就業者の相当数が、純粋な自営業でもなければ純粋な労働者でもない、曖昧な雇用状態で働いていることが予想される。彼・彼女らは社会保険から排除されている代表的な階層である。雇用関係の曖昧な雇用従事者は、コロナ渦以降さらに拡大していくであろう。

第三の課題は、BIの効果についての多方面からの分析であろう。これまでの論争においては、所得再分配や消費効果など、BIの経済的効率性が主な議論の対象となっていた。しかしBIは、経済的効率性以外にもさまざまな社会的効果を創出すると期待される。BIは働く人々の交渉力を高めることができるのか、BIの持続可能性を担保する新しい主体は誰なのか、BIによってコミュニティが活性化されるのか、BIが人々の心理的・社会的安定に貢献するのか等々、BIの社会的効果についての議論が必要であろう。

最後に、従来の社会保障制度の強化戦略を含めて、新しい代案の望ましさに関する検討とともに、いま韓国が直面している状況を、従来の社会保障制度の強化だけで解決できるのかについても真剣に議論する必要があると思われる。BI論争の方向は、単純にひとつの新しい制度の導入をめぐる議論ではないことを忘れてはならない。新しい福祉国家の再構成の方向を、従来の社会保障制度の強化か、BIの導入かといった二者一択の問題として議論するのは望ましくない。新しい福祉国家の設計のための原則とは何かを考えながら、両者の可能性と限界を探っていくべきであろう。

（抄訳＝金成垣）

参考文献
英語など
Casassas, David（2018）*Libertad Incondicional : La Renta Básica en la Revolución Democrática*, Barcelona: Paidós.
Korpi, Walter and Joakim Palme（1998）“The Pradox of Redistribution and Strategies of Equality : Welfare State Institutions, Inequality, and Poverty in the Western Countries,” *American Sociological Review*, 63(5).
Pieters, Danny（2006）*Social Security: An Introduction to the Basic Principle*, Kluwer Law International BV.
Srnicek, Nick（2019）*Platform Capitalism*, King Kong Books.
Van Parijs, Philippe（1995）*Real Freedom for All*, Oxford University Press.
Weil, David（2014）*The Fissured Workplace*, Harvard University Press.
Wright, Erik Olin（2010）*Envisioning Real Utopias*, London: Verso.
韓国語
カン・ナムフン（2019）『ベーシックインカムの経済学』コヤン：パク・ジョンチョル出版社
クン・ミン（2020a）『みんなの分をみんなに――今すぐベーシックインカム』東アジア
クン・ミン（2020b）「所得税を除く共有富の財源モデル」『ベーシックインカム韓国ネットワーク論点討論資料』
クォン・ジョンイム（2016）「共有社会のベーシックインカムとロールズの正義の二つの原則」『時代と哲学』第27巻4号
ナム・ギオプ（2014）「ロールズの正義論を通した地代ベーシックインカムの正当化研究」『空間と社会』第24巻1号
モク・グァンス（2019）「ロールズの正義論とベーシックインカム」『哲学研究』第59号
パク・キソン（2020）「安心所得税は汎福祉制度」LAB2050　https://medium.com/lab2050/idea2050-617785d349d5

パク・キソン、ビョン・ヤンギュ（2017）「安心所得制の効果」『労働経済論集』第40巻3号
ペク・スンホ、イ・スンユン（2019）『ベーシックインカム基盤福祉国家の再設計』正義政策研究所
ペク・スンホ（2020a）「社会保障制度の改革＋ベーシックインカム」『ベーシックインカムの導入と財源確保の方案』２０２０京畿道公論化調査研究諮問委員会
ペク・スンホ（2020b）「ベーシックインカム中心の福祉国家、どう再設計するのか」『労働時間センター月例討論会発表資料』
ソ・ジョンヒ、ペク・スンホ（2017）「第四次産業革命時代の社会保障改革――プラットフォーム労働での使用従属関係とベーシックインカム」『法と社会』第56号
ヤン・ジェジン（2020a）「コロナ以降、ベーシックインカムは韓国福祉国家発展のための補完材になり得るのか？――ベーシックインカムの政策的効果性の分析を中心に」『労使公フォーラム』２０２０年1月号
ヤン・ジェジン（2020b）「全国民のベーシックインカムの政策効果と限界分析」『動向と展望』第１１０号
オ・ゴンホ（2020）「ベーシックインカムより全国民社会保障――『必要』基盤の革新福祉体系」『ベーシックインカム、韓国福祉体制の代案なのか？　韓国社会福祉学会ウェビナー資料集』
イ・ダヘ（2020）「ベーシックインカムに対する『より良い論争をする権利』」Ridibooks https://select.ridibooks.com/article/@gigselect/42
イ・スンユン、ペク・スンホ、キム・ユンヨン（2019）「韓国の二重労働市場と老後所得保障制度の二重化――公的年金の改革案シミュレーション分析」『批判社会政策』第63号
イ・ウォンジェ、ユン・ヒョンジュン、イ・サンミン、イ・スンジュ（2019）「国民ベーシックインカム制度――２０２１年から財政的に実現可能なモデルの提案」『LAB2050ソリューションレポート』
イ・ジュヒ、チョン・ソンジン、アン・ミンヨン、ユ・ウンギョン（2015）「曖昧な雇用関係の韓国的特性と展望」『動向と展望』第95号
ジョン・カンス（2019）「ベーシックインカム思想の三つの流れに対する比較検討とその含意――財源正当性を

中心に」『市民と世界』第35号
チェ・グァンウン（2019）「財産所有民主主義とベーシックインカムの結合」『時代と哲学』第30巻3号
チェ・ハンス（2021）「韓国のベーシックインカムに関する批判的検討」『法経済学研究』第18巻3号
チョン・スンヒョン（2020）「進歩変革ベーシックインカム論に対する批判的検討――社会政治的志向と政治的実現可能性を中心に」『21世紀政治学会報』第30巻3号

16章 ベーシックインカムは福祉国家の発展をもたらすのか

梁在振（ヤン・ジェジン）
延世大学校行政学科教授、福祉国家研究センター所長。社会保障委員会評価専門委員会委員長。ベーシックインカム導入に反対する立場から、社会保障の機能強化による福祉国家再建のための改革論を積極的に展開している。

1 ベーシックインカムへの期待？

ベーシックインカム（以下ＢＩ）は福祉国家を補完し強化することができるのか。韓国国内では、福祉国家の補完および強化のためとしてベーシックインカムの導入を主張する人々が少なくない。本章では、ＢＩの五大核心要素といえる個人別給付、現金給付、無条件性、定期性、普遍性を、社会保障制度の原理と比較検討することで、ＢＩの抱える内在的な限界を明らかにする。それを踏まえて、ＢＩ導入賛成論者の主張とは異なり、ＢＩを用いて韓国の福祉国家の発展を促すことは難しく、むしろ発展を阻害する可能性があることを主張したい。

2　ベーシックインカムの内在的限界

（1）無差別的な普遍主義の問題

ＢＩの重要な特徴のひとつは、すべての国民に対して一定の金額を普遍的（universal）に給付するという点にある。世界的に著名なＢＩ賛成論者であるヴァン・パリース（Van Parijs）の言うように、ＢＩは「いかなる財産調査もおこなわずに事前的（ex ante）に給付する」ものであり、「富裕層か貧困層かを問わずすべての人々に前金で給付されるため、かれらに他の所得源泉があるのか、どのような財産を所有しているのか、親戚の所得はどれくらいなのかなどは重要ではない」（Van Parijs and Vanderborght 2017 : 46）。したがってヴァン・パリースは、ＢＩが「既存の社会保障制度の普遍主義的性格を拡張する」と信じていた（*ibid.* : 7）。

ＢＩによって受給対象者が拡大するという点からして、ＢＩを普遍主義の拡張と捉えることもできるだろう。しかしながら、ＢＩの普遍主義は、無差別性（indiscriminateness）を含んでいる点において、社会保障制度における普遍主義とは質的に異なっていることに注目しなければならない。

従来の福祉国家では、無差別的な給付はおこなわれない。失業や引退などのため所得活動が困難になった場合、つまり社会的リスクにおちいった場合に給付がおこなわれる。もちろん、働いても賃金が低いなどの理由から最低生活を維持できない場合、言いかえればワーキングプアの状況にある場合、可処分所得を上げるために、勤労所得税額控除などが支給されることもある。疾病の治療や育児などのための支出増で生活が困難になることを避けるため、公的サービスによって医療や保育などを社会化したり、また傷病手当や児童手当などの現金給付をおこなったりすることもある。

要するに、社会的なものとして認められるニーズが発生した場合に、社会保障制度による給付がおこなわれるのである。リスクに直面し、ニーズを抱えたすべての人々に対して給付がおこなわれることが普遍主義（universalism）である。それに対して選別主義（selectivism）は、ニーズが発生したにもかかわらず、所得や財産を考慮して一定水準の所得以下の者、あるいは給付の必要性が高い者（たとえば重度障がい者）のみに給付をおこなうことを意味する。

ここで重要なのは、社会的リスクやニーズの発生の有無を考慮することを「選別」とは言わないことである。ひとつの例を挙げてみよう。小学校から高校までのすべての学生に、所得に関係なく給食が無料で提供されることを普遍主義という。このとき、学生であるかないかを考慮したからといって、それを選別主義とは言わない。子どものいるすべての世帯に、所得に関係なく児童手当を給付すれば、それは普遍主義である。子どもがいるか否かを把握して、子どものいる世帯にのみ児童手当を給付することが選別主義にはならない。貧しい世帯の子どもにのみ児童手当を給付した場合、それが選別主義なのである。

ＢＩは、以上のような従来の普遍主義の考え方とは異なり、リスクやニーズの発生の有無を考慮せず給付をおこなうものである。これがＢＩを「無差別的普遍主義」と呼ぶ理由である。ＢＩでは、失業者や定年退職者ではない就業者に対しても、子どもではない青年に対しても、出産や育児のため職場を離れざるを得ない状況ではない女性に対しても、労災によって労働能力を失った者以外の労働者に対しても、疾病の治療を必要とする者以外の人々に対しても、給付がおこなわれる。

福祉国家において、普遍主義に基づく給付は「所得ではなく客観的な単一ニーズ基準、つまり疾病、妊娠、扶養児童、生活習慣病などの有無にある。……その基準を満たす場合に、所得に関係なく受給権が与えられる」（シン・ドンミョン 2018：241）。そして、普遍主義の福祉国家だからとして、すべての制度・政策において普遍主義が適用されるわけではない。現実的に予算の制約があるため、ニーズのあるすべての人々に給付をおこなうと、よりニーズの多い人々に給付が行き渡らない可能性がある。したがって、場合によっては資産調査を通して受給者の範囲を低所得層に限定したりすることで、財政の効率化が図られることもある。普遍主義的な福祉国家においても、必要に応じて選別主義を適用し、目標効率性（target efficiency）を高めているといえる。

仮に、韓国のすべての人々に毎月1万ウォン（約1000円）のＢＩを給付すると、年間6・2兆ウォンが必要になる。1・5万ウォン（約1500円）の給付だと9・36兆ウォンが必要となる。それに対して、2019年に毎月最低180万ウォンから最大198万ウォン（約18万円〜20万円）が給付される失業給付の支出は合計9・3兆ウォンであった。失業率が一般的に3％水準であるため、その3％を前提に保険料を徴収している。つまり、100人から少しずつお金を集め、ニーズのある（失業した）3人に十分な水準の給付をおこなっているのである。しかしＢＩでは、100人からお金を集め、100人に分け与える方式をとる。このような方式では、適切な給付を期待することは難しい。

リスクとニーズの発生に関係なく、無差別的にＢＩが全国民に給付されると、それによる所得保障効果を期待することは難しいのである。コモンウェルス（共有富）に対する市民の権利保障を実現するため、コモンウェルスから創出された利益を1／nで分けることは一定の意味のあることであるといえる。しかし、それを1／n方式で分けることに、所得再分配の効果を期待することは難しい。

（2）所得再分配の逆転問題

ヴァン・パリースは、「もしＢＩの財源が外生的に、要するに公的所有の天然資源からの収入や地理的に他の地域から移転した収入などによって補われた場合には、ＢＩの導入は、その金額の分だけすべての人々の所得が増えることを意味する」（Van Parijs and Vanderbourght 2017 : 47）と述べている。他方で、もし「その財源が内生的に、要するに住民が納付する所得税や消費税によって補われるなら、高所得者と消費支出の多い者は自分たちがもらう手当を（そしてそれ以上を）自分のお金で支払うことになる。……ＢＩは、すべての人々をお金持ちにさせるのではなく……貧しい人々をより有利にさせるものである」（*ibid.*）と主張している。つまり、ＢＩの再分配効果あるいは格差縮小効果を強調しているのである。

平均所得の労働者において税金の負担額とＢＩ受給額が正確に一致する、いわば定額給付／定率税（basic income ／ flat tax）の場合、平均所得以下の階層がより多くの恩恵を受けることになる。一方、平均所得以上の階層はその分負担が重くなる。仮に累進税によって財源を確保しＢＩを給付する場合、富裕層はより多くの税金を支払うことになるのである。つまり、所得再分配の規模がより大きくなる（ユ・ジョンソン 2020 : 68）。理論的にも現実的にも間違った話ではない。

問題は、ＢＩが所得再分配、とくに格差の解消においては効果的でないという点にある。ヴァン・パリースも認めるように、「貧しい者のみを対象とし、かれらの所得と貧困線の差を埋める条件付き最低所得制度が、ＢＩ制度よりもっと効率的である」。貧しい人だけではない。失業者や育児休暇の利用者など、所得を喪失したり所得が減少したりした者に対して、所得のある者が支払ったお金を用いて給付をおこなうことによって、所得再分配の効果をより高めることができるのである。また、１／ｎ方式ですべての国民にお金を分けるＢＩより、社会保障制度による給付の水準のほうが高いことは当たり前であり、そういった方式による給付において、再分配効果がより大きくなることはいうまでもない。

ＢＩは個人別に支給されるものである。一般的に、所得再分配の効果は個人単位で測定される。しかし、個人単位でみた場合なら多少あるＢＩの再分配効果は、世帯単位でみると、最上層を除いてほとんど消えてしまう。個人単位では、中間層の世帯でアルバイトをする学生や専業主婦は、低所得者もしくは無所得者として分類される。低・無所得者である彼・彼女らにＢＩが給付されると、統計的には正の所得再分配が発生する。これは、まるで格差が緩和されるかのようにみえる。しかし、彼・彼女らを世帯単位で再配置すると話は変わる。低所得または無所得として数えられる個人も、実は中間層世帯の構成員であることが多い。実際には１人世帯や２人世帯に貧困が集中しているにもかかわらず、世帯員数の多い中間層が、そうでない低所得層よりＢＩを通してより多くの利益を得てしまう可能性が高いのである。

そのため、従来の福祉国家の社会保障制度の中で、低所得層のための所得保障制度は、個人単位ではなく世帯単位で設計されている。世帯単位で対象者を選定し、給付も世帯単位でおこなっている。韓国の国民基礎生活保障（日本の生活保護制度に当たる）がそうであり、勤労貧困層を対象にする勤労所得税額控除もそうである。もちろん貧困層は所得が非常に低いため、同一金額のＢＩをもらった場合、世帯所得での移転支出の割合が中間層より大きい。したがって数値上では所得再分配が発生するかもしれない。しかし、国民全体に対して１／ｎに分けて少額を支給するＢＩの予算を、10分の１だけでも低所得層をターゲットに国民基礎生活保障や勤労奨励金として十分に給付したほうが、格差解消の効果はより大きいといえる。

（3）現金給付の問題

ＢＩは現金給付である。一般的にいって現金給付は受給者の効用を最大化させる。本人が好きなように財貨やサービスを購入できるからである。経済学の効用理論によると、合理的な個人は、自らがもっとも満足する組み合わせで消費をおこなう。すべての個人が個々の消費を通してもっとも高い効用を得ている状況が、社会的に最適な配分がおこなわれている状態といえる。ＢＩを通して真の自由（real freedom）を実現しようと主張する立場にとって、現金をその手段として選択するのは当然の論理的帰結である。

このような現金給付のメリットゆえに、福祉国家においては現金給付が広く用いられている。いうまでもなく、社会保障制度のうち所得保障制度の多くは現金給付である。年金、失業給付、育児休暇手当、勤労所得税額控除、国民基礎生活保障の生計給付などがそれである。しかし福祉国家の給付の中には、社会サービスやバウチャー（サービスを利用するためのクーポン）の形での給付も数多くある。現金だけで給付がおこなわれない理由は、サービスやバウチャーが受給者のニーズにより適合した有効な手段になることがあるからである。現金はメリットが明確であるが、同時にデメリットもある。

第一に、誤用あるいは濫用の危険性である。すなわち現金給付は、ぜいたく品はもちろんお酒、たばこ、麻薬などの消費につながる可能性がある。子どもの育児のために児童手当を支給しているが、たとえばその受給額を10万ウォンに限定し、その代わりに一人当たり１００万ウォン程度の予算を公的な保育サービスに投入している理由がそこにある。ＢＩが導入されると、失業、引退、出産および育児などのため所得を喪失した者以外に、働いている大多数の人々に現金が給付されることになる。各自の所得で消費活動をしている人々に、追加の現金が支給されると、支出の優先順位の低い財貨やサービスの購入がおこなわれる可能性が高い。あるいは消費ではなく貯蓄に回されるケースもありうる。

第二に、すべてのＢＩ受給者が誤用や濫用をしない合理的で道徳的な市民であったとしても、「市場の失敗」の問題を生み出す危険性がある。現金による消費が個人の効用を最大化する条件として、「見えざる手」によって資源配分が効率的におこなわれることが挙げられる。しかし現実的にはそうでないことが多い。とくに社会保障とかかわる領域ではそうである。

たとえば医療においては、情報の非対称性によって「逆選択（reverse selection）」の問題が発生し、保険市場が適正に動かなくなる。医療を、選択の自由と「見えざる手」に任せることができない理由がそこにある。住居手当を支給するからといって、すべての住宅問題が解決されるわけではなく、低廉な公共住宅を直接供給するという必要性が残る。公共交通システムが整えられていなければ、国が個人に交通費をいくら支援しても、移動のニーズを持つ人々の交通問題の改善にはならないのである。

そのため、ＢＩが導入されても医療サービスなど従来の社会サービスや保育サービスを維持する必要があるという主張もみられる。しかしながら、失業給付の20分の1、一人世帯の国民基礎生活保障給付の5分の1に過ぎない10万ウォンのＢＩでも、全国民に支給することになると一年に62兆ウォンが必要になる。30万ウォンのＢＩになると年間１８７兆ウォンが必要である。莫大な予算を必要とするＢＩを導入すると同時に、現行の社会サービスを維持する財源を確保することができるのだろうか。

（4）脱労働化の問題

ＢＩは、労働市場への参加、あるいは求職活動や教育訓練を前提条件とせずに給付をおこなうものである。この無条件性（unconditionality）は、ヴァン・パリースが指摘した通り、ＢＩのもっとも重要な要素である（Van Parijs and Vanderborght 2017：30）。そして、この無条件的給付は、短期間または特定年齢だけに限るものではなく、定期的に一生を通じておこなわれる。従来の福祉国家における社会保障制度にも、労働市場への参加とは無関係に給付がおこなわれる場合がある。老齢年金がそのひとつである。そして年齢の制限はあるが、児童手当もまた長期間にわたり無条件に給付される。しかし、生産年齢人口を対象に無条件的に、かつ定期的にまた長期間にわたって給付されるものはない。

生産年齢人口に対する現金給付は、働いて所得を得ることができなくなった場合（失業給付、育児休暇給付など）、そして働いても所得が低い場合（勤労奨励金など）に支給される。勤労所得税額控除は、少額ではあるが、働いているあいだにボーナス方式で支給され、失業給付もまた求職活動をその条件とする。さらに、生産年齢人口を対象とする現金給付は、無期限で提供されるものではなく、期間が決まっている。労働市場から引退した高齢者に対して死亡するまで支給される年金や、勤労能力の低い貧困層に継続的に支給される国民基礎生活保障の生計給付とは異なる。これは韓国のみならず、すべての福祉国家において同様である（ヤン・ジェジン 2020：第2章）。これはなぜだろうか。

それは、福祉国家が資本主義システムの上に成り立っているからである。福祉国家の労働市場政策は、失業者を保護するために脱商品化（decommodification）を志向するが、それと同時に、彼・彼女らが労働市場に復帰できるように、職業訓練などを通して再商品化（recommodification）をも志向する。しかし、どのような場合でも、ＢＩのように「脱労働化（delaborization）」を志向することはない。福祉国家の社会保障制度、とくに所得保障制度は、生産年齢人口の労働を前提として設計されている。失業など労働が困難になった場合に、つまり自分の労働力を売り、所得を得ることができなくなった場合に給付がおこなわれる。

それに対してＢＩ賛成論者は、労働と報酬の関係を断絶させようとする。さらに、社会的に有意義な労働をしなくとも——ロールズ（Rawls 1988）が憂慮した通りに、マリブ海岸で一日中サーフィンを楽しんでも——人間らしい生活ができる水準のＢＩが提供されるべきであると主張する。マルクスが夢見た共産主義社会での「自分の気のおもむくまま……朝には狩りをし、午後には釣りをし、……夕食後には批評をする生活」（Marx and Engels 2004 : 53）を、ＢＩが実現してくれるだろうと期待している。「脱労働を通した真の自由の実現」を夢見ながら（チョ・ナムギョン 2017 : 257）、究極的には、資本主義体制内での共産主義的分配を実現する道具としてＢＩを位置づけているのである（Van der Veen and Van Parijs 1986）。

しかしながら、ＢＩを導入し脱労働を実現した場合、資本主義的な生産システムがいかに維持されるかについて、疑問を投げかけなければならない。ミノーグ（Minogue 2018）の指摘通り、ＢＩが導入され「真の自由」を得られる程度まで給付水準が引き上げられたら、労働市場に投入される労働力が減少し、それにともない生産が減少し、税収も減少する問題が生じる。果たして福祉国家の物的土台としての資本主義システムを維持することができるのだろうか。物的土台なしに福祉国家が発展することがありうるのだろうか。ＢＩ賛成論者は、技術革命によってすでに豊かな社会が到来していると信じているため、ＢＩの財源はもちろん、福祉国家の物的土台についても懸念する必要はないと考えるかもしれない。しかし、労働が欠如した状態でも資本の拡大再生産が可能であるという仮説を受け入れたからといって、ＢＩの導入に正当性を付与することはできないであろう。福祉国家は資本主義の上に成り立っている。ＢＩの脱労働への志向性は、福祉国家の物的土台自体を崩壊させかねないのである。

ちなみに、人工知能（ＡＩ）による自動化の進展により人間の労働が完全になくなる未来を想定しながら、ＢＩの導入が不可避であるという主張も存在する。しかし、人間の労働がなくなる未来社会を想定することで、いまここで働いている人々にＢＩを給付する必要がなぜあるのか。年金基金を貯めて引退した者に年金を支給するのと同じように、ＢＩ基金をつくり、未来に労働が必要ない社会になった際にＢＩを給付するという考え方が合理的なのではないか。そもそも、人間の労働が完全になくなる社会が到来するかについても疑問が残るが。

3　福祉国家の発展のために

ＢＩ賛成論者が、社会的リスクやニーズを考慮せずに、すべての国民に給付をおこなうことに賛成する理由は、一人に対し一票の投票権を与える政治的市民権のように、ＢＩを個別的権利として、万人に付与された市民所得（citizen's income）と捉えていることにある。社会保険の給付のように、貢献によって受給権（entitlement）を得るのとは異なり、ＢＩは無条件的な権利として、すべての国民に給付されるものである。過去には、財産税の納付者だけが投票権を有していた時代もあった。現在でも株式会社の株主は、所有した株の数だけ投票権を行使する。しかし政治的市民権は一人に対し一票である。この政治的市民権のように、万人が同等に同一の金額をＢＩとしてもらう権利があると信じているのがＢＩ賛成論者である。

ＢＩ賛成論者は、市民所得としてＢＩが給付されることで、社会権が強化されることを期待している。しかしながら、その期待とは異なり、ＢＩの導入はむしろ福祉国家の発展を妨げうる。過去に富裕層が投票権を独占していたことと比べると、現代の社会権はそれとは真逆のものになっている。所得者は誰であろうと税金と社会保険料を納付し、社会保障制度の費用を負担しており、富裕層はその中でより多くの費用を負担している。しかし、社会保障制度の給付を受けるのは富裕層ではない。労災、失業、引退、育児などにより所得を喪失した者、または働いても貧しい勤労貧困層が給付を受けるように設計されている。社会的連帯と相互扶助の原則のもとで、ロールズの用語を借りると、ひとつの社会の富（wealth）を「最小恩恵者（the least advantaged）」である、保護されるべき市民に集中させている。

医療保険の保険料を支払ったからといって、すべての国民が病院に行くわけではない。病気になった人だけが病院に行き、その人だけが医療保険の給付を受けることになる。しかし、毎月すべての国民に医療費が給付されることになったら、病気にかかった人に対しては十分な治療費が給付されない危険性が生じる。1／n方式をとるＢＩでは、社会権の強化を期待することは難しいのである。

さらにいえば、ＢＩ導入が実現されても、予算の制約という現実からして、その水準は低くならざるをえない。低水準のＢＩは、社会権の強化を実質的にもたらすことはできない。ＢＩが給付されても賃金労働に対する依存は続くことになるだろう。仮に、すべての者の生活を保障するほどの高い水準のＢＩが支給されたとしても、脱労働という副作用を招くことになるだろう。福祉国家の物的土台である資本主義の生産システム自体を困難にさせるかもしれない。結局、ＢＩを通しては社会権の強化も福祉国家の発展も期待できないのではないだろうか。

ＢＩは福祉国家に進むうえでの近道ではなく、軌道離脱の道である。真に韓国の福祉国家の発展を目標とするのであれば、西欧の先進福祉国家が進んだ道を歩むべきである。すなわち、社会保障制度の原理を充実させながら、一歩一歩前進することが大事である。

参考文献

英語など

Marx, Karl and Frederick Engels (2004) *The German Ideology: Part One*, C. J. Arther (edit and int), International Publishers.

Minogue, Rachel (2018) "Five Problems with Universal Basic Income," Third Way.

Rawls, John (1988) "The Priority of Right and Ideas of the Good." *Philosophy & Public Affairs*, 17(4).

Van der Veen, R. and Phillipe Van Parijs (1986) "A Capitalist Road to Communism'" *Theory and Society*, 15(5): 635-55.

Van Parijs, Phillipe and Yannick Vanderborght (2017) *Basic Income: A Radical Proposal for a Free Society and a Sane Economy*, Harvard University Press.

韓国語

シン・ドンミョン（2018）「福祉給付の対象者」、アン・ビョンヨン、チョン・ムグォン、シン・ドンミョン、ヤン・ジェジン『福祉国家と社会福祉政策』タサン出版社

ヤン・ジェジン（2020）『福祉の原理――韓国の福祉を貫通する10のお話』ハンギョレ出版

ユ・ジョンソン（2020）「なぜ普遍的ベーシックインカムが必要なのか？――ベーシックインカムを中心とする社会保障改革の方向」『動向と展望』第１１０号

チョ・ナムギョン（2017）「ベーシックインカム戦略の貧困批判」『社会保障研究』第33巻３号

〔付記〕本稿は、ヤン・ジェジン（2020）「ベーシックインカムが福祉国家の発展要因になれない理由」『経済と社会』第１２８号（58―77頁）を要約翻訳したものである。（金成垣）

終章

日本への示唆として何を受けとるか

小谷　幸

　本書は、１９８７年までの民主化運動を基盤とし、２０１６〜17年のキャンドル市民革命等の直接的政治行動を経て民主的な政権を生み出した韓国の社会運動を、女性／性暴力、外国人労働者、自治体への市民参加、エッセンシャル・ワーカー、ベーシックインカムという五つの熱量あるテーマを切り口に紹介してきた。「はじめに」で触れられている通り、本書は韓国の社会運動を多面的に紹介することを目的としており、読者が受けとるものも当然ながら異なるであろう。いずれの章も日本への示唆に満ち溢れているが、本章ではとくに印象に残った4点について考察してみたい。

（1）運動の成果としての制度化

　まず、国家および自治体の制度設立ならびに改変が、社会運動の成果として生じている点である。たとえば２０１９年の堕胎罪違憲判決（第1部）、２００４年の外国人雇用許可制度（第2部）である。なかでも第４部で展開された、コロナ禍で感染リスクにさらされている運輸・配達、介護等の社会システムを支える労働者を「必須労働者」として捉え、その健康および安全支援事業をおこなう政策が、労働運動・社会運動からの提起を受けて実施された点は注目される。このような素早い法制化が、地域の基礎自治体から民官協働で生じている点は、欧州などのミュニシパリズム（地域主権主義）とも通じる。第4部のソウル市城東区における条例制定を端緒とし、第3部ではソウル市の民官協働チームが非正規労働者、移住民・難民支援関係者、文化・芸術家団体等、当事者との懇談会を通じて意見を吸い上げ、コロナ禍で国の対策が行き届かないところを支援したとある。

こうした協働の影響として、労働組合や市民団体といった運動組織内でのジェンダー主流化（第1部）、外国人労働者導入における悪質ブローカーの排除（第2部）、エッセンシャル・ワーカーへの優先ワクチン接種等の保護や処遇改善（第4部）等が進んだ。複数の報告者から保守政権への政権交代による再停滞が指摘されているものの、運動の要求が制度をつくり、制度がよりよい社会をつくりだすプロセスを、私たちは本書の随所から確認することができる。

(2) 運動の組織づくりと横断的連携

次に、こうした成果を生み出す社会運動の組織づくりや連携が進んでいる点である。本書の事例の多くにおいて、大規模な運動を進めるにあたり、多団体の連携による連合体がつくられていた。たとえば第1部の反性暴力運動での連帯、とくに2018年から広まった#MeToo運動では、政治家や検事による性暴力に対し、被害者を支援する弁護士や女性人権団体、女性学の専門家等からなる「共同対策委員会」が設置され、連携して活動を進めていた。こうした組織づくりや連携の経験が、戦術レパートリーとしての大規模なキャンペーンを生み出す土台ともなり、#MeToo運動キャンペーン（第1部）等の運動の可視化とより広範な層への課題の共有につながっている。また第3部では、3人以上の住民の集い「マウル」にソウル市が補助金を出すことで、社会運動の基盤ともなる住民どうしの親密圏を復元しようとしている。

(3) 新自由主義に対抗する価値観の共有

そして、何よりも強調したいのは、韓国の社会運動を支える価値観として、新自由主義がもたらす効率至上主義と、その個人への浸透による能力主義・「自己責任」の内面化がもたらす分断と孤立、弱者排除を問い直す視座が通底していることだ。

まず、行き過ぎた効率性への批判として、住民との対話を通じた公共化、「再公営化」の姿勢を見てとることができる。たとえば第2部では、外国人労働者の雇用許可制の導入に際し、それまで民間エージェントがおこなっていた外国人労働者の国内就業管理や教育・相談支援を国の機関がおこなうことが定められたとある。また第4部では、介護労働の質が、そのサービスを受ける高齢者の生活の質に直結するため、介護の公共性を強化する取り組みとして「社会サービス院」を設置したことが紹介されていた。これも「公営化」のひとつの取り組みと捉えることができる。この公共化が市民主体の民官協働で実施されていることにも注意を喚起したい。

次に、「自己責任」の浸透とその内面化がもたらす分断と孤立を問い直す視点は、たとえば第1部での性暴力被害者への二次加害に対抗し、共感を寄せて被害者を孤立させない姿勢に見てとれる。第2部では、外国人労働者の境遇を自らにかかわる問題だと認識する言説が形成され、権利を保護する制度化につながったことが分析される。地域のつながりとしてのマウルの育成(第3部)や、エッセンシャル・ワーカーのための休憩所の設置(第4部)などは、孤立を防ぎ、人々をつなぎあわせる試みであるとも解釈できる。

「自己責任」が浸透する社会は、自分自身と家族のケアを個人の問題に帰し、傷つきや障がい、病気等、ケアを必要とする人に対しては残余的に「公助」「共助」としての支援をおこなうスタンスをとる。その結果、ケアを必要とする人は弱者とみなされ、道徳ないし「思いやり」としての支援を受ける存在として、ケアする人とともに周辺化される。しかし、本書第4部で紹介された、介護の必要性の高い住民や孤立したケア労働者を可視化し、「誰ひとり取り残さない」ことをめざす政策的試み、また第5部における、非正規や個人事業主といった「脆弱層」をどうすれば社会保障に包摂できるかという観点からのベーシックインカム論争の根底には、私たちすべてに尊厳ある人生を送る権利があるとの視点が貫徹している。

(4) 声を上げ、関係性を紡ぎ出すところから社会の変革ははじまる

このような韓国社会運動のダイナミズムやエネルギーはどこから生じるのか。しばしばある回答は、民主化運動を経験した韓国のほうが日本よりも政治への関心が高いからというものだが、それに反する調査結果もある。

たとえば、第7回「世界価値観調査」(電通総研・同志社大学、2021年)によれば、日韓の国民はともに政治を重要視している。「あなたの生活に政治は重要か」という問いに対し「非常に重要」「やや重要」の合計が日本は65・0%(77か国中6位)、韓国が60・1%(同7位)と、ともに世界的に見て高水準にある。「政治への関心」を見ると、「非常に関心を持っている」「やや関心を持っている」の合計が日本60・1%(8位)、韓国44・3%(35位)と、むしろ日本のほうが高い。しかし、政治的行動への

参加経験や意欲をみると、「不買運動（ボイコット）」（日本1・9％、韓国4・7％）「平和的なデモ」（日本5・8％、韓国10・2％）と、韓国のほうが数ポイント上回り、参加経験を持つ人が日本よりも多くなっている。

同じ調査で、本書の内容に関連して取り上げたい、日韓の大きな相違がみられる項目がある。「友人と政治の話をする頻度」について、「よくする」「時々する」の合計が、韓国は76・2％（47か国中7位）と高いのに対し、日本は51・4％（同39位）と20ポイント以上の開きがある。関心があるはずの政治の話を友人と話す頻度が低いということは、そもそも自分の思っていることを自由に話しづらい、ひいては自由に生きにくいことにもつながるのではないか。実際、同じ調査で「人生は思い通りになるか」という問いに対し、日本は「自由になる」が59・0％である一方、「自由にならない」が38・6％（77か国中6位）と高いのに対し、韓国は「自由になる」が86・2％、「自由にならない」が13・8％（同68位）と25ポイント以上の開きがある。

政治が重要だと思い、関心を持ちつつも、政治的行動にはほとんど参加せず、政治の話を友人とすることも少なく、コミュニティや公共に頼らずに自分個人の力で人生を何とかしようとする日本の人々の姿が浮かび上がる。こうした傾向に対し、日本の人々の政治的な活動の少なさ、たとえば投票率の低さを嘆く論調がある。しかし問うべきは、それで誰が得をしているのか？　活動への関心をなくさせるような権力構造があるのではないか？　ということではないか。誰かが、私たちが持っている政治的関心に対して、上げようとする声を奪っている。

発達心理学者のキャロル・ギリガンによれば、家父長制の浸透により、男性も女性も発達過程で思ったままを言うことは危険だと学び、本心を隠すようになり、自分の経験を語る言葉を奪われてきたという。いわば関係性を守るために黙るのだが、言葉がなければ関係性は生じず、よって個人どうしがつながる道も絶たれてきた。また、新自由主義の浸透による「自己責任」の内面化が強い現在、声を上げるのは「わがまま」とも捉えられ、いっそう困難だ。

しかし、韓国の社会運動では、一人ひとりが声を上げて関係性を紡ぎ、つながりをもって社会課題を克服しようとしている。本書の元となった連続シンポジウムでも、報告者たちは葛藤・対立を恐れず率直に自説を主張し、真剣な意見交換のエネルギーに聴衆は圧倒された。その背景には民主化運動の経験はもちろんのこと、キリスト教や、当事者が声を上げて自分のストーリーを語ることにより共感を呼び関係構築し、つながった一人ひとりの資源を組み合わせて大きな運動にしていくコミュニティ・オーガナイジングの影響等も考えられる。同じように家父長制と新自由主義が強いはずの日本と韓国。その中でも諦めずに声を上げつづけることで、自分たちの力で社会を変えていけることを韓国の経験は教えてくれている。

日本でも近年、芸能界や芸術界、スポーツ界での#MeToo運動やフラワーデモ等の社会運動が起きている。とくに、制定後110年の中で類のない大幅な改正がなされた刑法改正では、性暴力被害当事者の団体が連携し、コミュニティ・オーガナイジングを用いたキャンペーンが展開された。

政治哲学者アイリス・マリオン・ヤングの構造的不正義の議論では、無関心や黙っているままでは不公正な構造に加担することになる。まずは日常の中で、率直に思っていることを話し、関係性を紡ぎ出すところから社会の変革ははじまる。

参考文献

キャロル・ギリガン（2022）『もうひとつの声で――心理学の理論とケアの倫理』（新訳増補版）川本隆史ほか訳、風行社

アイリス・マリオン・ヤング（2014）『正義への責任』岡野八代・池田直子訳、岩波書店

あとがき

「戦後最悪の日韓関係」といわれた２０１８年に、本書の元になった連続シンポジウムは企画された。政府関係が最悪なら市民間の交流を強化すればいい。韓国のダイナミックな社会運動に刺激を受け、日韓がともに抱える社会課題に、韓国ではどのように対処しているのか知りたい日本の市民は多いはずだ。そうした期待に応えるべく、一般社団法人生活経済政策研究所（生活研）のシンポジウムに韓国のアクティビストを招き、日韓交流を重ねようということになった。

企画にあたっては、生活研で「社会運動の再生～韓国の労働・市民運動から学ぶ」プロジェクトを立ち上げ、全５回のシンポジウムを企画した（メンバーおよび各回の登壇者は２９３頁を参照）。本来は日韓の活動家交流をねらいとしていたが、そこにコロナ禍が襲い、結局対面交流は実現せずにすべてオンライン開催となった。日本側コメンテーターからの鋭い問題提起と、通訳者の矢野百合子さん、杉山直美さん、辛鍾美《シンジョンミ》さんのご奮闘のおかげで、画面越しに毎回熱い議論が交わされた。その内容は日本社会で広く共有されるべきだと考え本書を編纂した。書籍化の段階で、討論者だった木村幹さんと新たに李泳采さんに執筆をお引き受けいただいた。また、生活研の前・現専務理事の大門正彦さんと西藤勝さんが事務局として支えてくださった。

毎回多数の参加者が視聴するシンポジウムを開催できたのは、コーディネーターを務めた金美珍さんのおかげである。招聘者との度重なる交渉や、提供された膨大な資料の翻訳を引き受け、また書籍化にあたっては内容をアップデートする必要があったので、お一人お一人と綿密に連絡を取り、日本側の要望に沿って内容を書き足してもらうなどの調整役を一手に担った。金美珍さんの献身的な努力なしには本書は完成しなかった。また、韓国側との調整や翻訳では金成垣さん、桔川純子さんもご尽力くださった。

韓国の社会状況を日本の一般読者にわかりやすく伝える役割は私と小谷幸さんが担った。韓国の社会運動の変遷と多様性をコンパクトに伝えつつ、それらへの韓国内でのさまざまな評価についても、異なる見解を取り上げることで多元的な様相にできるだけ迫ることを心がけた。当然ながら社会運動は一枚岩ではありえず、一致団結できないことが直ちに弱みを意味するわけでもない。必要に応じて連帯行動をとることのできる柔軟性と機動力を、どうしたら身につけられるのかという日本側の問題関心から、韓国の運動を捉えようとしたのが本書である。したがって、韓国における国内の社会運動へのまなざしとはずれもあるだろう。そうした日韓の相違をお互いが認識し、学びあっていくきっかけとして本書が読まれるなら望外の喜びである。

日本語の言葉の選択には想像以上に苦労した。言葉は使う人の立場性をあらわす。同じ事象でも立場が異なれば違った表現が用いられる。韓国語においても一定の幅があり、著者によって異なる言葉が選択される。それを日本語に直訳しただけでは、韓国での文脈が正確には伝えきれず、正確性を期すことに重きを置けば、話はどんどんと深みにはまる。どこかで折り合いをつけつつ、なるべくわかりやすくニュアンスを伝えるのは至難の業だ。１ページに何か所も迷う言葉が出てくるので、何度も協議を重ねた末の選択だった。

私自身は韓国を専門にするものでも、韓国語を解するわけでもない。韓国ドラマや映画を毎日のように観るなかで、ストーリーの背景にある政治や社会的文脈をもっと知りたいという思いを持っている。そのような私が金美珍さんとチームを組むことで、ワクワクするような新しい世界を垣間見ることができた。もっとも、肝心の日本読者への案内役を果たせたかどうかは、読者のご判断に委ねるしかない。

大月書店の岩下結さんには、日本語の整理を中心に大変お世話になった。ここまで手間のかかる刊行物はなかったのではないかと心配になるくらい、丁寧に文章を確認してくださった。岩下さんの忍耐強さに助けられて、なんとか刊行に漕ぎつけることができた。心より感謝申し上げます。

日本から韓国への関心には、ジェンダーギャップと世代ギャップがある。「冬ソナ」のヒット以来、韓国社会への関心は（中年）女性が率先してきた感があるが、いまでは世代を超えた広がりが見られる。韓国フェミニズムの書籍が多数翻訳され、K-POPや韓国コスメへの関心も高い。もはや一過性のブームではなく、完全に生活の中に韓国文化が常にある状況だ。だが、リアルタイムの韓国にアップデートができていない中高年男性も多いかもしれない。本書を通じて、日韓の市民社会が世代を超えて、ともに新しい時代を切り拓く試みに連帯していくことを願っている。

編者を代表して　三浦まり

生活経済政策研究所「社会運動の再生
～韓国の労働・市民運動から学ぶ」プロジェクト

主　査　三浦まり（上智大学）
委　員　小谷幸（日本大学）金成垣（東京大学）桔川純子（明治大学）
　　　　金美珍（大原社研、コーディネーター）
事務局　大門正彦（生活研専務理事）柳煌碩（生活研研究員）

オンラインセミナー「社会運動の再生にむけて
～韓国の市民・女性・労働運動から学ぶ」（全５回）

第１回「韓国の女性運動活動家が語る #MeToo運動～いかに韓国女性たちはつながり，たたかったのか？ その戦略と成果は？」（2020年9月24日）
日本側ガイダンス：申琪榮（お茶の水女子大学教授）

第２回「社会を変えた韓国のダイナミズム～対立から参加型ガバナンスへ」（2021年1月14日）
日本側コメンテーター：逢坂誠二（衆議院議員）遊佐美由紀（宮城県議会議員）

第３回「ベーシックインカムの導入か，社会保障の機能強化か～苦悩する韓国に学ぶ」（2021年4月16日）
日本側コメンテーター：宮本太郎（中央大学教授）森崎めぐみ（日本芸能従事者協会代表）

第４回「韓国ではコロナ禍のエッセンシャル・ワーカーの窮状にどう対応したか？～『不安定労働者』から『必須労働者（エッセンシャル・ワーカー）』へ～」（2022年1月20日）
日本側コメンテーター：泉房穂（明石市長）塩村あやか（参議院議員）瀬山紀子（公務非正規女性全国ネットワーク副代表）

第５回「外国人労働者は『奴隷』ではない～韓国雇用許可制の光と影」（2022年7月28日）
日本側コメンテーター：石橋通宏（参議院議員）関聡介（弁護士）

＊肩書きはいずれも当時

政権	年	韓国（社会）	日韓関係・日本の社会運動
盧武鉉	2003	2月　大邱地下鉄火災事故	「冬ソナ現象」
	2004	3月　盧武鉉大統領の弾劾を国会が可決，全国で弾劾反対のキャンドル集会 8月　外国人雇用許可制度施行	
	2005	5月　真実・和解のための過去事整理基本法（過去事法）成立 8月　外国人地方参政権付与	
李明博	2008	5月　米国産牛肉輸入反対キャンドル集会（～7月） 7月　老人長期療養保険制度施行	反貧困運動 12月　年越し派遣村
	2009	5月　盧武鉉前大統領が自宅近くで投身自殺 8月　金大中元大統領死去	9月　民主党を中心とした政権交代
	2010	3月　哨戒艇天安艦が北方限界線付近で沈没	
	2011	10月　朴元淳がソウル市長に当選 12月　金正日死去	3月　東日本大震災，東京電力福島第一原発事故 首相官邸前脱原発デモ
	2012	2012総選挙有権者ネットワーク結成	第2次安倍晋三内閣成立（自民党の政権奪還）
朴槿恵	2013		特定秘密保護法反対デモ
	2014	4月　セウォル号沈没事故	
	2015	「#私はフェミニストだ」宣言運動	安保法制反対の国会前デモ 12月　慰安婦問題に関する日韓合意
	2016	10月　朴槿恵大統領の政治スキャンダル（崔順実ゲート）発覚，キャンドル市民革命 12月　朴槿恵大統領の弾劾訴追案が国会で可決	ヘイトスピーチ解消法成立 「野党共闘」運動
	2017	3月　憲法裁判所で朴槿恵大統領の罷免・失職が決定	
文在寅	2018	1月　「#MeToo市民行動」発足 2月　平昌冬季オリンピック 10月　最高裁が旧徴用工に対する損害賠償の判決	
	2019	6月　トランプ米大統領・金正恩委員長・文在寅大統領が板門店で会談	4月　フラワーデモはじまる 7月　半導体材料の対韓輸出規制（～23）
	2020	1月　新型コロナウイルス感染症のパンデミック	
	2021	4月　ソウル市長に呉世勲が当選 5月　「必須労働者保護法」制定	
尹錫悦	2022	5月　尹錫悦が大統領に就任	7月　安倍晋三元首相が銃撃により死去
	2023		岸田文雄首相が訪韓

政権	年	韓国（社会）	日韓関係・日本の社会運動
	1992	米兵による女性殺害事件を受け共同対策委員会結成，翌年「駐韓米軍犯罪根絶運動本部」に改編	慰安婦関係調査結果発表に関する河野内閣官房長官談話発表
金泳三	1993	8月　金融実名制の実施 産業研修生制度が運用開始	外国人指紋押捺制度が廃止 「55年体制」終焉
	1994	6月　カーター元米大統領が訪朝 7月　北朝鮮の金日成主席が死去 10月　聖水大橋崩落事故	
	1995	6月　初の統一地方選挙 8月　北朝鮮で集中豪雨による食糧危機 11月　「民主労総」結成 12月　全斗煥元大統領が反乱罪容疑で逮捕	1月　阪神淡路大震災 8月　「戦後50周年の終戦記念日にあたって」（村山談話） 「女性のためのアジア平和国民基金」発足 9月　米兵による少女暴行事件を受けた沖縄県民大会
	1996	1月　1人当たりGDPが1万ドルを達成 4月　第15代総選挙 6月　三豊デパート崩壊事故	
	1997	7月　アジア通貨危機発生 11月　IMFに緊急融資を要請 12月　第15代大統領選挙 盧泰愚・全斗煥ら17人が赦免・釈放	
金大中	1998	参与連帯などの市民団体が国民基礎生活保障法制定に向けた活動を開始	日韓共同宣言発表 特定非営利活動促進法（NPO法）施行
	1999	3月　環境連合などが東江ダム建設白紙化市民行動 11月　民主労総が合法化	小渕恵三首相が訪韓
	2000	1月　「民間非営利団体支援法」施行 「総選挙市民連帯」結成 6月　東江ダム建設計画の白紙化が実現	12月　女性国際法廷開催
	2001	2月　「市民社会団体連帯会議」発足 8月　IMFの救済金融を全額返済	
	2002	5月　日韓共催ワールドカップ開催 6月　議政府で女子中学生2名が米軍装甲車に轢かれ死亡 12月　第16代大統領に盧武鉉が当選	9月　小泉純一郎首相訪朝，日朝平壌宣言

政権	年	韓国（社会）	日韓関係・日本の社会運動
朴正熙	1963	西独に炭鉱労働者を派遣（69年には看護師派遣）	
	1964	9月　ベトナム戦争に韓国軍の派兵を開始（～66）	
	1965	日韓条約調印批准反対闘争	12月　日韓基本条約締結 ベトナム反戦運動（～73）
	1966	7月　韓米駐屯軍地位協定（SOFA）締結調印（67年2月9日発効）	
	1968	1月　北朝鮮ゲリラの青瓦台襲撃未遂事件	
	1970	7月　京釜高速道路開通 11月　全泰壱が労働基準法遵守を訴えて焼身自殺	70年安保闘争
	1972	7月　7・4南北共同声明 10月　「維新体制」宣言	沖縄返還
	1973	8月　金大中拉致事件	
	1974	1月　大統領緊急措置1号（～75年，9号まで発動） 4月　民青学連事件 8月　陸英修大統領夫人殺害事件	
	1975	4月　ベトナム戦争終結	
	1977	輸出100億ドル，1人当たりGNP1000ドル達成	
朴正熙／崔圭夏	1979	10月　釜馬民主抗争 朴正熙暗殺事件 12月　全斗煥による軍事クーデター	
全斗煥	1980	5月　5・18光州民主化運動	
	1982	3月　プロ野球の開始	
	1987	1月　学生・朴鍾哲が水拷問により死去 6月　学生・李韓烈，民主化デモで催涙弾により死去 6月民主抗争の結果，6・29民主化宣言 7月　金大中，赦免・復権 10月　改正憲法公布，「第六共和国」発足	
盧泰愚	1988	9月　ソウルオリンピック開会 11月　全斗煥前大統領，財産の国家への献納と百潭寺入りを表明	
	1989	6月～「経実連」など新しい市民団体の結成	
	1990	11月　安眠島の核廃棄物処分場反対運動	10月　韓国の「太平洋戦争犠牲者遺族会」日本政府を提訴 12月　元「慰安婦」ハルモニらが日本政府を提訴

関連年表

政権	年	韓国（社会）	日韓関係・日本の社会運動
朝鮮時代	1875		日本の艦船が江華島に侵攻（江華島事件）
	1876	2月　日朝修好条規（江華島条約）締結	
	1894	2月　東学農民戦争（甲午農民戦争）起こる	
	1894	7月　日清戦争（～95）	
	1904	2月　日露戦争（～05）	
植民地時代	1910	8月　日韓併合	
	1919	2月　日本で朝鮮人留学生による2・8独立宣言 3月　民族代表33人が独立宣言を発表（3・1独立運動） 4月　上海で大韓民国臨時政府樹立	
米軍政	1945	8月　日本が無条件降伏し，朝鮮は植民地支配から解放	12月　婦人参政権，労働組合法成立
	1946		11月　日本国憲法公布
	1948	4月　済州島4・3事件起こる 8月　朝鮮半島南部に大韓民国単独政府が成立 9月　朝鮮民主主義人民共和国が成立 12月　国家保安法を公布・施行	
李承晩	1949	1月　反民族行為特別調査委員会（反民特委）発足 6月　南北協商運動の中心人物・金九が暗殺される	
	1950	6月　朝鮮戦争勃発	
	1951		サンフランシスコ平和条約，日米安保条約（旧）締結
	1952		在日朝鮮人の日本国籍剝奪
	1953	7月　朝鮮戦争休戦協定調印	
	1954	11月　李承晩政権が「四捨五入改憲」を強行	原水爆禁止運動がはじまる
	1955		自由民主党結成（「55年体制」開始）
	1959	7月　曺奉岩に死刑執行	
	1960	4月　4・19学生革命により李承晩が退陣	60年安保闘争，安保条約改定
尹潽善／張勉		6月　尹潽善大統領・張勉首相による議員内閣制	
	1961	5月　朴正煕らによる5・16軍事クーデター 7月　第1次経済開発5カ年計画（～66）	

執筆者一覧（執筆順）

李泳采（イ・ヨンチェ）
恵泉女学園大学人間社会学部教授。専門は平和研究，東アジア国際政治論，現代韓国朝鮮論。著書に『アングリーヤングボーターズ　韓国若者たちの戦略的選択』『東アジアのフィールドを歩く』（ともに梨の木舎），『犠牲の死を問う』（共著，梨の木舎），『なるほど！これが韓国か』（共著，朝日新聞出版）ほか。

木村幹（きむら・かん）
神戸大学大学院国際協力研究科教授。NPO法人汎太平洋フォーラム理事長。専門は比較政治学，朝鮮半島地域研究。著書に『朝鮮／韓国ナショナリズムと「小国」意識』（アジア・太平洋賞特別賞），『韓国における「権威主義的」体制の成立』（サントリー学芸賞），『日韓歴史認識問題とは何か』（読売・吉野作造賞，以上ミネルヴァ書房），『誤解しないための日韓関係講義』（PHP新書），『韓国現代史』『韓国愛憎』（以上中公新書）ほか。

桔川純子（きっかわ・じゅんこ）
NPO法人「希望の種」副理事長，明治大学兼任講師。韓国留学後，NGO等を経て「希望製作所」日本支部設立に参加。まちづくりや社会的企業に携わる日韓市民の橋渡しに取り組む。共著に『ろうそくデモを越えて』（東方出版）。2011年に第18回韓日文化大賞（文化交流部門）受賞。

金成垣（キム・ソンウォン）
東京大学大学院人文社会系研究科教授。専門は社会学，社会政策研究。著書に『後発福祉国家論』（東京大学出版会），『韓国福祉国家の挑戦』（明石書店），『福祉国家の日韓比較』（明石書店），『現代の比較福祉国家論』（編著，ミネルヴァ書房）ほか。

小谷幸（こたに・さち）
日本大学生産工学部教授，早稲田大学先端社会科学研究所招聘研究員。専門は産業・労働社会学。著書に『個人加盟ユニオンの社会学』（御茶の水書房，第10回日本労働社会学会奨励賞），『エッセンシャルワーカー』（共著，旬報社），『最低賃金1500円がつくる仕事と暮らし』（共著，大月書店）ほか。

編者

三浦まり（みうら・まり）

上智大学法学部教授。専門は現代日本政治論，ジェンダーと政治。著書に『さらば，男性政治』（岩波新書），『私たちの声を議会へ』（岩波書店）。編著に『社会への投資 〈個人〉を支える〈つながり〉を築く』（岩波書店），『日本の女性議員 どうすれば増えるのか』（朝日新聞出版），『女性の参画が政治を変える』（共編，信山社）ほか。

金美珍（キム・ミジン）

大東文化大学国際関係学部准教授。専門は社会運動，労働運動，女性運動，社会政策。著書に『韓国「周辺部」労働者の利害代表』（晃洋書房），『ハッシュタグだけじゃ始まらない』（共編，大月書店）ほか。

装丁　北田雄一郎
DTP　編集工房一生社

韓国社会運動《かんこくしゃかいうんどう》のダイナミズム
——参加と連帯による変革

2024年4月15日　第1刷発行

定価はカバーに
表示してあります

編　者　三浦まり
　　　　金　美珍

発行者　中川　進

〒113-0033　東京都文京区本郷 2-27-16

発行所　株式会社　大月書店

印刷　三晃印刷
製本　中永製本

電話（代表）03-3813-4651　FAX 03-3813-4656　振替00130-7-16387
http://www.otsukishoten.co.jp/

ISBN978-4-272-21132-6　C0036　Printed in Japan

ヨノナカを変える5つのステップ
マンガでわかるコミュニティ・オーガナイジング
鎌田華乃子著
沢音千尋漫画
A5判一四四頁
本体一六〇〇円

日本は本当に戦争に備えるのですか?
虚構の「有事」と真のリスク
岡野八代・志田陽子
布施祐仁ほか著
四六判二〇〇頁
本体一五〇〇円

差別はたいてい悪意のない人がする
見えない排除に気づくための10章
キム・ジヘ著
尹怡景訳
四六判二五六頁
本体一六〇〇円

大人もハマる!韓国ドラマ推しの50本
渥美志保著
四六判二五六頁
本体一六〇〇円

大月書店刊
価格税別